古龍自署

盛期之風貌

與

# 臥龍生作品 帶動武俠風潮

**《飛燕驚龍》開一代武俠新風**

《飛燕驚龍》(1958)爲臥龍生成名作，共48回，約120萬言。此書承《風塵俠隱》之餘烈，首倡「武林九大門派」及「江湖大一統」之說，更早於香港武俠巨匠金庸撰《笑傲江湖》(1967)所稱「千秋萬世，一統」達九年以上。流風所及，臺、港武俠作家無不效尤；而所謂「武林盟主」、「江湖霸業」等新提法，竟成爲社會大眾耳熟能詳的流行術語了。

《飛燕》一書可讀性高，格局甚大。主要是寫江湖群雄爲覬覦傳說中的武林奇書《歸元秘笈》而引起一連串的明爭暗鬥；再以一部假秘笈和萬年火龜爲餌，交插敘述武林九大門派（代表正派）彼此之間的爾虞我詐，以及天龍幫（代表反方）網羅天下奇人異士而與九大門派的對立衝突。其中崑崙派弟子楊夢寰偕師妹沈霞琳行道江湖，卻如夢似幻地成爲巾幗奇人朱若蘭、趙小蝶之絕世武功技驚天龍幫，而海天一叟李滄瀾復接連敗於沈霞琳、楊夢寰之手；致令其爭霸江湖之雄心盡泯，始化解了一場武林浩劫云。

在故事佈局上，本書以「懷璧其罪」（與真、假《歸元秘笈》有關）的楊夢寰屢遭險難，卻每獲武林紅妝垂青爲書膽(明)，又以金環二郎陶玉之嫉才害能，專與楊夢寰作對(暗)爲反派人物總代表。由是一明一暗交織成章，一波未平，一波又起，極盡波譎雲詭之能事。最後天龍幫冰消瓦解，陶玉帶著偷搶來的《歸元秘笈》跳下萬丈懸崖，生死不明，卻予人留下無窮想像空間。三年後，作者再續寫《風雨燕歸來》以交代陶玉重出江湖，爲惡世間，則力不從心，當屬狗尾續貂之作。

在人物塑造方面，臥龍生寫男主角楊夢寰中看不中用，固然乏善可陳，徹底失敗；但寫其他三名女主角如「天使的化身」沈霞琳聖潔無瑕，至情至性，處處惹人憐愛；「正義的女神」朱若蘭氣質高華，冷若冰霜，凜然不可犯；「無影女」李瑤紅則刁蠻任性，甘爲情死等等，均各擅勝場。乃至寫次要人物如「賓中之主」海天一叟李滄瀾之雄才大略，豪邁氣派；玉簫仙子之放蕩不羈，爲愛痴狂；以及八臂神翁聞公泰之老奸巨猾，天龍幫軍師王寒湘之冷傲自負等，亦多有可觀。

摘自 葉洪生、林保淳著《台灣武俠小說發展史》

台港武俠文學

流行天王

# 臥龍生

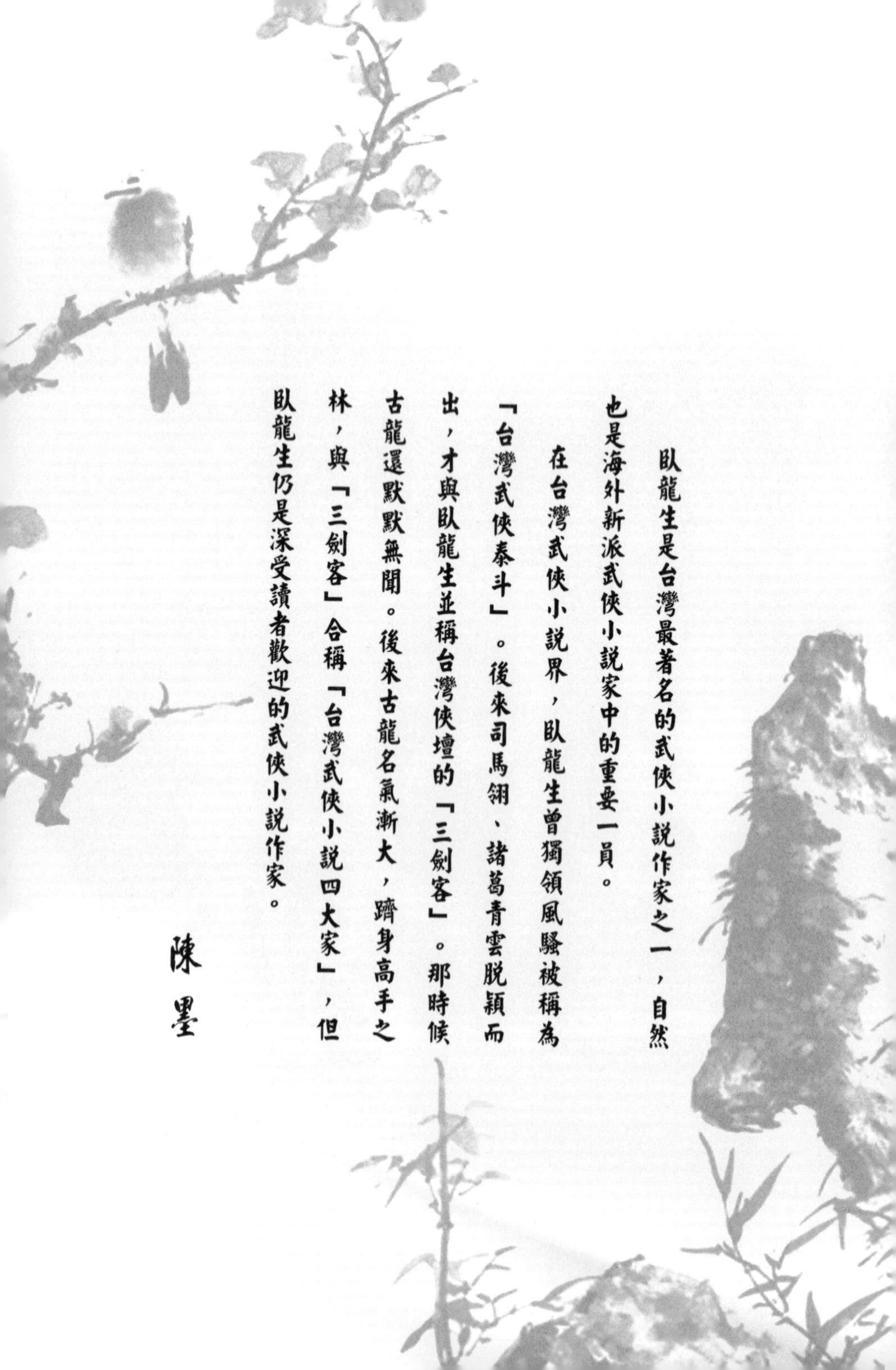

臥龍生是台灣最著名的武俠小說作家之一，自然也是海外新派武俠小說家中的重要一員。

在台灣武俠小說界，臥龍生曾獨領風騷被稱為「台灣武俠泰斗」。後來司馬翎、諸葛青雲脫穎而出，才與臥龍生並稱台灣俠壇的「三劍客」。那時候古龍還默默無聞。後來古龍名氣漸大，躋身高手之林，與「三劍客」合稱「台灣武俠小說四大家」，但臥龍生仍是深受讀者歡迎的武俠小說作家。

陳墨

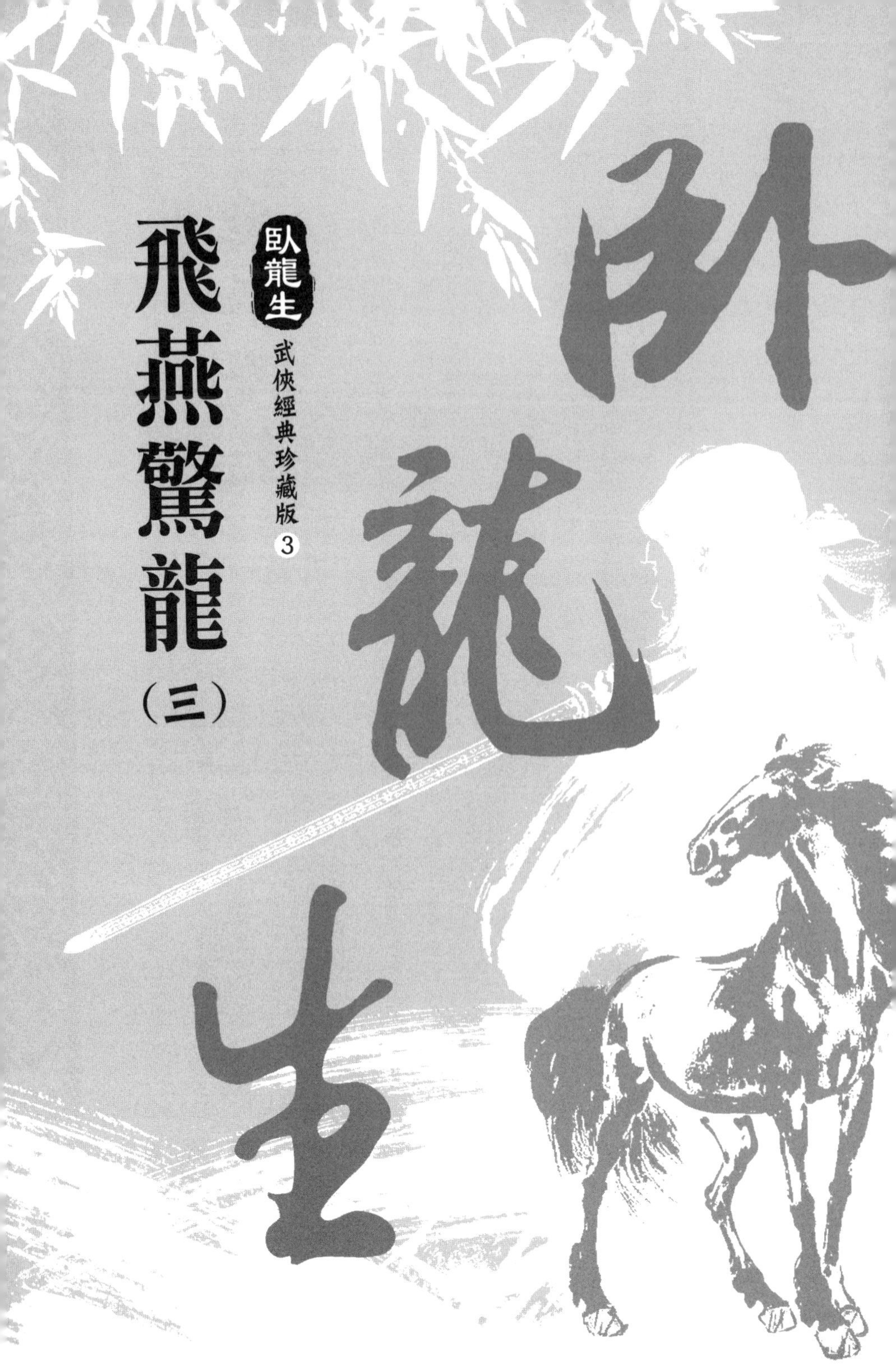
飛燕驚龍
（三）
臥龍生
武俠經典珍藏版
3
臥龍生

臥龍生 精品集03

# 飛燕驚龍(三)

目錄

# 二六　委屈求全

這是一座兩間房子大小的天然石洞，又經過一番人工雕飾，左邊一張松木矮榻上，仰臥著奄奄一息的楊夢寰。

右面壁角有一張圓形石案，案上點燃著一支松油火燭，燭光只勉強看清楚石室中的景物。

沈霞琳坐在旁邊木榻的一個石墩上，一向嬌稚無邪的嫩臉，此刻卻籠罩著一層淡淡憂鬱。

朱若蘭看霞琳無恙，心中愁慮稍解，緩步地走到她身側問道：「琳妹妹，你受苦了……」她口中在問著霞琳，目光卻逼視在鐵劍書生臉上。

史天灝心中很明白，只要沈霞琳對自己稍有不滿言詞，朱若蘭就可能出手，不由後退幾步，靠到木榻旁邊，他心中早已想好對付朱若蘭的辦法，只要她一有行動，自己就搶先出手。

只見沈霞琳搖搖頭。轉臉望著史天灝兩眼，答道：「姊姊出去之後，一會兒他就叩門進來，和我說話，哪知他趁我不防，突然出手點了我的穴道……」

朱若蘭冷笑一聲，右手忽地一探而出，直向史天灝右腕扣去。

鐵劍書生早已有備，一看出朱若蘭神情不對，立時一伏身，去抓仰臥在病榻上的夢寰，兩個人雖然是一齊發動，但朱若蘭卻比他快了一籌，他左手剛剛抓到夢寰，右腕已被朱若蘭纖纖玉指扣住了脈門要穴。

他心中很清楚，如果自己這一下不能適時擒拿住楊夢寰的要害，必將招惹起朱若蘭的殺機。

是以，不顧右腕脈門要穴被扣，左手仍然疾出，一把抓住楊夢寰胸前衣服，用力一帶，把夢寰由木榻上帶坐起來。

要知楊夢寰早已不省人事，只餘下一絲殘喘，尙未全絕，自是無法閃讓鐵劍書生這探手一抓。

這不過是剎那之間，朱若蘭扣制史天灝右腕脈門，尙未把內力發出，鐵劍書生已帶坐起夢寰，冷冷喝道：「扣制我右腕脈門的手，如敢妄加一分力道，我就一掌震碎他五臟六腑。」

朱若蘭怒道：「你快些給我放手，他已經是傷重垂死之人，豈能再受得住你的折騰。哼！對付一個毫無抗拒之力的重傷之人，算什麼英雄人物……」

她形色言詞之間雖流露出憤怒之意，但她卻自動地先放下鐵劍書生右腕。

史天灝一看自己這箝制的辦法生效，心中暗暗高興，一揚劍眉笑道：「江湖之上，豈能只以武功高低判分強弱，哈哈……」

笑聲未住，突然舉起右手，放在楊夢寰「天靈穴」上。

朱若蘭吃了一驚，逼近一步，道：「你要幹什麼？」

史天灝冷笑一聲，道：「你敢再擅自出手，我就要他碎腦橫屍！」

朱若蘭怕他真的暗下毒手，不自禁退後了三步。

沈霞琳滿臉憂苦，望了朱若蘭一眼，緩步走到鐵劍書生身側，說道：「你要真的震碎了我寰哥哥的內腑，我黛姊姊是決不會饒你的。」

鐵劍書生臉色忽轉緩和，笑道：「想要我放了你師兄不難，但必得答應我一件事情。」
沈霞琳慢慢地轉過臉，目光中滿是乞求，望著朱若蘭，道：「黛姊姊，咱們要不要答應他？」
朱若蘭目光逼住鐵劍書生臉上，問道：「什麼事？你先說出來，讓我們想想才能決定。」
史天灝只覺朱若蘭那兩道眼神之中，潛蘊著無上威力，不自覺側過臉去，不敢和她目光相觸。
沈霞琳看他轉臉不答，正待接口，忽聞洞口一個冷冷的聲音，接道：「兄弟，人心難測，你不要上了人家的當！」
朱若蘭轉動星目望去，只見南天一鵬周公亮，和三手羅刹一前一後站在洞門外。
只聽鐵劍書生朗朗大笑，道：「海天一叟李滄瀾既然盜走了我十年心血測繪的寶圖，不得那萬年火龜，決不甘心。可是他只知盜圖，不知殺人滅口，那萬年火龜出入之路，藏身之處，都已深印在我腦中了。不過，事後他必然會想到此事，即使不再來我們臥虎嶺下打擾，但在尋找之時，亦必有極周密的部署，但憑咱們兄弟之力，只怕難擋天龍幫人多勢眾。」
朱若蘭一顰黛眉，接道：「你要我們拒擋天龍幫，助你尋寶？」
鐵劍書生道：「令師兄傷重垂危，除了萬年火龜之外，大概當今之世，還沒有藥能救。」
朱若蘭道：「我師兄已是朝不保夕，如何能等待很久時間？」
她聽得那萬年火龜能救夢寰，心中竟真的動了相助之意。
鐵劍書生笑道：「現下已是春初季節，冬眠時間已過，就在數日之內，牠也許會出洞遊走，不過哪一天卻很難預料，只要令師兄能再支持上半月時間，我想……」

朱若蘭聽他言詞之間，毫無確切把握，暗自盤算一下夢寰壽命，頂多還有兩、三天時間好活，即使自己不惜拚耗元氣，每日打通他奇經八脈一次，阻止他內傷惡化，也不過能多拖上個十天、八天，算來算去，半月之期有些過長，她心中沒有把握，搖搖頭，道：「不行，我師兄頂多能支撐十天，十天內如不能捉得那萬年火龜，就沒有法子救得他了。」

鐵劍書生沉忖一陣，道：「十日之內，也許有望……」

突然他聲音變得十分嚴峻，接道：「不過在這十日之內，你們師姊妹必得聽我的命令行事。」

朱若蘭一揚黛眉道：「什麼？」

史天灝冷冷說道：「在這十日之內，你們姊妹，一定聽我命令行事，不能擅自作主。」

朱若蘭看他放在夢寰「天靈穴」上的手掌，已暗中運集了功力，心頭一凜，閉上了星目，答道：「好吧！你快把我師兄放開。」

史天灝笑道：「如果我放了你師兄之後，你推翻諾言，不認舊賬，我們都非你敵手……」

朱若蘭怒道：「我既然已經答應，哪有反悔之理？你不要以己之心，度人之腹！」

鐵劍書生看朱若蘭步步進入自己謀算，心中十分高興，但表面上仍然異常冷漠，說道：「你一身武功，奇奧難測，一旦推翻諾言，我們全盤計劃，都將付於流水。」

朱若蘭氣得一張勻紅嫩臉，變成了鐵青顏色，幾度企圖陡然出手，以迅雷不及掩耳之勢，援救夢寰，但不知怎地，卻始終提不起這份勇氣，只怕一擊落空，抱恨終生，一時間猶豫難決，半晌答不出話。

其實史天灝心中，比她還要焦急緊張，他怕真的激怒了朱若蘭，使她不顧一切出手，那不

但使得她拒擋天龍幫的想法落空，只怕還得當場濺血……

這樣相持了有一盞熱茶工夫，在這段時光之中，朱若蘭、史天灝都似行駛於狂風波濤中的小舟一般，心潮起伏不定，念頭瞬息萬變……

她心中千回百轉想了一遍，終於軟了下來，長長嘆息一聲，道：「你這等多疑，要我們怎麼辦呢？」

鐵劍書生道：「我要你起誓後才肯相信。」

朱若蘭被逼無奈，只得依言起誓，十日內聽鐵劍書生之命行事。

史天灝放下臉，笑道：「姑娘雖然是相助我們尋寶，但這和令師兄的生死關係很大。要知令師兄的傷勢，已非一般藥物能救，但那萬年火龜，卻有起死回生之力，只要我們能捉到那萬年火龜，令師兄就算得救，大丈夫言出必踐，剛才我說過另外一件至寶相贈，決不食言……」

朱若蘭剛才受他箝制，窩藏了一肚子委屈，不待他把話說完，立時冷笑一聲，接道：「誰稀罕你的至寶，我雖已答應十日內受命行事，但只限於幫你們拒擋強敵，至於尋寶之事，恕我沒有這份興致。」

說著話，緩步走到木榻旁邊。

這時，鐵劍書生放開了楊夢寰，閃退兩步，說道：「這當然，尋寶瑣事，我們亦不敢麻煩姑娘，幾位就請在這石室中休息一會兒，我們立刻送上酒飯。」

說罷，拱手一禮，退到洞口望了三手羅剎一眼，接道：「那萬年火龜不但能挽回沉疴，起死回生，且可使彭姑娘恢復玉容。」

彭秀葦冷冷接道：「你暫請放心就是，十日之內，我不會和你清算舊債。」

史天灝笑道：「也許不要十天，只要那萬年火龜到手，就能使你恢復年輕時面目……」

三手羅刹冷漠一笑，道：「我永不再相信你的甜言蜜語，哼！你得到那萬年火龜之時，也就是咱們清算舊恨之日。」

鐵劍書生微微一笑，不再答話，轉身和南天一鵬，聯袂而去。

兩人走後約有一刻工夫之久，三手羅刹仍然站在石室門口不去。

朱若蘭看她久不離去，不覺起火，冷冷地問道：「你怎麼還不走，站在這裡等什麼？」

彭秀葦道：「史天灝陰險得很，你不要再上他的當。」

朱若蘭本想發作，聽完話，心中忽地一動，問道：「你說他還會有什麼陰謀害我們？」

彭秀葦把頭探出洞外，看了一陣，慢慢地走到那木榻旁：「他給你們送來的酒飯，最好是不要吃。」

沈霞琳接道：「不吃飯，不是要餓死嗎？」

三手羅刹道：「這深山之中，到處都有飛鳥走獸，你們不會打一些來充饑？」

霞琳望了夢寰一眼，搖搖頭笑道：「寰哥哥傷得這等厲害，我們哪裡還能吃得下東西。」

朱若蘭本想把彭秀葦逐出石室，但轉念又想，眼下的困難處境，楊夢寰奄奄一息，自己如不拚耗元氣，經常打通他奇經八脈，只怕難再支撐兩天。但每打通他奇經八脈一次，自己就必需要一段相當長的時間養息，才能復元。三個時辰以內，不能和人動手，沈霞琳又是個毫無心機的孩子，決難對付鐵劍書生。

這三手羅刹看上去，雖不像什麼好人，但她究竟是個女人，再說眼前利害一致，不妨暫和

她聯合起來，以對抗鐵劍書生和南天一鵬。心念一動，轉臉笑道：「你在那古松之上，對我說的話一點不錯！史天灝確實是一個外表文秀，內心陰險的人！」

三手羅刹道：「他不但生性陰險，而且狡謀百出，老實說，他若不是想借你們師姊妹力量，抗拒奪寶之人，只怕他還有更陰毒的用心……」

朱若蘭只聽得心頭一震，但她外形仍裝出若無其事般，道：「要不是為我師兄，剛才我就要他濺血橫屍這石室之內。」

三手羅刹一聲輕笑，道：「但最後仍然是史天灝得到了勝利，你空負一身絕世武學，卻受他箝制，得受他十天驅使，在這十日之內，你總不能毀諾背誓，和他動手。可是，在這十天之中，可能要發生多少事情，姑娘，論武功才智，我都得甘拜下風，可是這江湖中經驗閱歷，我自信比你高了一等，對鐵劍書生生性、做事，更是瞭若指掌，如果你信得過我，咱們不妨聯合對付他們。」

朱若蘭微微一笑，道：「既然如此，但願能以誠相見，我們都是女兒身，說狡詐，實在要比男人還遜上一籌。」

三手羅刹笑道：「就此一言為定，在未尋到那萬年火龜之前，彼此不生二意，口不應心，天誅地滅……」

說至此，微微一頓，又道：「你們想必早已饑餓，我去替你們尋些吃的東西來。」

一語甫落，陡然轉身，一躍出洞。

朱若蘭目睹彭秀葦去後，心中愁慮稍解，正想拍活夢寰穴道，忽然想起了靈鶴玄玉，這樣久的時間，一直沒有見牠。

她回頭對霞琳道：「琳妹妹，你好好守著他，我去找玄玉回來。」

說罷，緩步出了石洞，縱身躍上洞口突岩，仰臉一聲清嘯，嘯聲直沖雲霄，散入夜空。

長嘯過後，足足一刻工夫，仍不見靈鶴玄玉飛回，朱若蘭心頭一急，施展開「凌空虛渡」輕功絕學，一口氣躍登上數百丈高的峭壁。

山峰上夜風仍帶透肌的寒意，朱若蘭運足真氣，啓綻櫻唇，又發出一聲響徹萬山的清嘯，嘯聲激盪夜空，播送出十里遠近。

可是，那清嘯之聲過後約頓飯工夫之久，仍不見靈鶴玄玉歸來，這是過去從未有過的事情，她不禁心中發起急來。

要知那玄玉，已是千年以上的通靈之物，耳目靈敏異常，牠雖經常自行翺翔空際，但一聞朱若蘭清嘯召喚，立時趕回，常常在那清嘯蕩漾之際，已落到朱若蘭的身側。這次她兩次清嘯召喚，均不見玄玉歸來，你叫她如何不急。

不管朱若蘭如何堅強，但她究竟還是個十八、九歲的少女，連日來數番遭遇，無一不加給她很大痛苦，想到煩惱委屈之處，不禁悲從中來。一陣感傷，熱淚奪眶而出……

突然一陣步履之聲，起自身後，她迅捷用衣袖抹去臉上淚痕，回頭望去，只見三手羅刹手中提著隻小鹿，緩步對她走來。

朱若蘭雖然盡量裝出歡愉的樣子，但三手羅刹是何等人物，哪還會看不出來，微微嘆道：「令師兄傷勢雖重，但還有可救之望，史天灝人雖陰險，但他確實有一肚子學問，只要是承諾之言，倒還能不失信約，他既說那萬年火龜能挽救令師兄的沉疴，決不會是空穴來風的謊言，此際正需姑娘振作精神之時，尚望能顧及大局，保重身體，應付目前波譎雲詭的形勢。」

朱若蘭正值愁思重重，黯然傷悲的當兒，聽彭秀葦一番勸告之言，精神果然一振，暗暗忖道：這醜怪女人的話，說得倒是不錯，這當兒豈是感慨愁慮之時？楊郎傷重垂危，琳妹妹毫無心機，幾人命運都在我一人手中所握，我如果不能凝神澄慮，拋棄愁懷，應付眼下險惡局勢，不但楊郎難救，還要連累琳妹妹一個善良無邪的少女遭殃。

她心念一轉，立棄雜念，雖明知那清嘯之聲召不歸靈鶴玄玉，定然是出了什麼事情，但也不再去想它，淡淡一笑，道：「如果那萬年火龜真如鐵劍書生所說的那等神異，我定當盡力助你恢復舊日玉容。」

三手羅剎笑道：「二十年來，我已經習慣了自己這份怪相，就是難還昔日面目，也沒有什麼要緊，可是這毀容之恨，我是非報不可，但望姑娘能助我一臂之力，單打獨鬥，我自信不比史天灝差，加上我陰燐雷火箭和七步追魂沙兩種絕毒的暗器，勝他雖無絕對把握，但總可立於不敗之地。不過他義兄南天一鵬周公亮，要是參與助拳，我就難敵四手，我不敢相煩姑娘出手相助，只期望能代我主持公道，不准他們兄弟聯手攻我。我就心感盛情了。」

朱若蘭一顰黛眉，道：「這本是武林中的規矩，他們自應遵守，但我在十日之內，要得聽他命令行事，只怕無能助你。」

三手羅剎笑道：「屆時我再看情勢決定吧！我能等候二十年的歲月，何況這區區十日之期，姑娘和令師妹，想必已忍饑多時，我剛獵得一頭小鹿，咱們先到那石室中，燒烤來飽餐一頓再說。」

當下兩人一齊施展輕身功夫，躍下峰頂，三手羅剎採了很多乾枯的樹枝，就洞口燃燒起來，幾人圍火而坐，烤食鹿肉。

這當兒，鐵劍書生也親攜酒飯送來，他一見朱若蘭打來野味烤吃，心中明白是人家擔心酒飯中下有毒藥，一語不發，放下酒飯，回頭就走。

此後，每到吃飯的時候，鐵劍書生就親自送來酒飯，一連三日，每日三餐，但朱若蘭等並未食用過一次，也未和鐵劍書生交談過一語。

這三日之中，朱若蘭替楊夢寰打通了兩次奇經八脈，阻止了楊夢寰傷勢惡化，但並未使他清醒過來。

要知這等通人脈穴之法，最是耗人真氣，雖然只有兩次，但已把朱若蘭折磨得形容憔悴。第四天中午時分，朱若蘭正待再替夢寰打通奇經八脈，史天灝卻突然到了石室。他目睹朱若蘭憔悴容色，不禁微微一呆，但並未追問原因。

三手羅刹幾天和朱若蘭、沈霞琳日夕相伴，不知不覺間竟有了情誼，一見鐵劍書生闖入了石室，立時挺身攔在前面，冷冷地問道：「你來這裡幹什麼？」

史天灝微微一笑道：「昨夜間，已發現了那萬年火龜蹤跡，我特來通知幾位一聲。」

朱若蘭本正在閉目運功，聽完話，忽地睜開星目，緩緩站起身子，問道：「既已發現萬年火龜行蹤，爲什麼還不下手？」

史天灝道：「事情如果這等輕而易舉，我史某也不敢偏勞姑娘了……」

朱若蘭一顰黛眉，道：「是不是發現了天龍幫中的人……」

鐵劍書生忽的朗朗一陣大笑，道：「何止是天龍幫？據我連日觀察所得，恐怕還有號稱武林九大門派中的高人不少！」

朱若蘭道：「我已承諾過十日內聽候派遣，你有什麼事，請說就是？」

史天灝望了望躺在榻上的夢寰，輕輕嘆息一聲，道：「那隻萬年火龜，不但和我們關係很大，而且還關乎著令師兄的生死。」

朱若蘭冷笑一聲，接道：「你有什麼事，直截了當地說出來，我沒興致聽你囉嗦。」

鐵劍書生史天灝嘴角仍然掛著微笑，說道：「依據我幾天來觀察所得，眼下臥虎嶺已到來不少武林高人。天龍幫自得到我手繪的萬年火龜出沒路線圖後，依圖索驥，已被他們找到萬年火龜藏身的地方。幸得我在繪製那圖的時候，早已想到了那圖可能被人盜走，是以在很多重要的地方，都用一種暗記代表，在此時間內，料他們沒法子猜得出來。不過，時日一長，就難免被他們識破，所以，我們必得搶先一步，一則可使令師兄傷體早癒，二則也可使彭姑娘早日恢復玉貌。不過，現下臥虎嶺，已雲集了很多武林高手，我們在聯手之時必需要有很周詳的計劃，免得爲人所乘，因此，才來和三位商量一下，因爲此舉成敗，和幾位都有著切實的利害關係……」

三手羅剎彭秀葦突然插嘴接道：「你準備和我們商量什麼？」

鐵劍書生史天灝轉臉望了三手羅剎一眼，目光又轉投在朱若蘭臉上，緩緩答道：「我在這幾天中，連續發現那萬年火龜游行痕跡，依據十六年的經驗判斷，牠每次夜出遊走，總要連續七夜，每年中只有一次。不過，牠往年外出，總在五、六、七三個月份之內，今年不知何故提早至三月初旬。我原想用煙薰之法，迫牠出來，應用之物都已準備妥當，想在後天動手，現下牠既然提早外出，實是難得遇上的良機，我已和盟兄議定，今天晚上動手，一切應用之物，均已備齊，但在動手之時，難免被人發現，爲此特來和三位相商，如何拒擋眼下雲集在臥虎嶺強敵之干擾。」

朱若蘭道：「那萬年火龜，當真能醫好我師兄的傷嗎？」

史天灝笑道：「這個但請放心，別說令師兄那點傷勢，就是再重上幾倍，也能醫好。」

朱若蘭微側星眸望了望仰臥木榻的夢寰，幽幽嘆息一聲，道：「只要那萬年火龜真能醫得我師兄的傷，我自當全力助你。強敵雖多，倒不足畏，只怕他們分成幾個方向，一齊出手干擾，我就無法分身拒擋，還有我師兄沒人照顧……」

鐵劍書生笑道：「姑娘所說之事，我亦想到，這座石洞隱密異常，很少有人知道，令師兄留此，決不致有什麼問題，這事姑娘大可不必擔心。至於強敵分襲一事，我亦早有顧及，是以選擇了那萬年火龜出入路線中，一段最爲險要的所在，那地方兩面是插天的絕峰峭壁，一面是急瀑險流，姑娘只需扼守一個二丈寬窄的山谷要道，即可獨拒強敵。」

朱若蘭道：「留我師兄一人在石室之中，如何能行，最低限度也要留下我師妹在這裡照顧他，我既答應了助你，自是不能推辭……」

鐵劍書生朗朗一笑，接道：「好，今夜初更時分，我再來邀請大駕。」

三手羅剎跟在他身後，直到洞口，目睹他背影消失，才回頭對朱若蘭道：「史天灝狡猾得很，我們必得防他得到萬年火龜後，藉機溜走。」

朱若蘭道：「他如真敢背諾棄信，我必要他橫屍荒山。」

說著話，緩步踱到木榻旁邊，低頭問霞琳道：「你寰哥哥醒過沒有？」

沈霞琳搖搖頭答道：「這幾天來，他連眼皮也未睜動一下。這座石洞很好，要是寰哥哥真的不能再活了，我就陪他住在這裡，永遠也不出去了。」

朱若蘭淒涼一笑，道：「不要胡思亂想啦，今晚上史天灝捉到萬年火龜，就可以救他

了。」

說罷又潛運功力，正待再打通他奇經八脈，忽聽三手羅刹叫道：「朱姑娘快請住手。」

話出口，人也隨著躍擋在木榻前面。

朱若蘭微微一呆後，怒道：「你要幹什麼？」

彭秀葦道：「我每次看你替他打通脈穴一次，人就倦睏不堪，想必十分消耗功力，是不是？」

朱若蘭道：「消耗我本身真氣，與你有什麼關係？」

三手羅刹彭秀葦一皺眉頭，道：「如果你不打通他體內脈穴，他是不是可以撐到明天？」

朱若蘭心中已有些明白，態度緩和了不少，嘆口氣，道：「兩天之內，足可支撐，只是無法再阻止他體內脈穴惡化，恐將縮短他生命限期。」

彭秀葦道：「史天灝剛才說，有很多武林高人雲集在臥虎嶺下，決非危言聳聽，今宵奪寶之爭，必然是慘烈絕倫。此際，天色已過午時，相距初更，只不過兩、三個時辰，在這短短的幾個時辰之內，你能否調息復元？如果在你功力未復之時，就遇上強敵襲擊，你又如何和人動手？要知你出了什麼差錯，對令師兄、師妹，害處更大。」

朱若蘭微一沉吟，道：「不錯，兩、三個時辰，我無法調息復元。」

當下果依三手羅刹勸告之言，緩步走到石室一角，盤膝靜坐，閉目調息，準備養好精神，應付晚上大戰。

半日時光，很快就過去，轉眼間，日落黃昏，史天灝又提著酒飯，趕來石室。

他親自打開飯盒，把豐盛的菜肴，一盤一盤地擺好後，笑道：「今宵必有一場激烈的拚搏，請幾位用些酒飯，略表我史某人一點心意。」

三手羅剎彭秀葦仔細地望了那酒肴幾眼，道：「盛情領受，你請便吧！」

鐵劍書生這人，確稱得上量大如海，微微一笑，拱手告退。

彭秀葦又把擺好的酒菜，一樣一樣地檢查一遍，笑道：「他正在需要我們之時，以常情推測，這酒菜之中，決不會下毒，不過史天灝爲人心機太深，思慮長遠，因而我總有些放心不下。但我仔細檢查這酒菜一遍，又毫無可疑之處。」

朱若蘭舉筷淺嘗了各種菜肴後，道：「果然沒有異味，咱們數日來盡是烤食鳥獸，從未動過他送來酒飯，我想他就是存心下毒，也沒有這份耐性。」

三手羅剎沉吟一陣，和朱若蘭等食用了史天灝送來的酒飯。

一餐飯匆匆用畢，天色已到掌燈時分，略一休息，初更便到，史天灝換了一身黑色勁裝，背插鐵劍，重來石室。

他臉色十分莊嚴，拱手作禮，低聲對朱若蘭道：「天剛入夜，臥虎嶺下已發現強敵蹤跡，而且不止一起……」

朱若蘭冷冷地截住了史天灝，問道：「你們是否已準備好應用之物？」

鐵劍書生道：「應用之物，均早備妥，只待兩位大駕前往。」

朱若蘭回頭對沈姑娘道：「琳妹妹，你好好地守著他，我去幫他們捉那萬年火龜，給他醫療內傷。」

沈霞琳幾日來一直坐守在夢寰的榻邊，很少言笑，也從不問朱若蘭的事情。聽完話，點點

頭，臉上浮出一個淒涼的微笑……

朱若蘭幽幽一聲輕嘆，緩步出了石室。一陣夜風，吹襲面上，使她沉浸在痛苦中的神志忽然一清，暗自忖道：今夜能否捉得那萬年火龜，關係著夢寰生死，我必得振作精神，全力以赴。

史天灝道：「那就請兩位隨我來吧！」

說完，縱身一躍，人已到兩丈開外。

朱若蘭、彭秀葦緊隨身後，三條人影，一線疾奔，片刻工夫，已翻越過六、七道山嶺，到了一處形勢異常險惡的地方。

前面是一道兩丈左右寬窄的峽谷，兩側都是插天高峰，壁立如削，寸草不生，縱有一等輕功，也不易由那峭壁間上下。

史天灝停住步，笑道：「這道山谷，大約有三百丈長短，兩邊峭壁，都在五百丈以上，谷底深處，就是那萬年火龜的藏身之處，急瀑險流，十分不易越渡，這處谷口，也就是這山谷的咽喉要道，兩位只要能守定谷口，就可擋來人入內……」

他話未說完，驀然間一聲響徹群山的長笑，劃空傳來。

朱若蘭抬頭望去，只見李滄瀾在川中四醜護擁中，扶拐而來。

在他身後八、九尺處，魚貫相隨著六、七個人。

海天一叟李滄瀾步履十分從容，雪白的長鬚在夜風中飄動。

鐵劍書生呆了一呆，才轉臉對朱若蘭道：「姑娘，這人是我們當前最大勁敵，只要能把此人除去，就算成功了一半……」

他說話的聲音雖然不大，但李滄瀾內功何等精純，身雖在數丈之外，卻聽得字字入耳。

只聽他哈哈一陣大笑，忽地一頓龍頭拐，陡然間凌空而起，腳落實地，已站在鐵劍書生兩、三尺左右的地方，這兩丈左右的距離，眨眼即至，笑聲忽住，冷冷接道：「史天灝，你只要能接得老夫三拐，凡是我們天龍幫的人，就立時撤走，並把你繪製的萬年火龜遊走路線圖，雙手奉還。」

史天灝自從那夜被李滄瀾反手一擊，幾乎被震斃掌下，心中已知自己功力和人家相差太遠，慢說三拐，就是一拐，他也沒有信心能接得下來。

他反手拔出背上鐵劍，冷笑一聲，道：「恕我沒有興致奉陪，不過自有人和你動手……」

他目光轉到朱若蘭臉上，以命令的口氣，道：「你出去接他三拐。」

朱若蘭氣得粉臉上一片鐵青，但她仍然受命而出，緩步對海天一叟走去。

這時，川中四醜已聯袂飛躍至李滄瀾身後，一排橫立。

緊隨在他身後的六、七個人，亦都趕到，停身在丈餘外。

朱若蘭星目轉動，打量那停在丈餘外的幾人一眼，目光又轉投到李滄瀾臉上，冷冷接道：「我來接你三拐如何?」

海天一叟微微一怔，繼而呵呵大笑兩聲，道：「姑娘和史天灝有何淵源?竟要代他出戰。」

朱若蘭只覺臉上一陣熱辣辣的難受，要知她平時高傲異常，別說是鐵劍書生，就是當今之世，能放在眼中的人，也不過只有三、兩個而已。

被李滄瀾當面譏諷，心中難過至極。但她已立過重誓，十日內聽命於鐵劍書生行事，何況她心中還期望著早得那萬年火龜，醫療夢寰傷勢……

她心念一轉，勉強忍下胸中氣忿，故作鎮靜，淡淡一笑，道：「我沒有耐性和你作口舌爭論，還是從武功上分勝負吧。」

李滄瀾縱聲一陣大笑，道：「那很好，很好……」

口中雖然連說很好，但卻始終不肯出手。

要知他自那夜目睹朱若蘭武功後，已覺出她一身本領，高不可測，一舉手一投足，就使人難以捉摸，他心中沒有制勝把握，所以不敢貿然出手。

朱若蘭聽他那大笑之聲，有如神龍長吟一般，經久不息，只震得耳中嗡嗡作響，暗自忖道：此人內功，這等精深，和他動手時，倒真得小心。

李滄瀾長笑之聲，足足有一盞熱茶工夫，仍然不停，而且聲勢愈來愈大，音震山谷，蕩人魂魄。

朱若蘭霍然警覺，暗道：糟！這幫匪頭子，分明是借這長笑之聲，暗中和我較量內功……轉臉向鐵劍書生望去，果見他頂門上汗水如珠，不停滾下，似正在極力忍受。她不再猶豫，倏然一聲嬌叱，欺身直進。左掌橫拂一招「揮塵清彈」，右手並食中二指，疾點「氣門」要穴。

李滄瀾霍地收斂笑聲，雙肩微一晃動，人已退出八尺，右腕一振，龍頭拐迎頭劈下。

朱若蘭不避拐勢，陡然一個旋身，直向李滄瀾身側欺去，這一招避襲還擊，合一出手，那旋身一進，驚險至極，龍頭拐差數寸就要擊中，但妙也妙在那數寸之差，這身法要拿捏得恰到

好處，錯一點立時得濺血拐下。

李滄瀾雖然久經大敵，會過無數高人，但朱若蘭這怪異身法，他還是初次遇上，不覺微微一怔。就在他一怔神間，朱若蘭已欺到身側，右手反臂出一招「冰封長河」，隨手劈出一股潛力，把他龍頭拐逼住，左掌指顧間連續拍出三掌。

這三掌，雖然是先後擊出，但因速度太快，看上去好像是三掌一齊出手，使人眼花撩亂，避無從避。

李滄瀾吃了一驚，全身陡然向後一倒，直待背脊距地三寸左右時，腳跟微一用力，全身貼地飛出八、九尺遠。

兩人在交手一回合之內，各人都露了一招江湖上罕見的絕學，只看得一旁觀戰諸人，個個驚嘆！朱若蘭剛才避襲、欺進、逼拐、施擊，都是《歸元秘笈》上所載絕學，還是她踏入江湖以來，初次施用，心想萬無不中之理，哪知李滄瀾竟能以貼地倒飛的身法避開她這一擊，不禁也是微微一呆。

李滄瀾避開朱若蘭一擊之後，心頭怒火高燒，冷笑一聲，道：「姑娘的武學，實是我李某生平所遇第一高人，想不到老夫在風燭殘年之時，還能遇上了姑娘這等高人……」

他仰天一聲大笑，又道：「不過，希望姑娘能說出師承門派，使老朽增長一次見識，看看當今之世，哪一派的武學，這等奇奧。」

只見朱若蘭冷冷一笑，道：「既是要在武功上判分生死，又何必通名報姓，詢人師承……」

海天一叟李滄瀾一身武功，睥睨江湖，何曾受過人這等輕視，只氣得他全身一陣顫抖，呵

呵兩聲冷笑，道：「好狂的女娃兒，竟敢這等藐視老夫。」

他正待揮拐出手，突聞一陣颯然風響，一條人影，疾躍而出，擋在李滄瀾前面，單掌立胸，躬身說道：「幫主暫請息怒，第一陣請先讓敝壇接下。」

李滄瀾看來人正是黑壇壇主，開碑手崔文奇，當下臉一變，一腔激動，頓時平伏下來，淡淡一笑，道：「這女娃兒武學詭異，你要小心一點。」

要知海天一叟李滄瀾，乃武林一代梟雄，豈是輕易動怒之人，只因朱若蘭幾句話太不留人餘地，才激起心頭怒火，崔文奇這一適時而出，頓使他神志一清，他心中本無制勝把握，正好有下台的階梯。

開碑手崔文奇霍地一個轉身，緩步向朱若蘭迎去，一面暗中運集功力，準備搶制先機。

朱若蘭星目中神光如電，眉宇間隱泛怒意，冷冷說道：「車輪戰何足爲奇，最好你們能一齊出手。」

崔文奇對那激動之言，充耳不聞，目光卻轉投到鐵劍書生史天灝臉上，冷笑幾聲，道：「史兄艷福不淺，哈哈，無怪要悠遊林泉，隱居這臥虎嶺下，不肯問江湖是非了。」

這幾句話，字字有如利劍般，透穿了朱若蘭一寸芳心，氣得她一張勻紅嫩臉，變成紫青顏色，一口玉牙咬得咯咯作響，聲音顫抖著，叱道：「你敢口出這等污穢之言……」

三手羅剎彭秀葦目睹朱若蘭激動神情，已知她中人激將之法，當下大聲喊道：「朱姑娘，不要理他，他是故意激你……」

朱若蘭本是絕頂聰明之人，聽得三手羅剎一喝，滿懷氣忿，登時消除。

崔文奇本想激怒朱若蘭，再突然下手施襲，以求一擊成功，正暗慶陰謀得逞時，卻被三手

羅剎點破。

但他究竟是久經大敵之人，經驗閱歷，異常豐富，雖被彭秀葦點破陰謀，仍然不露怒意，反而哈哈一笑，道：「這位人不像人，鬼不像鬼的女英雄，你可是昔年被史兄毀去玉容的彭姑娘嗎？哈哈，在下久聞大名，今日能一睹芳容，實在是大開了眼界！當今之世，能有彭姑娘這份長像的只怕沒有幾人！」

這幾句話，尖酸刻薄至極，三手羅剎聽得心如劍穿，就是鐵劍書生史天灝，也聽得暗暗驚心，他怕這幾句話挑逗起彭秀葦毀容舊恨，盛怒出手，和自己以命相搏，眼下情勢，敵眾我寡，彭秀葦如再一怒倒戈，先和自己拚個你死我活，後果實在不堪設想。

他心中風車般打了幾轉，冷冷接道：「崔兄弦外之音，是想要我史某人先和彭姑娘拚個生死，是不是？」

崔文奇道：「好說，好說，史兄隱居這臥虎嶺下，一住十五寒暑，想來武功已登峰造極，彭姑娘縱有雪恨之心，只怕也無報復之力。」

鐵劍書生史天灝朗朗一陣大笑，道：「如果兄弟送命在彭姑娘七步追魂沙下，貴幫就可坐得那萬年火龜了，這辦法實在不錯。」

其實史天灝不需再點破崔文奇的用心，三手羅剎也不肯受他挑撥，她雖然心中難過，但始終一語不發，醜臉下神情冷漠，毫無激動樣子。

開碑手崔文奇借這番說話的工夫，早已暗中運集了功力，只聽他一聲大喝，雙掌一先一後，連環劈出。

這一發之勢，是他畢生功力所聚，一股疾猛的力道，直向朱若蘭撞去。

朱若蘭剛受他一番譏諷，心中餘怒未息，又見他陡然施襲，更是火上加油，冷笑一聲，左掌含勁橫立，右掌運功蓄勢，待和崔文奇劈出力道接觸，橫立左掌忽地向旁側一撥，把崔文奇勁道引開，正要舉步出擊，忽然感到又一股強猛的潛力，直逼過來。

原來崔文奇把全身力道，分成兩股，運集於雙掌，先後劈出，重疊擊來，朱若蘭猝不及防，被那重疊而來的力道一撞，幸得她應變速快，雙足一頓，隨著那擊來潛力，全身飄空而起，落到三丈外。

崔文奇吃了一驚，暗自忖道：此人武功，當真令人難測高深，眼看她被我後發的內家劈空勁力擊中，怎麼會毫無損害。

他哪裡知道朱若蘭在和李滄瀾動手之時，已暗中運集了佛門先天氣功護身，這種內功，屬於至柔，一遇外力侵襲，立生妙用，隨著擊來力道，飄空飛起，內腑不受震動。

就在崔文奇錯愕之間，朱若蘭已躍起凌空擊下。

崔文奇知道厲害，哪敢硬接，右袖一指，向左橫躍九尺。

朱若蘭一疊腰，懸空忽地打了一個轉身，快比流矢，直向崔文奇追去，指風似劍，掃擊後肩。

崔文奇雙腳還未站穩，朱若蘭指風業已近身，開碑手心頭一震，身子急向前面一伏，反臂一掌「回頭望月」，橫擊過去。

他心知已無法閃避開朱若蘭這電光石火般的追擊，是以存了寧為玉碎之心，反臂一擊，用盡了生平之力，掌風潛力，激蕩逼人。

朱若蘭雖身負絕世武學，但她對敵經驗，究竟欠缺，崔文奇又是拚著兩敗俱傷的打法，不

顧本身危險，回掌全力反擊，果然迫得朱若蘭收招自保，柳腰一挫，急衝的嬌軀陡然收住，隨著那逼來潛力，飄退出六、七尺外。

崔文奇冒險化解了一招危勢，已驚得出了一身冷汗。

鐵劍書生看天色已快到萬年火龜出洞遊走時分，如果還不準備，時間上恐難趕及。那萬年火龜又是異常通靈之物，一擊不中，必將深藏不出，說不定會暗中逸走，所以，他心中十分焦慮，但又不便催促朱若蘭快些動手……

李滄瀾目睹崔文奇所遇險招，亦不禁暗暗驚心，如果放任開碑手再打下去，必要傷在對方手中，如要把他召回，只有自己親身臨敵，但他心中亦無制勝把握，一時間左右爲難，不知如何是好！這當兒，突聞一陣衣袂飄風之聲，由身側疾掠過，二條人影，躍落在開碑手崔文奇身旁。

朱若蘭細看來人，大約有五旬開外，面貌清臞，留著花白的八字鬍，一襲長衫，神態十分悠閒，她一看之下，已辨出是鄱陽妙手漁隱蕭天儀。

她還未來得及說話，妙手漁隱蕭天儀已搶先開口，拱手一禮笑道：「這位姑娘，還識我這打魚的人嗎？」

朱若蘭微微一笑，道：「老前輩別來無恙，想不到荒山之中，竟會遇得大駕！」

蕭天儀呵呵一陣大笑，道：「姑娘太過自謙，老前輩這三個字，我蕭某人如何能當受得起，鄱陽湖翠石塢初見姑娘之時，我已看出姑娘是位身負絕世武學的奇人，總算我老眼不花，剛才目睹姑娘出手幾招，果然都是見所未見的奇奧手法。」

朱若蘭被人一陣恭維，不覺臉下有些發熱，輕顰黛眉，笑道：「老前輩太過獎了。」

蕭天儀目光突然轉到鐵劍書生臉上，問道：「恕老朽斗膽一問，不知姑娘和史天灝有何淵源？」

鐵劍書生眼看兩人談話神態，分明早已相識，不禁心頭大急，縱身一躍，落到朱若蘭身側，冷冷地說道：「你別忘了咱們十日之約，此刻豈是敘舊談話之時，我限你在頓飯工夫之內，把眼前敵人全數逐出谷口，免得壞了咱們大事。」

朱若蘭聽得呆了一呆，道：「十天時間，眨眼就過，那時候，你當心就是。」

史天灝臉色一片冷漠，接道：「十日後我死而無恨，但在這幾日內，你必須履守約言。」

朱若蘭心中雖然異常忿慨，但又不能不守信約，轉頭望著蕭天儀，勉強一笑，道：「老前輩暫請後退，今宵之事，決難善罷，除非天龍幫能立時撤走，不再圍爭萬年火龜！」

蕭天儀察顏觀色，已看出朱若蘭身受鐵劍書生箝制，只是猜不出個中原因而已。一時間呆在當地，想不出適當措詞回答。

只聽李滄瀾呵呵大笑，龍頭拐在地上一頓，人如行空天馬，從朱若蘭頭頂疾掠而過，懸空張臂，拐掌齊下，直向鐵劍書生擊去。

這一下，迅快至極，笑聲未落，拐風已破空罩下。

史天灝吃一驚，鐵劍疾舉，一招「白雲出岫」，舞起一片劍花，護住頂門，人卻向後疾退了三步。

李滄瀾身未落地，龍頭拐已然變招，右臂一振，壓力驟增，那滿天拐影，倏忽間合劍為一，但聞一聲金鐵大震，史天灝手中鐵劍，已被震飛出手，就在他龍頭拐變招的同時，一挫腰，身體陡然又前進數尺，左手隨勢護下，腳落實地，右手已擒拿了史天灝的右腕脈門。

但朱若蘭反撲之勢，快捷無比，李滄瀾剛剛擒拿住鐵劍書生右腕，朱若蘭指風已到背後。

海天一叟李滄瀾早已預料到朱若蘭反撲搶救之勢，必然快捷無倫，是以，在擒拿史天灝右腕後，立時向旁側閃去，饒是他應變迅快，後背仍被朱若蘭指風掃中，但聞「嚓」的一聲，衣服破裂，一道數寸長的口子出現。

朱若蘭一擊未中，李滄瀾已緩過了手腳，左手加勁一帶，史天灝身不由主，被他一帶之勢，橫在身前。

這時，朱若蘭第二招掌勢剛好擊出，李滄瀾左臂潛運內力，把鐵劍書生一推，直向朱若蘭攻出的掌勢迎去。

一來一迎，迅速無比，待朱若蘭發覺李滄瀾拿史天灝迎擋自己一擊時，凌厲的指風，已到鐵劍書生胸前。

這是間不容髮的一瞬，史天灝根本來不及出言喝止，只得雙目緊閉靜等一死。

眼看朱若蘭纖指已沾上了鐵劍書生的衣服，就在這生死一剎間，她倏然收住了右手攻勢。

史天灝眼睛還未睜開，耳際間卻聽得海天一叟李滄瀾的冷笑，道：「史兄是想要那萬年火龜呢？還是要自己的性命？」

鐵劍書生只感被握的右腕，如被一道鐵箍扣緊，他暗中運集功力，陡然睜開眼睛，大喝一聲，用力一甩，想掙脫李滄瀾的左手，哪知這一掙甩，突感右腕壓力加重，登時半身發麻，勁力用出一半，忽地消失。

朱若蘭星目電閃，一側身閃到右邊，避開鐵劍書生，舉手拍擊三掌。

## 二七　萬丰火龜

李滄瀾被這三掌急攻，逼退了四步，但他左手仍緊握著鐵劍書生右腕不放，右手握拐，連擋帶封，才算把攻來三掌讓開。

這時，鐵劍書生已疼得頂門上汗水如雨，急促的喘息之聲，使他聲音大異往常，他一面搖著頭，一面說道：「朱姑娘，暫請停……手。」

李滄瀾冷笑一聲，接道：「她如敢再攻我一招，我就捏碎你的腕骨！」

朱若蘭目睹鐵劍書生疼苦之色，和那抖顫的聲音，果然停下了手，望著李滄瀾道：「哼！拿人作質，算不得什麼本領，你敢不敢和我……」

李滄瀾呵呵一陣大笑，打斷了朱若蘭的話，接道：「老夫和姑娘素無嫌怨，這拚命之舉，大可不必……」

鐵劍書生史天灝突然冷冷接道：「大丈夫可殺不可辱，你這等對我，可別怪我罵你了。」

這時，崔文奇、蕭天儀、川中四醜等，都已分布在四周，採取了合圍之勢，三手羅剎也退到了朱若蘭身邊，右手套著鹿皮手套，握著一把毒沙，左手握著一支陰燐雷火箭，兩道眼神不停轉動，監視這四周敵勢。

眼前形勢，已到劍拔弩張，朱若蘭也運集了功力戒備，大戰一觸即發。

李滄瀾望了朱若蘭兩眼，目光又轉投到史天灝臉上，笑道：「史兄，我創立天龍幫，並非為我李某個人在江湖上的聲譽地位，而是為我們所有九大門派以外武林朋友著想，數十年來，我們這般江湖上無門無派的人，不知有多少被所謂九大武林門派中的人所傷……」

他微微一頓，又繼續說道：「如果我們這般無門無派的江湖草莽，再不適時團結一起，對抗九大門派在武林中的囂張氣焰，只怕我們這般人，要被他們趕盡殺絕。」

鐵劍書生冷笑一聲，道：「你這樣費盡口舌，是不是想要我加盟在天龍幫中？」

李滄瀾笑道：「天龍幫大門常開，極歡迎江湖無門派的英雄加盟。」

鐵劍書生史天灝臉色十分莊嚴地答道：「就憑你這等人物？哼！我史某人豈肯受你脅迫入伙，大丈夫恩怨分明，寧死不受辱。」

海天一叟李滄瀾忽然放了史天灝被握的右腕，疾退兩步，接道：「史兄如真肯加盟天龍幫中，老朽願盡力相助史兄獲得那萬年火龜。須知這萬年火龜，已不是什麼秘密之事，江湖上聞得此事的人，已為數不少，別說今宵已有不少九大門派中高人趕來，圖謀截奪，就是史兄今夜得手遠遁，只怕也難避九大門派眼線和追襲的高手。老朽一向言出必踐，那萬年火龜雖係天地間極難遇得的神奇之物，但老朽求才之心，較那得寶之心更殷切百倍，史兄是否能相信老朽？甚望一言而決。」

鐵劍書生史天灝一時間頗難答覆，他心中拿不定主意，轉臉向朱若蘭望去，可是朱若蘭一張勻紅的嫩臉上，一片冷漠神情，難窺絲毫意向……

正在他沉吟難決當兒，突聞山谷外飄傳來一聲震耳的長嘯。

嘯聲未落，人已現身，兩條人影劃空流矢般聯袂飛來，但看兩人快速的身法，已知來人身負著絕世武功。

兩條聯袂疾奔的人影，在距離丈餘外處停下。

史天灝打量來人兩眼，不禁心頭一震。

只見左面一個身穿長衫，手握竹杖，童顏鶴髮，白鬚如銀，正是華山派一代掌門宗師，八臂神翁聞公泰。右面一人，短服勁裝，身軀高大，微現駝背，兩手特長，直垂膝下，雙目如鈴，神光逼人，史天灝看得怔了一怔，才想起此人是八臂神翁聞公泰的師弟，多臂金剛屠一江。

他心中正在猶豫難決，但見這兩人現身之後，立時臉色一變，低聲答道：「要我加盟不難，但今夜貴幫中人必得暫時聽我調動，免得讓那萬年火龜逃走。」

李滄瀾微微一笑，道：「這個不難，從老朽算起，在萬年火龜未獲之前，一律聽你調動就是。」

史天灝道：「我們獲得萬年火龜之後，這分配之權，也應由我作主。」

李滄瀾微一沉吟，道：「只要你能誠意入幫，這個我也答應。」

鐵劍書生忽地一聲長嘆，轉臉對朱若蘭道：「我和姑娘約言，願以另一件武林異寶相贈，並以萬年火龜療治好令師兄沉重的傷勢，我雖允李幫主加盟天龍幫中，但此約依然不變。」

朱若蘭說：「相贈武林異寶一事，恕我興趣不高，你能否實現諾言，卻無關緊要，但我師兄的傷勢，卻是不能拖延……」

史天灝朗朗笑道：「這個但請放心，如果我們真能得到那萬年火龜，必先為令師兄療治傷勢。」

這當兒，川中四醜和開碑手崔文奇等，都已轉過身子，蓄勢戒備，防備八臂神翁聞公泰和多臂金剛屠一江的突然施襲。

八臂神翁聞公泰和多臂金剛屠一江，自現身之後，都一直站在旁側，冷眼觀察，他們目睹當前局勢的變化，鐵劍書生史天灝被李滄瀾幾句話說服，投身在天龍幫下，使雙方劍拔弩張的局面，倏忽間化敵爲友。

海天一叟李滄瀾自聞史天灝允投天龍幫後，心中十分高興，緩步扶拐，越度到八臂神翁前面，笑道：「聞兄好靈的耳目啊。我們括蒼山中一別，大概已快近一年沒見面啦？」

八臂神翁一笑，也未回答李滄瀾的問話。

崔文奇目睹聞公泰踞傲神態，不禁心頭火起，倏然一晃雙肩，上前幾步，怒聲喝道：「聞兄好大的架子，你是耳聾呢？還是故意裝傻。」

八臂神翁還未及開口，多臂金剛屠一江已搶先接道：「這位說話的兄台，是幹什麼的？眼下高人不少，似乎還輪不到閣下插嘴！」

崔文奇縱橫江湖，聲譽甚隆，幾時受到過這等輕視，只覺一股無名怒火，直沖上來，暗中潛運功力，倏地一聲怒叱，一掌直劈過去。

多臂金剛身形不動，過膝的雙臂突然收在胸前，掌心向外，冷笑一聲，平推而出。

兩股潛力掌風，懸空一撞，激起一陣旋風，捲飛起一片沙石。

崔文奇不自主後退一步，雙臂金剛屠一江也震得身子搖擺，馬步浮動。

李滄瀾微微一笑道：「聞兄和令師弟連夜趕到臥虎嶺來，不知有什麼緊要大事？」

聞公泰冷冷地答道：「李兄能來得，我們兄弟就來不得嗎？」

李滄瀾捋鬚大笑道：「好說，好說，老朽只不過感覺到，我們天龍幫和貴派機緣太深，處處趕巧……」

聞公泰道：「李兄不覺著這幾句話太過客氣嗎？哈哈，這該說冤家路窄……」

他突然停頓一下，又道：「不過李兄也不必太過高興，史天灝雖甘心把數十年江湖闖得的一點聲譽，棄之不顧，投奔天龍幫中，但今宵之勢，恐已非十月前括蒼山之勢可比，那時貴派人多勢眾，哈哈，可是今夜不同，武林中各大門派恐都有高人趕來！」

李滄瀾仰天打個哈哈，道：「天龍幫已久存邀請武林中九大門派比劍之心，此事爲期不遠，如果今夜能使我先期一睹九大門派武學，更是好極。」

八臂神翁聞公泰，忽然放下臉，微微一笑，道：「李幫主能有邀集武林中九大門派比武雄心，實是難得，屆時華山派定當全力以赴，但今宵之事，卻不同比劍之爭，兄弟行事，向來明快，決不拖泥帶水，眼下有一件事，想和李兄……」

他目光忽然轉投到鐵劍書生臉上，接道：「和這位史兄商量一下，只是不知兩位有沒有膽子答應？」

李滄瀾冷笑一聲：道，「什麼事？你先說出來，容我稍作思考再談不遲。」

聞公泰聽得暗暗罵道：這幫匪頭兒，真個是老奸巨猾。

他心中雖在暗罵，臉上卻是毫無忿怒之色，嘴角間仍帶著微微笑意，道：「李兄今宵大駕親蒞這臥虎嶺下，想必志在那萬年火龜？」

李滄瀾冷笑了一聲，道：「不錯，聞兄和令師弟千里迢迢由西嶽來此，不知是爲的什麼？」

聞公泰答道：「彼此彼此，咱們既都是爲的那萬年火龜，在未尋到那萬年火龜之前，似不宜先拚個你死我活，免得讓別人坐收漁利。」

李滄瀾冷冷地接道：「聞兄話說得雖然不錯，但不知有何高見？」

聞公泰冷笑道：「以兄弟意思，大家暫時拋棄敵意，同心合力的尋找那萬年火龜……」

李滄瀾哈哈一笑，道：「待尋得那隻萬年火龜之後，再由我們兩人動手相搏，以勝負決定那萬年火龜歸誰所有，是也不是？」

八臂神翁淡淡一笑，道：「你我相搏，未免單調，咱們不妨以三陣作賭……」

一語未畢，谷外又傳來大笑之聲，但聞那笑聲由遠而近，倏忽間已到了幾人跟前。

李滄瀾轉眼望去，只見數尺外並肩站著三人，正中一個身材特別矮小，一身白麻長衫，腰中橫繫紅色絲帶，骨瘦如柴，嘴巴特大，雙目似睜似閉，好像剛剛睡醒起來，長臉塌鼻，留著花白的山羊鬍子。

左右兩人，都在八尺以上身材，裝束倒和那中間的矮子一樣，白麻長衫，腰繫紅帶，因爲這兩人特高，更顯得那中間的人特矮，這三人有一個相同之處，就是個個都是瘦骨嶙峋。

朱若蘭看得一顰黛眉，心中暗暗忖道：這三個人長得就夠難看了，偏偏還穿著這樣一身怪裝。

聞公泰目睹這三個怪人現身之後，臉上忽現歡悅之色，呵呵一陣大笑，道：「雪山派的掌門人已率領兩位師弟趕到，李兄當知兄弟所言非虛了。」

海天一叟李滄瀾冷漠地望了那三個現身的怪人一眼，淡淡一笑，道：「今夜這場盛會，看

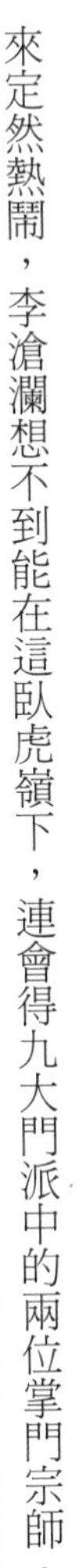
來定然熱鬧，李滄瀾想不到能在這臥虎嶺下，連會得九大門派中的兩位掌門宗師。」

但見那白衣矮人，手持著頸下的花白山羊鬍子，呵呵兩聲乾笑，道：「在下和兩位師弟，因久居邊陲，十餘年來未涉足中原，對武林形勢變化，所知甚少，惟常聞兩、三往訪邊陲知友，談起天龍幫謀邀九大門派比劍之事……」

他突然放聲一陣大笑後，接道：「這一雄心大志，的確令人欽敬，想來其精彩熱鬧，必較三百年前嵩山少室比劍定名之事，更有過之……」

開碑手崔文奇突然冷笑一聲，接道：「滕兄最好不要提三百年前少室峰比劍之事，我雖未能親睹那次比劍盛會，但據江湖傳言，那次比劍雖未排定名次，可惜貴派和華山、點蒼、崆峒都在首次比劍時，遭受淘汰，天龍幫雖有邀請武林各大門派切磋武學之意，但是否邀請貴派，還很難說？滕兄開口少室比劍，閉口九大門派，不覺著有些汗顏嗎？要以我崔某人的看法，貴派似早該封閉門戶，退出江湖了！」

這一席話，刻薄尖酸至極，不但把雪山派挖苦得體無完膚，而且順手把華山派也拖了進去，八臂神翁也聽得臉上發熱，目光閃動，臉泛怒色。但他究竟是一代宗師，雖然怒火高燒，但仍能衡量輕重，隱忍不發。

但聞那兩個瘦長的白衣人，同時陰森森一笑，雙雙步出，一左一右，向開碑手崔文奇走去，慘白的臉上，看不出絲毫忿怒之色。

崔文奇看兩人陰沉從容的神情，心知一出手，必然淩厲無比，立時暗中運集功力戒備。

妙手漁隱蕭天儀生怕崔文奇獨力難擋，一晃肩，身形陡然欺進三尺，和開碑手並肩而立。

蕭天儀爲人最爲細心，目睹兩人行止，不禁暗暗吃驚，忖道：武學之中，雖有聯手合搏之

術，但只是在對敵招術上配合運用，以收填空補隙、分攻合擊之效，中原武林中的合搏之術，以川中四醜的「四象」陣法，最爲馳名，不知多少高手敗在四象陣中，但也不像這兩人能把神態行止，也練到融合如一……

他心念還未轉完，左面一人已經出手，右掌呼地一招「天外來雲」，直對開碑手崔文奇劈去。

崔文奇早已蓄勢戒備，對方剛一發動，他也同時出手，左掌橫掄，硬接對方擊來之勢。妙手漁隱蕭天儀也把全身功力，運集雙臂，目光注定右邊白衣人，只要他一出手，立時就搶出接鬥，以免兩人合攻崔文奇。

哪知事情大出了妙手漁隱蕭天儀意料之外，右面白衣人，始終靜靜地站在一側，臉上一片冷漠，連望也不望那場中劇鬥一眼，似乎那慘烈的打鬥和他毫無關係一樣！

這當兒，朱若蘭、彭秀葦、海天一叟李滄瀾、八臂神翁聞公泰、多臂金剛屠一江、川中四醜，和那矮小的白衣人等，都逐漸向兩人激鬥所在逼近，環圍四周觀戰。

場中搏鬥，越來越兇，崔文奇已出全力求勝，雙掌連環劈擊，招招如鐵鎚擊岩，蕩空勁氣，直逼丈外。

那瘦長白衣人，表面上似被崔文奇雄渾的掌力，迫得只有招架之功，其實那白衣人不但毫無敗退之象，而且還能在開碑手強猛絕倫的掌風中還擊。

這情勢不但朱若蘭看得出來，李滄瀾、聞公泰也看得十分清楚，崔文奇是全力施爲搶攻，而那瘦長白衣人，卻未出全力迎擊，眼下看去，開碑手崔文奇雖然略占優勢，但如長期耗鬥下去，崔文奇勢必將逐漸轉爲下風。

聞公泰右手倒提竹杖，左手捋著長鬚，哈哈一陣大笑，道：「滕兄，令師弟武功較過去又大進許多，兄弟該向滕兄道賀了！」

那矮小白衣人呵呵兩聲乾笑，道：「客氣，客氣，聞兄過獎了！」

聞公泰道：「不過，兄弟久聞滕兄兩位師弟，最善聯手合搏之術，獨步江湖，冠絕武林，不知今宵能否使兄弟開開眼界，一睹名播天下的雪山絕學？」

那白衣矮人皮笑肉不笑地答道：「聞兄想的辦法不錯，先讓我們雪山派和天龍幫打個力盡筋疲，聞兄好坐收漁人之利。」

聞公泰雖被人一語點破狡計，但仍然不動聲色，淡淡一笑道：「滕兄好深的城府，你這麼一說，兄弟倒有些感到慚愧了，恭聆一言，獲益非淺。」

鐵劍書生史天灝，突然仰起臉望著天際朗朗的星辰，自言自語說道：「天色已經不早，再說罷，放聲一陣大笑。

若延誤時刻，定要耽擱大事了。」

朱若蘭心中一動，暗道：此人一番話，雖然另有作用，但也是真實之言，眼前相搏兩人，功力相差不遠，一時間難以分出勝負，何況雙方都還有高手在側，如放任他們拚鬥下去，不知要打到什麼時候才完，夢寰傷勢，已難再拖，如不能及時捉得那萬年火龜施救，旦夕都有性命之危，我如不動手過問，只怕難以息爭。

念轉意決，探手入懷，摸出三粒牟尼珠，暗中運集功力，正待打出，忽聽那白衣矮人喝道：「住手。」

雙肩一晃，直搶場中，雙掌左右分出，把崔文奇和瘦長白衣人逼開，目光掃過聞公泰，投

注在李滄瀾臉上，冷冷說道：「今宵機緣難得，本應打個勝敗出來，但此時此地，似非動手時機，兄弟意思，不如暫時息爭，貴幫就是想打，也待捉得那萬年火龜後，再打不遲，一則可藉此決鬥勝負，決定那萬年火龜屬誰，二則也免留給別人以可乘之機，不知李兄高見如何？」

李滄瀾還未答話，聞公泰已搶先接道：「滕兄說的正合兄弟之意，待捉得那萬年火龜後，再打不遲，既可切磋武學，又可藉機一決萬年火龜歸屬，屆時不但你們雙方要分勝敗，就是兄弟也要出手討教各位幾招。」

李滄瀾微微一笑道：「兩位既都同意，老朽倒也不便反對。不過那萬年火龜，是異常通靈之物，聞兄和滕兄都是武林中一派宗師，想必早已胸有成竹，我們天龍幫願聽兩位派遣。」

聞公泰和雪山派掌門人白衣神君滕雷，都聽得呆了一呆，答不出話。

他們趕來臥虎嶺時，都是存著搶奪之心，準備隱在暗處，監視鐵劍書生，待他捉得萬年火龜後，再陡然現身硬搶，哪知被天龍幫搶了先著，軟勸硬迫，逼使鐵劍書生加盟天龍幫，致使局勢大變。

李滄瀾看兩人久久答不上話，冷笑一聲，又道：「當今之世，能知那萬年火龜出遊路線，和蟄伏之處的人，恐怕只有敝幫中史香主了，幾位如果想得那萬年火龜，只好暫時拋去一派宗師身分，聽命敝幫史香主的令諭行事，不知尊意若何？」說罷，仰臉大笑。

八臂神翁接道：「李兄話雖說得不錯，不過兄弟還有一點意見，必得說明，要我們聽命貴幫中新進香主史天灝的令諭不難，但應限在捕捉那萬年火龜之時，如果火龜捕獲，這歸屬之權，應在事先談妥！」

李滄瀾淡淡一笑，道：「那就請聞兄劃出道子，老朽無不從命。」

聞公泰捋鬚沉吟一陣，道：「以兄弟之見，在捕獲那萬年火龜之後，可把牠放置在一適當之處，各憑本領爭奪，誰先搶得，就歸誰有……」

話至此處，突然一頓，目光忽然轉投到白衣神君滕雷臉上，問道：「滕兄以爲兄弟的意見如何？」

白衣神君滕雷一咧嘴巴，乾笑兩聲道：「聞兄之見，高明至極，兄弟甚是贊同。」

李滄瀾微一沉忖，笑道：「就依兩位之見……」

朱若蘭忽然插口接道：「這麼說來，人人可以參與搶奪那萬年火龜了？」

說罷，星波如電，逼視在鐵劍書生臉上。

史天灝淡然一笑，道：「在這十日之內，只怕你還無參與爭奪之權，屆時，我還要借重大力，以拒擋兩派高人……」

朱若蘭氣得冷笑一聲，截住史天灝的話，道：「哼！過了五天之後，我看你還有什麼方法保全性命？」

鐵劍書生朗朗大笑一陣，不再和朱若蘭爭辯，眼光一掃聞公泰和白衣神君，突然把笑臉斂去，冷冷說道：「兩位都是武林中一代宗師身分，今宵聽命我史某人的遣派，一旦傳言出去，只怕要留給江湖朋友笑柄。」

聞公泰哼了一聲，道：「大丈夫能屈能伸，這也不算什麼丟人之事！」

鐵劍書生又仰臉望望天色，笑道：「那麼聞兄是甘心聽命兄弟的遣派了？」

八臂神翁聞公泰冷笑一聲，答道：「我既答應下來，自然義無反顧，不過那只限於捕捉萬年火龜一事。」

史天灝目光緩緩移在白衣神君滕雷臉上，問道：「滕兄是否也甘心聽命兄弟？」

滕雷陰惻惻一笑，道：「你先別樂而忘形，捕得萬年火龜之後，就有你的好看了。」

鐵劍書生突然把臉色一沉，高聲說道：「現在天色已近二更，正是那萬年火龜出洞的時候，聞兄請帶令師弟多臂金剛，至左面山壁下去。」

聞公泰雙眉一揚，似想發作，但他又忍了下去，帶著多臂金剛屠一江，依言走到左面山壁下站著。

史天灝朗朗一陣大笑後，轉望著白衣神君，道：「滕兄請率領兩位師弟到右面山壁下去……」

白衣神君滕雷，乃武林一代宗師，平時發號施令，自負甚高，今宵要他聽鐵劍書生之命，心中哪肯服氣，冷笑一聲截斷鐵劍書生的話，接道：「你有什麼話，但請說出就是，就憑閣下在江湖上一點聲譽地位，也配和我稱兄道弟。」

他口中雖然說得十分難聽，但卻依史天灝吩咐之言，帶著兩位師弟，向右面山壁下走。

鐵劍書生直待滕雷到遠處山壁下後，高聲叫道：「幾位請緊靠山壁，向谷中深入，一切要聽命行事，不得擅自行動。」

說罷，又回頭對李滄瀾笑道：「幫主請移駕入谷，我盟兄南天一鵬周公亮，早已在前邊相候。」

李滄瀾微微一笑，道：「今宵一切由你作主，如有需用他們之處，儘管吩咐就是。」

史天灝一笑向前走去，李滄瀾緊隨他身後，崔文奇、蕭天儀、川中四醜等，魚貫相隨，朱若蘭和三手羅剎彭秀葦走在最後。

這時，華山派掌門人八臂神翁聞公泰，和雪山派掌門人白衣神君滕雷，都已了然史天灝是讓他們依靠在山壁下趕路，心中雖然忿慨，但一時卻無法發作，只好沿著山壁，向谷中深入，但幾人心中，都對史天灝恨到極處。

此際，李滄瀾已了然了鐵劍書生用心，微微一笑，道：「聞公泰和滕雷，都是武林中一代宗師身分，今宵能伏首聽你擺布，實是大不平常之事，日後傳言在江湖之上，也是咱們天龍幫一大榮耀。」

史天灝笑道：「他們一心想那萬年火龜，是以才肯忍辱受命，其實，他們心中對我，只怕已恨得無以復加了。」

幾人奔行約三里左右，到了一處轉角所在，那開闊的山谷，在此處忽然變得十分狹窄，北面山勢，向內傾斜成四十五度，真像要倒塌下來，幾丈寬窄的山谷，到此縮收成八、九尺左右。

史天灝走在最前面，縱身兩個快躍，轉過山腳，他剛剛站好身子，突聞一陣衣袂飄風之聲，聞公泰和滕雷已雙雙躍停在他身側。

多臂金剛屠一江擋在他的面前，那兩個白衣瘦長的人，聯肩站在他身後，幾人和他相距，也就不過是兩尺遠近，舉手就可點及他全身要穴。

史天灝本能地轉身向後一退，騰雷卻借勢一上步，右掌已按在他後背「命門穴」上。

這是人身十二死穴之一，只要滕雷微一用力，立時可把史天灝震斃掌下。

只聽白衣神君滕雷呵呵兩聲乾笑道：「史天灝，你是要死呢？還是想活？」

鐵劍書生還未及答話，八臂神翁聞公泰突然一振右腕，但聞嗤嗤兩聲破空輕嘯，兩粒金丸掠著滕雷頭頂飛過，冷冷接道：「滕兄，估量估量，貴派能不能接得住兄弟和天龍幫聯手合擊，大丈夫一言既出，豈能反覆無常，在未獲得萬年火龜之前，滕兄最好是不要在史天灝身上暗用什麼手腳！」

白衣神君冷漠地回顧聞公泰一眼，輕蔑地笑道：「聞兄身掌華山門戶，受天下武林同道敬仰，今宵甘心忍受史天灝的擺布捉弄，不知道還有何顏面立足江湖之上？區區實難忍這口怨氣。」

聞公泰冷笑道：「騰兄之言，聽起來似甚入理，但眼下情景不同，小不忍則亂大謀……」他話未說完，突見白衣神君身軀搖了兩搖，拿不穩樁，退後了幾步。

史天灝趁勢向左一躍，想衝出幾人的包圍，但那兩個白衣瘦長的高人忽地一齊伸出右臂，十指疾向他雙肩抓去。

聞公泰冷哼了一聲，青竹杖呼地一招「白雲出岫」，把右面瘦長白衣人逼退一步，左面一人卻被多臂金剛屠一江，振臂一招「接江截斗」，硬打硬接地把他探出的右臂給擋了回去。

左面白衣瘦長人吃屠一江一擋之勢震退了兩步，但多臂金剛也被震得雙肩晃了幾晃。

這不過一剎那的工夫，鐵劍書生已借聞公泰和屠一江一擋之勢，躍落到七、八尺外。

此際，海天一叟李滄瀾和開碑手崔文奇、妙手漁隱蕭天儀、川中四醜等，都已趕到，一個個運功蓄勢，滿臉怒容，目注滕雷等三人，只待李滄瀾一聲令下，立時向三人搶攻。

但聞李滄瀾一聲冷笑，道：「滕兄身掌一派門戶，怎麼出爾反爾，全無半點信義？」

滕雷剛才被一股無聲無息的力道擊中，如非本身功力精深，及時運功抗拒，早已受了重

傷，心中十分驚異，他本是生性陰沉之人，經剛才一次教訓，早已把一腔怒火強自按下，咧嘴一笑，道：「我只不過略戒他的狂妄而已，要真的對他下手，他恐怕早已橫屍當地了……」

說至此微微一頓，目光從幾人臉上掃過，乾笑一聲，又道：「剛才是哪位高人，暗中對兄弟下手，攻來力道無聲無息，不知用的什麼武功？兄弟佩服得很！」

此語一出，全場都不禁爲之一呆，聞公泰、屠一江和那兩個瘦長的白衣人，都不約而同地，把眼光投到海天一叟臉上。

李滄瀾微覺臉上一熱，轉頭望了朱若蘭一眼，笑道：「滕兄所受一擊，實非老朽所爲，老朽不敢居功。」

聞公泰只怕誤了大事，冷冷接上幾句道：「現在既非切磋武學時機，亦非口舌爭論之時，待捕獲那萬年火龜之後，幾位如果興致不減，就是聊上個三天三夜，兄弟也捨命奉陪。」

當下幾人又隨在鐵劍書生身後，向前走去。

大約又趕了二里左右，鐵劍書生突然停住腳步，仰臉發出兩聲長嘯。

嘯聲甫落，右面山腳的暗影處，緩步走出來南天一鵬周公亮。

他目睹著緊隨在史天灝身後的群豪，不禁呆了一呆，收住腳步。

鐵劍書生緊走幾步，低聲對周公亮道：「我已面允幫主加盟在天龍幫……」

南天一鵬急道：「什麼？」

史天灝嘆息一聲，道：「不知這萬年火龜之秘密，如何會洩露到江湖之中？今宵現身幾人，都是武林中一代宗師身分，武功之高，決非你我兄弟之力能敵……」

他回頭望了聞公泰、滕雷等一眼又道：「眼下現身的已有華山、雪山兩派掌門人和派中高

手，其他隱身未現的，還不知有好少？衡諸情勢，如不加盟在天龍幫中，咱們兄弟實難拒擋得住！」

南天一鵬黯然嘆道：「那我們守候這十五年歲月，算是白費了！」

史天灝笑道：「我在答允入幫之時，已獲李幫主保證，在捕獲那萬年火龜之後，這分配之權，仍由我們作主。」

周公亮道：「人心難測，事情只怕未必如所想的那麼如意！」

李滄瀾微微一笑，接道：「老朽年近古稀，生平尚未對人失信，大丈夫一諾千金，豈能失信於人！」

史天頻道：「李幫主愛才若渴，當不致對我們兄弟用詐……」

他長長嘆口氣，又道：「我們兄弟情重骨肉，小弟既加盟天龍幫中，望義兄也加盟入幫。」

周公亮還未及答話，李滄瀾已搶先接道：「老朽久慕周公大名，如肯屈駕入幫，當大開總壇，飛諭各地分舵，共慶此一盛事。」

南天一鵬尚在猶豫，崔文奇已接口笑道：「周兄不必再多思慮，需知眼下武林中，即將掀起滔天風波。所謂武林中九大門派，各以正宗自居，數百年來，咱們這般無門無派的江湖草莽，不知受盡了多少欺凌，李幫主手創天龍幫，並非爲一己榮辱地位，實是爲我們一般無門無派之人，爭一口氣。周兄久走江湖，閱歷較兄弟尤豐，尚請三思兄弟之言。」

李滄瀾緩步踱到南天鵬身側，笑道：「周兄如果不信任老朽，入幫之事，可先保留，俟得到那萬年火龜之後，再議不遲。」

周公亮點點頭，道：「如此甚好，一則可容兄弟多想一段時間，二則，此刻已到那萬年火龜出洞遊走之時，依據我兄弟居留這臥虎嶺下十五年的經驗，那萬年火龜異常通靈，如果聞得警兆，只怕今宵不再出洞！」

這幾句話，果然發生了奇大的效力，大家立時停止爭論，幾十道眼神一齊投到南天一鵬臉上。

周公亮輕咳了兩聲，卻說不出話。

史天灝心知他胸無成見，怕他受窘，趕忙接道：「我義兄尚未允諾入盟天龍幫，調度人手上，多有不便，兄弟承蒙李幫主面諭代主其事，又得聞、滕二兄推重，甘願受命兄弟，還是由我史某人主持其事的好。」

李滄瀾是何等人物？哪裡會看不出周公亮窘迫之態，當下點頭笑道：「不錯，聞兄、滕兄，都是武林中一代宗師身分，只允諾聽你一人之命，自不便再由周兄主持其事。」

聞公泰連捋胸前長鬚，滕雷卻望著周公亮冷笑兩聲，但兩人均未開口。

鐵劍書生臉色嚴肅，拔出背上鐵劍，目光掠著聞公泰、滕雷，神情十分莊嚴，問道：「兩位可是真的甘心聽命我史某人嗎？」

聞公泰道：「丈夫一言，駟馬難追，只要是為捕那萬年火龜，但請吩咐就是。」

白衣神君滕雷冷冷一笑，道：「今宵之內，我們雪山派也暫聽調遣就是。」

史天灝放眼打量了四周形勢，突然又轉眼望了聞公泰和滕雷一眼：「據我連日來觀察所得，眼下臥虎嶺，決不止你們華山、雪山兩派，所謂九大門派雖未必全有高手趕來，但至少將有五派以上，這些人可能早已趕到，潛隱在暗中監視我史某行動，也可能早在谷外要隘布陣以

待，準備搶劫萬年火龜，我李幫主雖和兩位有約，武決萬年火龜歸屬，但這中間極可能發生變故，譬如在我們打得力盡筋疲之時，別人借機出手，把萬年火龜搶走，我們豈不是白費了一番心機？」

滕雷只覺臉上一熱，道：「那你有什麼妥善之策，不妨提出談談。」

史天灝道：「以兄弟之見，咱們比武決定萬年火龜之約，不妨移後，今宵先合力對付圍劫靈龜之人，往後再比武，以決火龜歸屬。」

聞公泰、滕雷心中雖都知道此舉於天龍幫大大有利，但一時間又想不出更好的辦法，而二人都是心機極深的人，略一忖思，立時允諾下來，實則兩人都另打主意。

史天灝何嘗不知這拖延比武之舉，絕難使兩人心悅誠服，但聯手拒敵之事，當可收效，隨即微微一笑道：「兩位既都能暫拋私利，先求穩占優勢，杜絕授人以可乘之機，實是難得……」

話至此處，淡淡一笑，回頭低問周公亮，道：「大哥，那應用之物，可都備齊了嗎？」

周公亮道：「均已照你計劃備妥。」

史天灝目光轉投到聞公泰身上，笑道：「聞兄請帶令師弟圍守南方側翼，這谷中雖只有一路可通，但那絕峰削壁，只怕難擋得各派高手，何況谷中怪石林立，岩洞處處，也許早已有人潛隱其間。」

八臂神翁聽史天灝大模大樣指揮自己，心中異常氣忿，但他乃城府極深之人，心中雖在暗罵鐵劍書生，外形卻毫無怒色，淡淡一笑道：「我們華山派一切照辦，絕不誤事。」說罷，轉過身子和屠一江聯袂向正南奔去。

但聞鐵劍書生叫道：「聞兄暫請留步，兄弟話還未完。」

聞公泰只得依言停步，緩緩說道：「靈龜出現之後，兩位亦不能擅自行動，捕捉靈龜之事，亦不需兩位助手，但請轉護右翼，攔擋強敵侵擾，俟捕得靈龜之後，我自會招呼兩位。」他忽地回過頭望著滕雷接道：「滕兄請率貴派中人圍守這轉角之處，凡是入谷之人，一律不准通行！」

白衣神君冷哼了一聲，道：「好吧！」

史天灝環顧這幾人背影，低聲對海天一叟笑道：「此刻已快近靈龜出洞時分，咱們也該尋個地方，隱起身子。」說完話，當先向前奔去。

李滄瀾、川中四醜、朱若蘭、彭秀葦、崔文奇等，都緊隨在他身後奔行。

走有里許左右，到一株千年的巨松之下，史天灝停住腳步，笑道：「幫主暫請隱身這巨松附近的山石或草葉之中，免被那靈物看出警兆。」

李滄瀾微微一笑，躲入一塊突立的大山石後，朱若蘭、崔文奇等亦紛紛自尋隱身的山石、草葉藏好。

史天灝、周公亮也藏身在那巨松下面一葉山花之中。

眾人隨鐵劍書生按圖走了二個時辰，這時，已快到子夜時分，一天陰雲，遮住了萬千繁星，山風吹起陣陣松濤，不時挾雜著野獸怒吼之聲，荒山之夜，陰森恐怖。

大約有頓飯工夫，突聞一聲狼嘯飄傳過來，其聲尖銳，動人魂魄，但一瞬間，嘯聲即住。

史天灝精神一振，低聲對周公亮道：「那萬年火龜，口有巨毒，如被牠咬傷，必死無疑，

等一下動手捕捉時，千萬小心。」

周公亮還未及答話，忽聞一聲狼嚎，緊接著嘶嚎大作，響徹山谷。史天灝、周公亮、李滄瀾等都是久走江湖之人，見聞博廣，聞得那狼嚎大作之後，立知遇上了狼群，都不禁暗暗心驚。

只聽那群狼嘶嚎愈來愈近，片刻之後，已可聞狼奔行之聲，幽靜的山谷中，忽聞沙飛石走，千百隻巨狼嘶嚎狂奔而來。

史天灝、周公亮首先由草葉中一躍而起，各握兵刃，躲在樹後。

海天一叟李滄瀾、崔文奇、蕭天儀、朱若蘭、彭秀葦等，亦紛紛由山石草葉中躍到那巨松後面，運功戒備，神色間都很緊張。

要知狼一結群，最爲可怕，凡其所至之處，不論何等猛獸，均得退避逃走，只要被群狼發現蹤跡，無一能夠倖免，不管一個人武功高到什麼程度，但要在一時之間，殺死千百隻以上的狼，實是一件大不可能的事，因爲狼群的結成多是在群狼饑餓之下，是以不管遇上人獸，立時一擁而上，前仆後繼，永無休止，非要把遇上的人獸吃個屍骨無存，才肯嘶嚎而去。可是事實大出了幾人意料之外，群狼並未向幾人施襲，只是狂奔嘶嚎而過，足足有一盞熱茶工夫。

李滄瀾手捋長鬚，微微一嘆，道：「這一群狼不下千隻，如果要向人施襲，只怕我們都難逃厄運……」

話至此處，微一沉吟，又道：「狼群的結成，大都是饑餓所迫，不管遇上大獸，必然要群起撲襲，今夜所遇狼群，竟不肯向人施襲，個中原因，實使人大爲費解。」

忽聽史天灝低聲說道：「幫主快些隱起，那萬年火龜已現蹤跡。」說著話，當先隱入草

叢。李滄瀾、彭秀葦、朱若蘭、蕭天儀等，亦紛紛隱入石後草叢。

朱若蘭凝神雙目，抬眼望去，只見正東方山谷中，忽現出一點紅光，忽明忽暗，乍隱乍現，逐漸向幾人停身之處移動。

那一點紅光，移動非常緩慢，大約有半個時辰之久，才到了幾人隱身巨松處十丈左右。

忽見史天灝隱身的花草叢中火光一閃，兩道急促的火焰閃起，但聞一陣嗤嗤作響，兩道火焰，迅速在突石草叢中穿行，昏暗夜色下，看得十分真切。

彭秀葦低聲對朱若蘭道：「史天灝要放火照明。」

一語甫落，忽地砰然一聲輕響，一陣光焰閃動，山谷中驟然亮起兩堆火光，熊熊燃燒起來了。

那燃起的火堆，都經過史天灝細心設計安排，用易燃的枯枝、茅草，用松油浸製而成，不但不怕山風，而照明之力十分強大，兩堆火光，照亮了數丈方圓。

但見那穿行在草叢突石中的紅光，不停地閃動，劈啪輕響連續爆起，剎那間燃起十幾處火堆，每一火堆，相距約兩、三丈遠，十幾處火堆，照亮了四、五十丈長短的山谷。

這時，那萬年火龜已暴露在十幾堆火光照耀之下。

史天灝手執鐵劍，由隱身之花草叢中一躍而起，幾個縱躍已到那萬年火龜丈餘外處。

周公亮、李滄瀾、崔文奇、朱若蘭、彭秀葦等，亦紛紛由草葉石後躍出，撲向那萬年火龜。

在幾人想像之中，那萬年火龜定是個龐然大物，哪知大謬不然，原來那火龜只不過有尺許大小，所異於一般烏龜的，只是通體似火。

朱若蘭、李滄蘭、史天灝等，站成了一個圓圈，把那萬年火龜圍在中間。

只見牠把龜頭縮入殼中，只露出兩隻眼睛，不停地轉動，看著圍在牠四周的人群。

史天灝伏身撿起一塊拳頭大小的山石，一抖手直對靈龜打去，但聞砰然一聲大震，正中龜骨，那拳頭大小的山石，被撞擊得片片碎裂，但那靈龜鮮紅的外殼，卻是絲毫未損。

那萬年火龜對這強猛的一擊，似乎毫不在意，龜頸一伸動，又縮入殼中，兩隻閃動著綠光的眼睛，卻注視著鐵劍書生，緩緩對他爬去。

史天灝神色十分緊張，運功握劍，慢步後退。

李滄瀾一皺眉頭，暗自忖道：這隻小小火龜能有多大毒勁，史天灝怎麼這等害怕……

心念一轉，暗中潛運功力，正待舉拐擊出，忽見那靈龜長頸一伸，全身電射而起，一團紅影，直向鐵劍書生撲去。

史天灝早已有備，側身一讓，手中鐵劍忽地一招「巧打金鐘」，斜劈而出。

這時，十幾處火堆，燃燒正烈，熊熊的火光，把幾人停身的一段山谷，照耀得如同白晝。

但見史天灝手中鐵劍和那道紅影一觸，忽地鬆手丟劍，急縱而起，一掠之勢，躍出一丈多遠。

朱若蘭定神看去，不禁暗暗吃驚，原來那靈龜長頸，在一伸之時，竟然暴長了二尺多長，扁嘴大張，咬住史天灝的鐵劍，但聞一陣嗤嗤之聲不絕，那精鋼製成的鐵劍，逐漸減短，原來牠竟把劍當成食用之物，吃得津津有味。這等事，實是聞所未聞的奇觀，環守在四周的武林高手，個個看得驚心。

李滄瀾一晃肩，躍到鐵劍書生身側，低聲問道：「靈龜身殼，堅逾金石，口齒又這等犀

利，不知用什麼方法制牠？」

史天灝嘆道：「其口齒犀利，還在其次，最使人難以防備的，是牠口中噴出的紅色毒霧，奇烈無比，只要聞觸少許，必死無疑，如果我們激發了牠的野性，只怕牠要噴霧傷人了。」

李滄瀾道：「難道你就沒有制服牠的辦法嗎？」

史天灝眼珠轉動，忽然臉現笑容，低聲答道：「我住這臥虎嶺下十五寒暑，但目睹此物出沒只不過三數次而已，前年一次曾見牠口中噴出的紅色毒霧，毒斃了數隻虎豹，是以得知牠能噴霧傷人，但卻沒有料到牠體殼堅硬至此，口裡能嚼鋼鐵，是以未備制其之物……」

他略一停頓，聲音變得更低，接道：「咱們眼下就是能得到這萬年火龜，也難免和華山、雪山兩派拚搏一場，以我愚見，聞公泰和滕雷，都是陰詐無比之人，屆時他們在利害一致之下，只怕要聯手合攻我們，不如借這萬年火龜之力，先把他們除去，既可滅去日後兩大勁敵，又可保得靈龜，不知幫主意下如何？」

李滄瀾捋鬚沉忖一陣，道：「辦法甚是高明，但此舉實有背江湖道義，一旦傳揚出去，對咱們天龍幫威名不免有損。」

史天灝笑道：「幫主雖是胸懷磊落，但聞公泰、滕雷都非善良之人，只怕他們預謀對付我們的手段，更為陰險毒辣。以我的拙見，還是借機把他們除去的好。」

李滄瀾笑道：「不錯，江湖中九大門派的掌門人，以聞公泰和滕雷心地最為險詐，但咱們只要留上點心，不入他算計之中，也就是了，憑真功實力，咱們天龍幫決不怕他們華山、雪山兩派。」

史天灝見李滄瀾一直反對他暗中算計兩派中人，心中暗暗佩服，忖道：此人無怪能領袖群

倫，言行氣度，都非常人可及，實是一代梟雄之才。無怪使江湖上群雄歸心，史天灝感愧……」

他沉忖一陣，抬頭笑道：「幫主威德，實令人肅然起敬，

李滄瀾捋鬚一笑，攔住鐵劍書生的話，道：「敵我相搏，本沒有什麼道義講，所謂兵不厭詐，愈詐愈好。今宵承允入幫，使我們天龍幫又多了一位文武兼資之材。」

史灝灝被海天一叟幾句話說得心服口服。

李滄瀾目光轉投到靈龜身上，笑道：「此物只不過有尺許大小，縱然能噴毒霧傷人，但也不能說永無休止，咱們輪番擊打，不難把牠擊斃，只不知擊斃之後，是否還有效用？」

史天灝笑道：「此物珍貴之處，全在腹內一粒火丹，如果把牠擊斃，只怕靈效要減損不少。」

他微一沉吟，又道：「我已想出一個活捉牠的辦法，但不知能否收效？」

妙手漁隱蕭天儀突然插嘴道：「這萬年火龜，既有內丹，必已通靈，只要能把牠擺布得力盡能竭，自然會俯首聽命。」

史天灝笑道：「不錯，據我這十幾年潛研所得，已想出幾種擺布牠的辦法，但必需先把牠擒住之後，始可輪番相試，迫牠獻出內丹……」

幾人在談話之間，那萬年火龜，已把史天灝的鐵劍吃去半截，忽地長頸一收，又縮入龜殼之中，兩眼綠光閃爍，不停轉動。

鐵劍書生急道：「幫主小心，此物準備向人施襲了！」說罷，當先躍開。

李滄瀾、蕭天儀亦紛紛躍藏石後。

但聞那萬年火龜吱吱一陣狂叫，縮藏在龜殼中的長頸，忽地直伸起來，扁嘴大張，利牙森森，一種似霧似煙的淡紅氣體，由那張大扁嘴中緩緩噴出。

因那燃起的枯枝，光焰仍甚強烈，是以看得十分真切。

史天灝知道火龜口中噴出的紅色煙霧，奇毒絕倫，即使虎豹之類猛獸，若吃那毒霧沾染一點，立時就毒發倒斃，趕忙高聲喊道：「快些搶在上風隱身，那毒霧猛烈無比，只要聞到一點，當場就要死亡……」

他口中不住喊叫，人卻向那巨松處奔去。

南天一鵬周公亮，早已把應用之物準備妥當，放在一具大木箱內，史天灝奔到巨松旁木箱放置之處，迅速地取出一套特製的橡皮衣服，又帶上橡皮面具，探手抱起那木箱旁放置的一罈陳年老醋，打開封口，緩步向那萬年火龜走去。

這時，那靈龜噴出的淡紅煙霧，已散及一丈方圓。

史天灝仰仗身著特製的橡皮衣服，直衝入紅色毒霧之內。

要知這是一件十分冒險之事，鐵劍書生這身特製的橡皮衣服，只是他個人想出來的辦法，是否能抵禦火龜口噴的毒霧，連自己亦不清楚……

南天一鵬懷中抱著一個古玉製成的石盒，神情十分緊張地望著義弟，不僅是他，當場的武林高手，都不禁有些緊張。

這當兒，大家忽然覺著史天灝十分重要，因爲眼前幾人，能知那萬年火龜特性的只有他一人，如果他不幸被靈龜所傷，再無人能知道那捕捉火龜之法。

鐵劍書生在衝向那淡紅的毒霧之後，心中亦是萬分緊張，他知道只要自己的猜想不對，立即將送命在那毒霧之下。

他雖然罩著很原始的橡皮面具，但仍然運轉丹田真氣，閉止了呼吸。

突見那萬年火龜，由地上躍射而起，疾比流矢，向他胸前撞去。

史天灝雖然看得十分清楚，但因身著厚重的橡皮衣服，運轉極不靈活，但覺胸前如受千鈞鐵錘一擊，再也拿不住樁，退了四、五步，一屁股坐在地上。

周公亮目睹義弟險象，不禁驚叫失聲，正待縱身躍出，卻被妙手漁隱蕭天儀一把拉住，道：「不可妄動，你縱然不惜冒險，但只不過枉送一條性命，而且還將擾亂史兄的心意……」

這時，朱若蘭右手中已扣好三粒牟尼珠，運功蓄勢，準備接應鐵劍書生。

李滄瀾手中也握著一塊拳頭大小的山石，目光注定場中變化。

史天灝在被那靈龜撞擊坐倒之時，雙手高舉著那罈陳年老醋，是以他人雖躍坐地上，手中瓷罈卻毫無損傷。

那萬年火龜在撞倒史天灝後，忽然吱地一聲怪叫，不再撲咬，轉身縮頸，向來路奔去。

史天灝一見靈龜果然受制，不由膽氣一壯，忽地挺身躍起，把手中瓷罈急向火龜投去。

他身著厚笨的橡皮衣服，自知難以追上，心中一急，連瓷罈一齊擲出手。

但聞一場砰然巨響，瓷罈擊在一塊大岩石上，碰得片片碎裂，那罈中盛的陳年老醋被那一擊之勢，瀝灑了數丈方圓，有如一陣驟雨。

說也奇怪，那殼堅如鋼，齒能碎鐵的萬年火龜，被飛濺老醋灑中身上後，忽地停了下來，長頸亦完全縮入龜殼之中，動也不敢再動。

史天灝想不到這一罈陳年老醋，竟有如此靈效，不禁心頭大喜，回頭望著南天一鵬停身之

處，不住招手。

周公亮手中捧著玉盒，由巨松後一躍而出，兩個縱身，已到了鐵劍書生身側。

史天灝接過玉盒，舉手示意周公亮，退回原地隱身，以免危險，然後，自己手捧玉盒，對靈龜走去。

他雖然身穿特製的橡皮衣服，但心中仍有些害怕，擔心火龜反擊，運功戒備，動作遲緩。

哪知事情大出了他意料之外，萬年火龜長頸一直深縮在龜殼之中，連掙扎也沒掙扎，就被他移放在玉盒之中。

史天灝扣上了玉盒蓋，才放下心中一塊石頭，迅速脫下橡皮面具，仰天哈哈大笑起來，他喜極而笑，聲若洪鐘，只震得山谷中一片回鳴，樂而忘形，連身上的橡皮衣，也顧不得脫下。

海天一叟李滄瀾當先由隱身岩石之後躍奔過去，腳步還未站穩，突聞衣袂飄風之聲，朱若蘭如影隨形，也到了鐵劍書生身側。她臉色一片肅穆，星目發光有如冷電，啓櫻唇婉轉出一縷清音，說道：「史天灝，我師兄傷重，命懸旦夕，你我有約在先，你捕獲萬年火龜之後，先替我師兄療治傷勢，現下你既然捕得火龜，希望你能遵守約言。」

史天灝收斂住大笑之聲，慢慢脫去身上笨重的橡皮衣服，微微一笑，道：「我既答允療治你師兄傷勢，自然要守信約，不過眼下險關還未度過，華山、雪山兩派，扼守在山谷要道。」

他話還未完，突聞幾聲冷笑，破空傳來，笑聲未住，人已落到數尺之外。

朱若蘭轉臉望去，見來人正是八臂神翁聞公泰，和白衣神君滕雷，兩人聯袂而立，嘴角間都掛著一絲冷笑。

史天灝朗朗一笑，道：「兩位都是一代武林宗師身分，出口之言，如果不能算數，不知還

有何顏面立足人世？」
聞公泰捋鬚大笑，道：「我們如果還呆呆守在那裡，哪能目睹這一幕精彩的捉龜大戲！」
李滄瀾一揚雙眉，呵呵兩聲，道：「怎麼？你是否準備推翻約言，現在就下手搶奪？」
聞公泰目光投注在那盛裝靈龜的玉盒上，冷冷接道：「既然早晚都難免一場爭奪戰，那就不如早些拚個勝負出來的好！」
滕雷陰惻惻一笑，接道：「聞兄之言不錯，兄弟也有這個意思。」
朱若蘭突然縱身而出，星目橫掃了聞公泰、滕雷一眼接道：「既然兩位有心早些動手，那是最好不過，我願打頭陣，不知兩位中哪一個想先出手？」
聞公泰、滕雷，四道眼神，一齊投在朱若蘭的身上，只見她氣定神閒地站在場中，人雖文雅，但卻潛蘊著一種逼人的威儀。
滕雷一咧大嘴，笑道：「你是什麼人？年紀不大，口氣倒是不小！」
朱若蘭陡然一揚黛眉，冷冷地答道：「我沒有興趣和你們囉嗦，你也不配問我姓名……」
滕雷乃一派掌門之尊，哪裡能忍受這等譏諷，口中不停地冷笑，暗中卻潛運功力，準備一舉就把對方擊斃。
這時，史天灝已把那盛放靈龜的玉盒，抱在懷中，川中四醜和南天一鵬，護守他的四周。
聞公泰左手橫著青竹杖，右手控著一把金丸，虎視眈眈，監視著史天灝一舉一動。
三手羅剎彭秀葦，亦由那隱身草叢中緩步走出，停在朱若蘭身後丈餘遠處，她右手已套上鹿皮手套，緊握著一把七步追魂沙，左手握著一支陰燐雷火箭，目光流動，環顧全場。
李滄瀾、崔文奇、蕭天儀等亦都運功戒備，使這段幽寂的山谷中，充滿了一片殺機。

白衣神君那冷笑之聲，一直延續不斷，而且聲音愈來愈大，尖銳刺耳，難聽至極。

突然，由來路上傳過來兩聲長嘯，和滕雷那尖厲的冷笑聲遙相配合，但聞那劃空長嘯由遠而近，瞬息間已到幾人停身之處。

朱若蘭微側星目望去，見來者正是和滕雷同來的那兩個瘦長的白衣人。

這兩人一到幾人停身之處，立時放緩腳步，對朱若蘭逼去，滕雷那尖厲的冷笑之聲，亦倏然收住。

彭秀葦忽然上前一步，冷冷喝道：「你們想以多為勝嗎？那就先接我一把七步追魂沙試試。」她喝聲方自口出，那兩個瘦長的白衣人忽然同時一挫腰，衣袂飄處，暴射面起，一左一右向朱若蘭合擊過去。

朱若蘭早已蓄勢待敵，一見兩人出手，驀然一揚黛眉，雙肩一晃，施展出「五行迷蹤步法」，嬌軀從兩人合襲掌勢中，疾穿而過，雙手同時反臂拍出。

那兩個瘦長的白衣人，最善合搏之術，聯手出擊，攻守均嚴，對方如不硬接攻勢，必然被迫後退，朱若蘭以奇奧的身法從兩人之間閃穿而過，已大出兩人意料，反臂手出掌勢，又絲毫不帶破空之聲，兩人略一怔神間，已各自中了一掌。

朱若蘭存心早些壓服眼下強悍之敵，以便史天灝早替夢寰療治傷勢，故而出手極重，掌勢劈出雖無破空之聲，但掌心中卻蓄含了強勁的內家真力，極柔之中，暗蘊剛猛，在掌勢擊中敵人之後，那含蘊在掌心的內勁，才驟然外吐傷人。

## 二八　奇劍奇情

那兩個瘦長的白衣人，在中掌之後，才覺一股彈震之力，直逼過來，雙雙大吃一驚，一面運勁抗拒，一面借勢向前躍去。

朱若蘭掌勢先中敵人，內勁隨後而發，待兩人運功抗拒時，她早已收掌向滕雷撲去。

這不過是一眨眼的工夫，那兩個瘦長白衣人應變雖快，但仍被朱若蘭纖掌中蘊含驟發的內力震傷，在兩人躍落地之後，同時吐出來一口鮮血。

一側觀戰的武林高人，一個個看得臉色大變，不知朱若蘭用的什麼身法，能從兩人合擊陣勢中閃穿而過。

白衣神君目睹朱若蘭出手的奇奧身法，早已暗自驚心，狂妄之態，一掃而空。他究竟是心機極深之人，眼看兩個師弟在一交手間就吃了大虧，不肯再冒險求功，見朱若蘭撲來之勢，迅捷如電，立時縱身一躍閃向旁側，暗中把功力運集右掌，待朱若蘭雙腳剛沾實地，一揮劈出。

一股強猛的潛力，浪翻波湧般斜撞過來。

朱若蘭冷笑一聲，左掌一引滕雷擊來力道，皓腕一翻，反向八臂神翁聞公泰打去。

她這「導陰接陽」手法，雖是武學中一種最高的接力絕技，但運用之人，亦得凝神運氣，不能絲毫大意，用本身的真氣，先接住對方擊來的內家真力，引為我用，反擊別人。

此中要訣，妙在移轉那直接撞來的千鈞勁道，以巧力引而攻敵，這種借敵之力以制敵的手法，說起來雖然簡單，但在運用時卻是危險至極，一個不好，反蒙其害，是以，朱若蘭在運用此等手法之時，亦是全神貫注，兢兢業業。

登時間一股劃空狂飆，隨著朱若蘭翻轉的皓腕，直向聞公泰停身處撞擊過去，強猛的劈空勁氣，激蕩起呼呼之聲。

聞公泰數十年江湖磨練，會過不少高人，見聞極爲廣博，對天下各門各派武學，大都能知概略，但卻從未見過朱若蘭所用的奇奧手法，能在一翻臉間，把敵人劈出的強猛力道，移擊他人，這等精奇的武學，真是見所未見，聞所未聞，不禁大吃一驚。

來不及移步作勢，猛一提丹田真氣，雙臂一抖，凌空而起，疾若離弦飛矢，筆直而上，那急襲狂飆掠著他雙腳而過。

崔文奇冷笑一聲，道：「聞兄好快的輕功啊！」

八臂神翁耳目何等靈敏，雖然在避人襲擊之時，仍把崔文奇譏諷之言，字字聽入耳中。但他並不立刻發作，懸空一個大轉身，飄落在一丈開外，轉臉望了崔文奇一眼，冷哼一聲，道：「崔兄少逞口舌之利，咱們總有一天拚個死活出來。」

崔文奇哈哈一笑，正想再反唇相譏，突聞一聲悶哼傳入耳際，轉頭望去，只見那兩個瘦長的白衣人，已雙雙躍坐地上，火光之下，但見兩人頭上汗如滾珠，神情極爲痛苦，但卻咬牙強忍，未聞一句呻吟之聲。

他因和八臂神翁鬥口，未留心場中形勢，就這瞬息失神，錯過了一次大開眼界機會，不知朱若蘭如何擊傷那兩個瘦長的白衣人。

再看朱若蘭時，已和白衣神君滕雷打入緊張關頭，但見她青衫飄飄，掌勢如繽紛落英，全是進擊招數，快得使人眼花撩亂，看不清她如何出手。

白衣神君滕雷，卻是凝神固守，雙掌左封右擋，把門戶封得十分緊嚴，朱若蘭雖然攻勢凌厲，但一時間要想擊傷對方，亦是不易。

這時，全場人的眼光，都集中在朱若蘭和滕雷身上，看得一個個目瞪口呆。

突然間，一聲尖銳刺耳的驚叫聲震動了全場，朱若蘭亦被那驚呼聲震動，倏然收掌躍退。

她還未來得及轉臉探看，耳際已連續響起雜亂的慘叫聲，緊接著撲通一陣急響，川中四醜、南天一鵬、鐵劍書生，都紛紛跌摔地上。

一條人影，由史天灝身側騰空而起，火光照耀之下，可見那躍起人影，懷抱著盛放萬年火龜的玉盒。

這陡然的大變，使李滄瀾、聞公泰、滕雷等敵意全消，不約而同，一齊躍追過去。

朱若蘭秀目一瞥之間，已看出來人武功高不可測，但那萬年火龜關係著夢寰生死，豈能袖手不問，嬌叱一聲，施出「流星趕月」身法，穿空斜飛，橫向來人前面截去。

她已看出來人身法奇快，是以那縱身躍截之勢超前了數尺距離，兩掌亦同時運力擊出。

但見來人寬大的袍袖一指，朱若蘭擊出的力道，竟被硬擋回來。

她警覺到，這是一種至高的氣功，想收回力道躍退時，已來不及，但覺那反彈之力，浪翻波湧般直逼過來，朱苦蘭心知如再勉強運功接招，內腑必被震傷，只得猛一沉丹田真氣，功散四肢，雙臂平伸，硬把向前疾衝的嬌軀收住，腳落實地。

哪知那反彈擊來的力道，適可而止，倏忽間又收了回去。

要知一個人內功修爲臻至絕頂，力道收發，便能夠隨心所欲。

朱若蘭橫躍截擊，雖未能把來人擋住，但她這一攔之勢，卻遲緩了來人躍奔的速度，李滄瀾、聞公泰等，也都及時趕到。

八臂神翁一振腕，十餘粒金丸，挾著劃空輕嘯，直奔那人後背打去。

李滄瀾龍頭拐一招「伏地追風」，橫掃下盤。

聞公泰彈指金丸絕學，獨步武林，出手力道不但奇大，而且一次至少在三粒以上，多時一掌可發數十粒，實使人避無可避。

李滄瀾的功力何等深厚，運拐一擊非同小可，但聞拐聲蕩起呼嘯之聲，捲起一片沙石。

這兩位武林高人，同時施襲，暗器兵刃一齊出手，威勢實在驚人。

但見來人猛然移步轉身，讓過李滄瀾橫擊一拐，大袖猛的一指，罡風自袖底急捲而出，十幾粒金丸，盡被震飛。

李滄瀾一擊不中，立時挫腕收拐，定神看去，不覺一皺長眉。

只見來人臉上滿塗五顏六色，長髮隨風飄指，只露出兩隻神光逼人的眼睛，左手抱著玉盒，淡淡一笑，緩緩舉起右掌……

李滄瀾大喝一聲，不待對方右手擊出，左掌已當胸劈去，右臂亦同時運拐掃擊。

來人舉起的右掌，忽然疾下，電光一閃般，拿住了李滄瀾擊向前胸的左腕。

海天一叟只覺左腕一麻，心頭大吃一驚，暗道：這是什麼手法，真是罕聞罕見，暗中潛運內力，奪臂一甩。

哪知來人高大的身軀竟借他一甩之勢，飄空而起，右手卻借勢一帶一轉，李滄瀾身不由主地轉個身，直向八臂神翁撞去。這一著奧妙無比，李滄瀾用出的內力，一點也沒有白費，完全被人借用。

聞公泰本已蓄勢待發，瞥眼見李滄瀾直撞過來，心中忽然一動，急向旁側一閃，反臂一掌，直向李滄瀾「命門穴」上擊去。

李滄瀾冷哼一聲，猛一沉丹田真氣，身子向後一仰，避開「命門穴」要害，肩頭一聳，硬接八臂神翁掌勢。

要知他被那臉上滿塗顏色的怪人，借力一推，身體雖不由自主，但耳目並未失去靈敏，聞公泰反臂劈出的一掌，他雖早已警覺，但因一時間無法回手招架，只得用肩頭硬接一擊。

哪知聞公泰在掌勢快擊中李滄瀾時，忽的一收掌躍退五尺，哈哈一笑，道：「李兄快些動手攔截那搶劫靈龜之人……」

話還未完，人已騰空而起，懸空一個大轉身，頭下腳上，直向那劫取靈龜之人撲去。

原來他見李滄瀾讓避開「命門穴」，心知這一掌縱然擊中，也難把海天一叟震斃，當下又變主意，收掌躍退，反撲那懷抱靈龜的怪人。剎那間的詭異變化，看得人眼花撩亂，江湖險詐，當真是波譎雲詭。

李滄瀾轉身望去，只見朱若蘭已和那怪人動上了手。那人左手抱著玉盒，單餘右手一掌，拒擋朱若蘭迅如雷奔的攻勢。

兩人交手十招，朱若蘭已連用了十種大不相同的武功，她因情急夢寰安危，是以拿出本身絕學，招招奇奧無比。

她雖連出絕招，但卻始終無法取得半點優勢，那怪人雖只用一隻右掌，但卻能著著搶制先機，任憑朱若蘭攻勢千變萬化，均能應付得恰到好處。

驀然間，青光閃動，急風下捲，聞公泰挾著雷霆萬鈞之勢，破空襲下，青竹杖化作點點寒影，向那懷抱靈龜的怪人罩去。怪人和朱若蘭交手十招，始終未肯搶攻，聞公泰凌空下擊，似是激起那怪人怒火，右手伸縮間，連續向朱若蘭擊出三掌。

這三掌直似一同拍出，不但快得出奇，而且從三個方向攻到，迫得朱若蘭縱身躍退。

就這一眨眼間，聞公泰青杖已到那怪人頭頂。

但聞那怪人一聲冷笑，身子寸步未移，右手疾舉，迎著聞公泰下擊之勢一撥，青杖已被他抄在手中，緊接著震腕一抖，青光忽斂，聞公泰一個身子如被彈球一般，震飛出去，青杖已被怪人奪下。

要知八臂神翁武林一代宗師，盛名傳遍天下，這怪人在一接觸間，能把他手中的竹杖奪下，把他人也震摔出去，武功之高，實在驚人，只看得四圍高手，一個個目瞪口呆。

只聽見朱若蘭嬌呼一聲：「師父……」猛向那怪人撲去。

那怪人忽地向旁側一閃，大笑道：「你武功進境很速，剛才攻我幾招，用得不錯，我眼下有一件急事要辦，咱們以後再見……」話未完人已凌空而起。

朱若蘭見他要走，心中大急，高聲喊道：「師父……」

但聞那怪人大笑之聲，劃空急去，眨眼間消失在夜色中。

朱若蘭知道，師父絕世輕功決非自己能追得上，心頭一陣傷痛，忍不住湧出兩行熱淚，她忍氣吞聲，甘心受鐵劍書生之命，無非是想分得萬年火龜，挽救楊夢寰垂危之命，想不到在捕

獲火龜之後，竟被人搶劫而去，而這劫去靈龜之人，又是教養她長大的師父……

一陣陣往事，不停地展現腦際，她回想起師父已往對自己百依百順的情景，不管她提出什麼意見，師父總是一口贊成，從未稍遲過她的心意……

她輝煌的身世，使他們師父與徒弟之間的關係變得十分複雜，既是師徒，又屬主僕……已往師父對她的百依百順，何以今宵間迥然不同，而這件事對她是那麼的重要！楊夢寰臥病山洞，命懸旦夕，如不得萬年火龜療治，決難挽回他沉重傷勢……

她呆呆地望著師父的去向出神，絕望的痛苦，催下她滴滴熱淚。

黯然傷悲，使她耳目暫失靈敏，忘記了置身何處。

突然間，一隻柔軟的手掌，抓住了她的玉腕，耳際間同時響起一聲幽幽長嘆，道：「那萬年火龜既已被人拿走，姑娘守此地，與事亦無補益，夜深露生，咱們也該回去了……」

朱若蘭如夢初醒般地嗯了一聲，回顧四周，已不見李滄瀾等人蹤影，那高燃的火堆，都已熄去，幽谷又恢復了原有的寂靜。

山風響起陣陣松濤，剛才的那場兇猛搏鬥，都已成過眼雲煙，她長長地嘆息一聲，拂拭去臉上淚痕，緩緩掙脫彭秀葦緊握的右腕，淒涼一笑，道：「回去有什麼用呢？他已經不能再活多久了。」

彭秀葦道：「難道除了那萬年火龜之外，遍天下就沒有能挽救令師兄沉疴的靈藥嗎？」

朱若蘭道：「別說世間尚沒有這等靈奇藥物，縱然是有，也是來不及了，今宵過後，他至多再能活兩天兩夜！」

彭秀葦忽然心中一動：「那靈龜被你師父劫走之後，華山、雪山兩派都立時撤走，史天灝

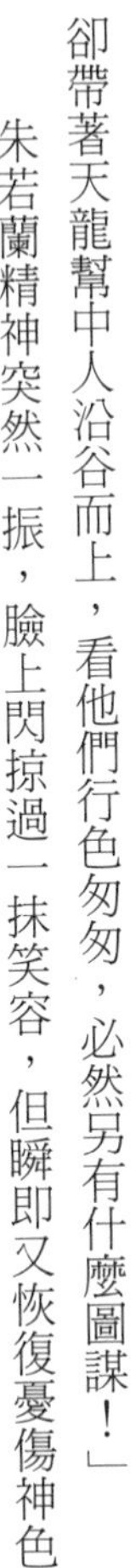

卻帶著天龍幫中人沿谷而上，看他們行色匆匆，必然另有什麼圖謀！」

朱若蘭精神突然一振，臉上閃掠過一抹笑容，但瞬即又恢復憂傷神色，淡淡地答道：「他們縱有什麼圖謀，也不會有補我師兄傷勢。」

說完話，緩步向來路走去。

兩人步出幽谷，又翻越過幾座山，回到了夢寰和霞琳安居的石室。

朱若蘭在那矗立黑色岩洞之前，突然停住了腳步，回頭望著彭秀葦，道：「承蒙你今宵相助，朱若蘭甚為感激，原想在得到那靈龜之後，使姑娘恢復昔日容貌，哪知事出意外，靈龜遭我師父劫走，他老人家的輕功，已到飛行絕跡之境，我縱然想追，亦難追趕得上。但你今宵相助之恩，我將永遠記在心中，日後見到我師父之面，定當求他老人家為姑娘復容，……」

彭秀葦淡淡一笑，接道：「二十年寒山隱修，已使我安於眼下面目，姑娘盛情，我這裡心領了……」

話至此處，忽然長長嘆息一聲，道：「二十年前，我寄跡江湖間，自認武功非凡，出手狠辣無比，是以，被人稱做三手羅剎，自遭史天灝毀容之後，性情轉變了不少，隱身深山二十寒暑，這段悠長的歲月中，專心鑽研武學，設計暗器，一方面準備復仇之用，一方面還想在江湖逐鹿霸業，哪知今宵一睹姑娘武學，頓使我如夢初醒，二十年苦苦研練，只不過在暗器方面小有成就。陰燐雷火箭和七步追魂沙，就歹毒上講，確是目前武林中最毒的暗器，但這等絕毒之物，又有什麼用處，別說遇上姑娘這等人物，就是遇上像華山派八臂神翁那等身手，也將失去效用。今宵我目睹聞公泰施放金丸之技，更使我惶愧無地，我這兩種暗器，除了其本身絕毒之

外，勁道威勢，都難及人萬一，手法更是難和人比擬，這使我悟出自己本身所學，不過是滄海一粟而已，因此我想求姑娘……」

朱若蘭輕顰黛眉，搖搖頭答道：「你想跟我學習武功，是也不是？」

彭秀葦嘆道：「我不敢存這等奢望，只期望姑娘允把我收留身邊，使我能執鞭隨鐙，心願已足。」

朱若蘭搖搖頭，淒涼一笑，道：「眼下連我自己都無法排遣，哪裡還能夠照顧到你……」

彭秀葦笑道：「我不止是仰慕姑娘武學，而且傾慕姑娘丰儀，你雖然武功絕世，但江湖間一切經驗閱歷，卻是知道甚少，有我相隨，可省去你不少心思，我這話，字字出自肺腑，尚望姑娘不要拒我於千里之外。」

朱若蘭察她神色，確出自一片真誠，心中暗暗忖道：我必得替孟寰報仇，有此人相助倒是個極好幫手。心念一轉，點點頭答道：「你既有這等誠心，我也不便峻拒，但一切必得遵從我的命令，不得有絲毫違抗！」

彭秀葦一聽朱若蘭答允，臉上頓時浮現出歡愉之色，當下屈膝跪倒在地，笑道：「婢子得蒙姑娘恩收在身側，今後自當聽命姑娘，如果口不應心，必遭天報！」

朱若蘭輕聲嘆道：「你起來吧！我既然答應了你，哪裡還用你起誓呢。」說罷，緩步進入石室。

這時，天色不過四更過後，石室中仍點燃著一支松油火燭，因那火燭未經修剪，是以光焰很弱，沈霞琳傍榻而坐，一手支頤，呆望著仰躺榻上的夢寰出神。

她臉上毫無悲傷之色，只是靜靜地坐著，也不知她想的什麼心事，朱若蘭到了她身側，她仍是毫無所覺。

朱若蘭輕輕嘆息一聲，伸手拂著沈霞琳散披在肩上的秀髮，低聲叫道：「琳妹妹，琳妹妹……」

沈霞琳如從甜睡中初醒一般，緩緩地抬起臉兒，眨眨眼睛，忽然站起身子，慢慢地把嬌軀偎入朱若蘭懷中，問道：「黛姊姊，你可捉到那萬年火龜嗎？」

朱若蘭搖搖頭，嘆道：「靈龜被別人搶走了。」

霞琳啊了一聲！突然由朱若蘭懷抱中挺起，道：「唉！那個人壞死啦！難道他不知道你捉那萬年火龜，是替寰哥哥醫病的嗎？」

朱若蘭黯然答道：「搶去那萬年火龜之人，是我授業恩師，我打不過他，也追不上他……」

霞琳轉臉望了榻上的夢寰一眼，道：「萬年火龜被人搶走，那寰哥哥還能活多久呢？」

朱若蘭咬了一下櫻唇，道：「還可活兩天兩夜。」

沈霞琳忽然笑上雙面，轉身修好松油火燭，石室中燈光驟轉強烈，她又移到夢寰臥榻一側坐下，拍著床沿叫道：「黛姊姊，快來坐這裡，我有很多話要對你說。」

朱若蘭看著她歡愉的神情和奇怪的動作，大反常情，不禁心泛寒意，暗自忖道：這位天真的姑娘，又不知想到什麼奇怪的事情了。

她心中雖在忖想，人卻依言走到霞琳旁邊坐下。

沈霞琳把兩道清澈的眼神，凝注朱若蘭臉上，看了足足有一盞熱茶工夫，才幽幽嘆息一

聲，道：「黛姊姊，你很喜歡我是不是？」

朱若蘭點點頭。

沈霞琳又問道：「你也很喜愛寰哥哥是不是？」

這種單刀直入的問法，毫無轉圜餘地，朱若蘭被她問得怔了一怔，一時間想不出適當的措詞回答，只得又點點頭。

沈霞琳笑道：「要是寰哥哥死了，你心裡雖然很難過，可是你也沒有辦法使他復活，他有很多事都得我們去替他出力，是不是？」

朱若蘭道：「不錯，你怎麼會想到這些呢？」

霞琳笑道：「嗯！你們走了，我就一直坐這裡想，想起了一件事，就連帶想起很多事了！寰哥哥死了，我們一定得去告訴他爹娘，他的家住在岳陽東茂嶺中，一座很大很大的莊院，名叫『水月山莊』。」

朱若蘭搖搖頭道：「琳妹妹你……」

沈霞琳黯然一笑，接道：「然後還得去告訴我大師伯，唉！他們知道了，只怕都要哭上一場。」

朱若蘭臉色凝重，苦笑一下，道：「你可是要我去告訴他父母噩耗？」

霞琳道：「嗯！姊姊去替他辦事，我留在這裡陪他……」

彭秀葦聽得心頭一寒，道：「什麼？你要留在這山洞中陪他？」

沈霞琳淡淡一笑，接道：「嗯！把他一個人留在這裡，我怎麼能放得下心呢？」

彭秀葦只聽得皺了一皺眉頭，道：「你要守他多久？他要是真的死了，屍體也不能永久停

放在這石洞之中，就是要停放在這裡，也得把洞口封閉起來，不使空氣透入，才能保得他屍體不壞，難道你要活活的陪他殉葬？」

沈霞琳嬌面上微笑如花，毫無驚愕之色，慢慢地說道：「我自看到寰哥哥的娟表姊的那座青塚後，心裡就明白了人死之後，一定要埋葬起來！不能再見日光月光，昨夜我已經想了很久啦！要黛姊姊去替寰哥哥辨事，我在這裡陪他，等你們走後，我就去撿些石塊，把這洞口封閉起來，安靜坐在他的身邊，本來我是很怕鬼的，可是寰哥哥待我好，就是他變成鬼我也不怕。」

這等慘絕之事，在她口中道來，一點不帶牽強，神態是那樣自然，聲音是那樣平和，不徐不疾，娓娓如常。

彭秀葦昔年縱橫江湖之時，以手辣心狠著稱一時，喪命在她手中之人，屈指難數，但卻爲霞琳幾句話震驚得愣在當地，雙目圓睜，一句話也說不出來，心裡直冒冷氣……

要知一個人在激動之時，赴死濺血不難，但要他長思熟慮之後，熬受那緩長的苦刑折磨，卻是極爲不易之事。

所謂慷慨捐軀易，從容就義難，沈霞琳要親手把自己封閉在石洞之中，長伴夢寰屍體的奇想，實是聞所未聞，見所未見之事，彭秀葦雖是心地狠辣之人，也不禁聽得出了一身冷汗。

朱若蘭也被沈霞琳這種至聖至高的純真之情，感動得淚水紛披，可是沈霞琳卻毫無一點激動的樣子，臉帶微笑，緩步走到朱若蘭身側，舉起右手，用衣袖擦去她臉上淚痕，道：「黛姊姊！不要哭啦，我初次看到寰哥哥那樣重的傷，也很難過，但我知道姊姊的本領很大，一定有辦法療治好他的傷勢，唉！誰知道像姊姊這樣大本領的人，也是沒有辦法！可是姊姊已經盡到最大的心力了，雖然不能救活寰哥哥，這也是無可奈何之事。」

朱若蘭聽完她慰勸之詞，心中更是難過，暗自忖道：她本是善良無邪之人，心地純潔，什麼事都很少去想，對我更是萬分信託，但在驟聞我無能療治楊夢寰傷勢之後，竟然毫無驚痛之情，反而出言相慰，她平時向無心機，看來對此事，已不知用去多少心思了……

只聽沈霞琳長長嘆息一聲，臉上微笑忽然斂去，神情十分莊嚴地接道：「過去我很不懂事，這幾天來我常常用心去想，就想到了很多的事情出來，我想起寰哥哥在『水月山莊』那小溪旁邊，去奠祭他的娟表姊的事情，又想到那夜我們在鄱陽湖中吃酒賞月的事，姊姊彈琴給我們聽，聽得我伏在寰哥哥懷中大哭，可是姊姊在彈琴之後，把琴弦一齊斷去，唉！那時間我真笨死啦，就看不出姊姊是女扮男裝，直到姊姊在祁連山中救我，扯破青衫，我才知道姊姊也是女兒之身，你什麼都比我強多了，如果能和寰哥哥常在一起，一定會使他快樂，我也可以向姊姊多學些本領，咱們一起回到『水月山莊』一趟，在他娟表姊墳上種些花樹，然後快快樂樂的生活在一起……」

她突然回頭望了夢寰一眼，兩行清淚順腮而下，緊握朱若蘭一隻手，哭道：「想不到寰哥哥的傷勢，竟不能再醫好了，我要陪他住在這石洞之中，又捨不得讓姊姊一個人孤苦伶仃的活在世上，你以後永遠見不到我們，定然十分痛苦……」

朱若蘭突然掙脫沈霞琳緊握的玉腕，把身上一襲青衫扯成兩半，一塊包頭青巾，也撕得片片碎裂，摔在地上，笑道：「從今之後，我永不再穿男裝，恢復我本來面目，盡我所能，延長他垂盡壽命，這幾天中，咱們好好陪守著他，要他快快樂樂的活幾天，盡這幾日之功，我把你們送到一處安身所在，然後，我再仗劍天涯，追殺傷他之人，心願完後，我也去那地方長住下

去！」

彭秀葦聽得心頭又是一震，驚道：「怎麼？難道姑娘也要陪這位沈姑娘一同殉葬？」

朱若蘭黯然一笑，道：「我替琳妹妹安排一處久居之地，幫她完成心願。」

彭秀葦嘆息一聲，道：「兩位這等高潔無比的人間至情，實足動天地、泣鬼神，但人死之後，屍體絕難長存不腐，兩位在他葬身之處，結上一座茅廬，常伴他青塚住下，也就夠了，何必硬要活活的以身相殉？兩位這等做法，楊相公陰靈有知，只怕也難安心。」

沈霞琳拂去臉上淚痕，搖搖頭，道：「我要住在能常常看到寰哥哥的地方……」

朱若蘭微笑接道：「不錯，咱們住的地方就和他在一起，天天可以見面。」

沈霞琳笑道：「那時候我可忙啦，每天要煮飯、澆花，還得替寰哥哥做新衣服，幫他打掃房間。」

朱若蘭道：「你這些心願件件都可辦到。」

這兩人一問一答，只聽得彭秀葦倒抽冷氣，心中說道：這不是白天說夢話嗎？世間哪有這等怪事，沈姑娘天真嬌稚，一片癡情，難以排遣，陷入虛幻的想像之中，也還罷了；朱姑娘身負絕世武功，人又絕頂聰明，怎麼也跟著滿口夢囈？連篇鬼話？看來兩人神志，都已不大清醒……她心中不住在暗自感嘆，但卻是不便追問。

兩人言笑盈盈地談了一會兒，朱若蘭回過頭對彭秀葦道：「你出去看看，現在天色到什麼時候了？」

彭秀葦依言出洞，抬頭望望天色，重返石洞，答道：「天色已近五更，姑娘昨宵連鬥強敵，也該休息一會兒了。」

朱若蘭淡然一笑，道：「我還不累，你出去守在洞外要隘之處，未聽我召喚之前，不要擅自進來，不論何人，都不准近這石洞，如果有人硬闖，你就以七步追魂沙對付他們。」

彭秀葦套上鹿皮手套，轉身出洞。

朱若蘭理理頭上秀髮，笑道：「琳妹妹，你也帶上寶劍守在洞口，在我替他療傷之時，不要和我談話……」

沈霞琳一笑接道：「我知道啦，姊姊要我守在洞口，不准別人進來。」說罷，拔出寶劍，緩步走往洞口。

這時，朱若蘭已不再顧忌男女之嫌，躍上木榻，盤膝而坐，先在楊夢寰三十六大穴上推拿一陣，活了他全身血脈，然後又把上半身攬入懷中，低頭把櫻唇接在夢寰緊閉的嘴上，舌尖動力，挑開了夢寰牙關，把丹田真氣，緩緩注入了夢寰口中。

她以本身元氣導引夢寰內腑六臟恢復了功能之後，人已累得臉色蒼白。

要知朱若蘭所用之法，乃道家吐納之術，那緩緩注入夢寰口中的真氣，是她十數年修練的一口真元之氣，楊夢寰獲益雖大，但朱若蘭卻損失慘重。

楊夢寰幾乎靜止的內腑六臟，得朱若蘭本身真元之氣一催，立時恢復功能，心臟運轉，帶動全身經脈、血氣，半僵的身子，片刻間已能伸縮轉動。

朱若蘭略一調息，不顧大損元氣未復，又潛運功力，替夢寰打通奇經八脈。

但聞楊夢寰長長吁了口氣，忽地睜開了眼睛。

這時，朱若蘭已累得不停急喘，汗水濕透她裡身玄裝，散亂的秀髮，披肩拂胸，一滴一滴的香汗，雨水般淋在夢寰的臉上。

她似是忘去了本身痛苦，溫柔的如一池春水，嬌喘著低聲笑道：「快些閉上眼睛，不要講話，試行運氣，看看你經脈是否已能暢通？」

幾句話說得十分吃力，不時爲她自己的嬌喘之聲打斷，話說完又攬抱夢寰的雙臂，忽一加力，緊緊地把夢寰抱在懷中。

這當兒，楊夢寰神志已完全清醒，但覺一個柔軟的身子，緊貼在自己身上，濃烈的甜香，襲人欲醉……

忽然，一張滑膩嬌臉，輕貼在他的面頰，耳際又響起朱若蘭清脆的聲音，道：「我和琳妹妹，都要你活下去……」

嬌喘之聲，又打斷了她未完之言……

楊夢寰忽覺心頭一震，猛一提丹田真氣，哇的吐出一大口鮮血，噴了朱若蘭一身一臉。

朱若蘭對那噴在臉上身上的污血，有如不覺，擦也不擦一下，急伸右掌，在夢寰「命門」、「玄機」兩處要穴上，輕輕拍了兩掌。

一口血噴出後，夢寰忽感輕鬆不少，神志也較前清醒很多，看自己噴在朱若蘭髮間、頰上的血污，心中甚是不安，歉意地苦笑一下，掙扎著伸出右手，要去拂拭她臉上的血污。

朱若蘭伸出左掌，輕輕地握住他掙動的右手，笑道：「你把壅塞在胸中的淤血吐了出來，是不是覺著好過了些？」

此際，楊夢寰人雖清醒過來，但周身卻痠軟無力，上半身仍被朱若蘭攬在懷中，肌膚所觸，柔軟如棉，一時間也不願掙離朱若蘭的懷抱，微微一笑，正待答話，朱若蘭又搶先說道：「不要說話，如果我問對了，你點點頭，要是錯了，你就搖搖頭……」

她這款款深情，像一陣溫暖的春風，吹得人如迷如醉，楊夢寰只得依言點頭一笑。

朱若蘭從那緊身玄裝中摸出來一塊絹帕，先把夢寰嘴角間留下的血跡擦拭乾淨，然後才把自己臉上的血污抹去。

楊夢寰看著她溫柔輕緩的動作，和平時那種冷若冰霜的神情，大不相同，不禁暗自嘆息一聲，忖道：她平日的爲人，是何等的高傲，何等的冷漠，不管什麼人，都不肯稍假詞色，但對我卻是這樣的情意深重，唉……

他這些話，本是心中所想之言，但在感慨之下，不自覺地嘆息出聲。

朱若蘭忽然拋去手中絹帕，緩緩把玉頰移貼在夢寰臉上，星目中熱淚如珠，滴在夢寰臉上，柔聲說道：「你嘆息什麼？我決不會安靜地活下去……」

楊夢寰突覺眼眶一濕，熱淚泉湧而出，低聲一嘆，道：「姊姊，我有什麼好處，得你這樣憐愛，真不知是幾生幾世，修得的福氣，我知道姊姊這等人物，表面看去雖然冷傲難測，高不可仰，其實心中卻熱情洋溢……」

朱若蘭附在他耳邊，答道：「那只限對你一人……」

剛說出一句話，忽覺頭一暈，不自主地向前一栽，輕貼在夢寰臉上的玉頰，向前一滑，兩片甜柔櫻唇，無巧不巧地正滑在夢寰的嘴上……

楊夢寰雖然得朱若蘭兩度用內功真氣相助，導引他滯凝在丹田的元氣，但兩次夢寰均在昏迷之中，故而沒有什麼感應，這次，楊夢寰神志正值清醒，是以和上兩次大不相同……

只覺那滑膩的櫻唇，輕柔地觸在自己嘴上，鼻息間帶著淡淡幽香，輕緩地拂在臉上……

突然，他覺出那相觸櫻唇，不住輕微地顫抖，而且還有些冰冷，攬了在他背上的手臂，亦

逐漸鬆開……

原來朱若蘭先以本身十數年修練的一口真元之氣，注入夢寰口中後，人已難再支持，又強運功力打通他奇經八脈，楊夢寰雖轉清醒，她本身卻耗去全部真氣，伏在夢寰身上暈了過去。

楊夢寰情急之下，兩臂忽地用力一圈，抱緊了朱若蘭的嬌軀，叫道：「姊姊，姊姊……」

忽然石洞外傳來幾聲喝叱之聲，緊接著兵刃交響，慘叫不絕。

朱若蘭被夢寰情急一抱之勢，觸在後背「命門穴」上，她本具有上乘內功基礎，經夢寰無意觸及要穴，人忽然清醒過來，慢慢地睜開眼睛，笑道：「你不要擔心，我不要緊，休息一陣就會好的……」

突然間，她發覺自己被夢寰緊緊地抱在懷中，臉兒相偎，胸兒相貼，一陣羞意，泛上心頭，急聲接道：「快些放開我，這像什麼樣子？」

楊夢寰心頭一凜，急忙鬆開雙臂，無限愧疚地說道：「我見姊姊暈厥過去，一時情急失常，以致唐突了姊姊……」

朱若蘭挺身坐起，舉手微拂著秀髮，笑道：「我不是怪你，你不要多心。」

但聞彭秀葦嬌叱之聲，不停從石洞外面傳入，金鐵交鳴之聲不絕於耳，石洞外面，似是打得十分激烈。

朱若蘭一顰黛眉，輕嘆一聲，忽又展眉笑道：「彭秀葦七步追魂沙，和陰燐雷火箭兩般暗器，足可擋得住來人，你不要被那搏鬥之聲驚攪了心神，快些給我閉上眼睛休息罷！」

燭光照射之下，楊夢寰看到了朱若蘭睏倦的容色，過去那艷麗的嫩臉，此刻已變成蒼白之色，那黑白分明，湛湛逼人的眼神，此際亦神斂光散，一個容姿絕世，艷麗無比的美人，眼下

忽然變得十分萎靡，嬌弱不勝，不禁感慨萬端，嘆口氣，道：「姊姊你好像受了重傷……」

突然，他想起朱若蘭在饒州客棧中替慧真子療傷後的睏倦模樣，啊了一聲，接道：「姊姊武功何等高強，別說當今之世，未必有人勝得了你，縱然是有，也難把你傷成這等樣子，定是爲了救我性命，消耗本身真氣過多，才把你累成這樣！」

朱若蘭微笑答道：「我只要靜養一陣，就可以復元，你重傷未癒，不宜多耗一分心神，既然憐惜我爲你療傷之苦，就該爲我和琳妹妹珍重，快些閉目行功，不准分心掛慮洞外打鬥之事，需知我和琳妹妹……」

她突覺一陣羞澀，餘言再難出口，幽幽一聲輕嘆，閉上星目，兩顆晶瑩的淚珠滾下玉腮。

楊夢寰急道：「你不要急苦啦，我一切都照你的吩咐去做。」說罷急閉雙目，澄清心中雜念，果然依照朱若蘭相囑之言，試行運氣。

朱若蘭睜開眼睛，看他果然在試行運氣，知他已動了求生之念，心中甚是快慰，精神一振，立時盤膝坐好，閉目運氣調息，她修習的乃玄門中上乘吐納之術，和一般內功大不相同，片刻工夫，神凝氣聚，物我兩忘，對那洞外激烈打鬥之聲，充耳不聞。

楊夢寰卻被那陣陣喝叱和兵刃相擊之聲，驚攪得無法行功，睜眼望去，只見朱若蘭合掌盤膝靜坐，蒼白的臉上，已微現艷紅之色，雖然長髮散垂，但臉上有一種莊嚴高華的逼人氣質。

但聞洞外的喝叱之聲，愈來愈近，逐漸地迫近洞口。

楊夢寰凝神聽去，忽然聽出那雜亂的喝叱聲中，夾雜著霞琳的嬌脆之音，心頭忽地一動，挺身坐了起來。

他本想掙扎下床，哪知剛一坐起，忽感一陣頭暈眼花，人又倒了下去，心頭一急，又暈了

過去。

要知楊夢寰身受之傷，異常慘重，得朱若蘭以本身元氣相助，使他五腑六臟恢復功用，但他嚴重的傷勢，並未減輕，這一掙扎急躁，內腑氣血一陣翻湧，人自然支持不住。

待他再度清醒之時，沈霞琳、彭秀葦都已退入石洞，彭秀葦右手扣著一把毒沙，目光注定那石洞入口，蓄勢相待，沈霞琳橫劍在他和朱若蘭養傷的榻前戒備，看到她身上透衣汗水，可想適才戰況，必然激烈絕倫。

但聞那在石洞外面，一個冷冷的聲音喝道：「你們如再作困獸之鬥，仗恃毒沙拒擋，可不要怪我們心狠手辣，放火燒洞了。」

楊夢寰細辨那聲音，十分陌生，不知是什麼人在洞外叫陣。

本來，楊夢寰這一日夜，都在暈迷之中，對這一日夜間諸般經過，全然不知。

他心知此刻自己不能有一點衝動，只要心氣一浮，人立時就要昏厥過去，只得盡量保持平靜，冷眼看著局勢發展，他怕分了霞琳心神，為敵人所乘，是以清醒之後，一語不發。

只聽三手羅剎彭秀葦，冷笑一聲，道：「你們以多為勝，算不得什麼英雄，哪個有膽子敢擅入石洞，就試試我七步追魂沙威力如何？」

她餘音未絕，只見洞口，人影一閃，竟是有人要冒死衝進。

彭秀葦振腕打出一把毒沙，但見一道濃煙急沖洞口，燭影搖顫，慘叫隨起，那企圖入洞之人，似已被毒沙擊中。

要知那洞口只不過數尺大小，彭秀葦一把毒沙何止數百粒，出手之後，完全把那個洞口封閉，縱是有極高輕功之人，也不易避讓開去。

她在毒沙出手之後，立時又探囊抓了一把，縱身一躍，人隨著到了洞口，微一探首，揚腕把手中一把毒沙，向那壁道中打去，但聞一聲淒厲的慘叫，似是又有一人中了毒沙。

她迅捷地又抓了一把毒沙，站在洞口冷笑幾聲，喊道：「哼！還有不怕死的，只管闖過來再試！」

但聞擋在洞口的大岩石後，傳來幾聲怒罵之聲，卻是無人敢再硬闖。

要知彭秀葦七步追魂沙一出手就是千數百粒，本就難以讓避，再加石洞外一道屏擋石岩，和山壁只有二公尺左右距離，形成了一道很狹窄的石道，僅可容一人通行，在這等狹道之中，縱然身負絕世輕功，也難讓開那瀰漫石道的毒沙襲擊，是以，再無一人敢向石洞硬闖。

楊夢寰目睹一個醜怪女人用毒沙擊退強敵，心中甚覺奇怪，低聲問霞琳道：「沈師妹，那位姑娘是誰？」

霞琳看他已醒轉過來，心中快樂至極，顧不得揮拭臉上汗水，回頭撲在榻上，笑道：「她是黛姊姊的朋友。」

沈霞琳嬌稚無邪，心中快樂，立時大聲叫道：「彭姊姊，快些過來，我寰哥哥叫你啦。」

楊夢寰聽得一皺眉頭，想阻止她時，已來不及，彭秀葦已轉過頭來，夢寰只得微笑著點頭作禮。

哪知彭秀葦見他微笑點頭，誤以為有事相詢，只得緩步對著木榻走來。正待開口問夢寰相召何事，突聞身後颯然風動，心頭一驚，反臂揚腕，一支陰燐雷火箭脫手飛出。

來人早已有備，在入洞之後，立時躍貼壁邊，陰燐雷火箭正打在屏擋於洞口的突岩之上，但聞砰然一聲輕響，火箭爆裂成一團綠火，貼在石壁上燃燒起來。

入洞兩人，卻借勢一躍，到了木榻旁邊。

彭秀葦手中雖扣著一把毒沙，但卻不敢再打出手，倏然一個急轉身，左手呼地一掌，向右面一人劈去。

她在情急之下，這一掌威勢極大，來人武功雖高，但在腳未落地之前，力道不易用實，揮掌一接，被她震退兩步。

就這一緩之勢，沈霞琳已挺身躍起，刷！刷！刷！連攻三劍。

小姑娘武功不弱，出手劍招迅快如電，三劍急攻，已把那人迫退數步，逼到石壁跟前。

彭秀葦借勢和左面一人動了手，她右手雖然扣著毒沙，但仍握拳搶攻，那人因為顧及為毒沙所傷，不敢硬接她右拳攻勢，雙掌翻飛，單向彭秀葦左側急攻，這就形成了兩人搏鬥上一種奇觀，因這石室地方狹小，縱躍閃避，本就不易，必需要憑各人拳招變化，搶制先機，縱有奇妙的身法亦難施展，那就得以本身的功力和招術的精奇決勝，但來人又因畏怕彭秀葦右手中握有毒沙，不敢接她右手攻勢，卻一味迫攻她左側，使她回手自救。本來三手羅剎功力和來者相差很遠，這一來沾光不少，才算勉強和來人打個不勝不敗之局。

楊夢寰看清了和彭秀葦動手之人，是天龍幫中黑旗壇壇主崔文奇時，心中暗吃一驚，忖道：崔文奇內力何等深厚，這位彭姑娘武功看上去雖然不錯，但如長耗下去，決非對方敵手。

轉臉再看和霞琳動手之人，是一個五旬以上的長衫老者，功力要比沈霞琳深厚很多，如真要全力搶攻，沈霞琳決難支持到十回合以上，他眼看沈霞琳劍勢逐漸緩慢下來，但苦於傷重無力相助，這已是極為痛苦之事，但更痛苦的是，他還不能過於激動，以保持氣血平靜……

激鬥約有一刻工夫，開碑手崔文奇已想出對付彭秀葦的辦法，左掌五指平伸施用突穴點脈之法，專以點襲彭秀葦的右腕脈門，擋住她控握毒沙之手，右掌暗運功力，呼呼劈出兩招。

這兩掌威勢，極爲兇猛，彭秀葦果然不敢硬接，只得側身退了幾步，讓開掌力正鋒——崔文奇借勢欺進，雙掌連環劈掃，夾雜擒拿手法，以極快的攻勢，逼彭秀葦節節後退。

此刻，她處身在這狹小的石洞之中，無法用閃避之術，已吃了大虧，更何況她心中又惦念著很多事情，無法全神迎敵，右手上又套著鹿皮手套，握著一把毒沙，運用反擊，都不夠靈活，這等近身相搏，制機最爲重要，一著失手，再想扳回劣勢十分不易，開碑手崔文奇逐漸地迫近木榻。

那長衫老者和霞琳交上手後，一直就不敢全力搶攻，無非是害怕朱若蘭出手而已，但久久不見朱若蘭有所舉動，膽子已壯了不少，及見崔文奇逼得彭秀葦步步後退，仍然不見朱若蘭動靜，立時不再客氣，呼呼急攻幾招，逼開沈霞琳劍勢，雙掌一緊，放手搶攻，剎那間掌影飄飄，威勢大增，沈霞琳立刻被迫落居下風，亦向楊夢寰和朱若蘭停身的木榻處退來。

楊夢寰睜著眼看情勢愈來愈壞，再也忍耐不住，轉身去拉朱若蘭的衣袖，他手指剛剛觸及朱若蘭的衣袂，忽見她臉上不停地向外冒著熱氣，想必是正值在緊要關頭，神與意會，心馳物外，所以對眼前激烈的打鬥，不問不覺，他這一拉要是害她走火入魔，那可終身大恨……

心念一轉，登時心平氣和，焦慮之情亦隨著消去，暗道：今日之局，看來凶多吉少，我這年來遭遇數番凶險，每每在死亡邊緣，被人救回，這次所受之傷，更是慘重異常，玉簫仙子爲救我之命，先被峨嵋派和尚打傷，又和陶玉在那石洞中動手相搏，眼下不知是死是活？……

那天陶玉把他由懸崖投下之時，他人已暈了過去，是以不知玉簫仙子和陶玉動手的勝負，

及諸般經過之情。

他想得入神，把身側打鬥之險，完全忘去。

突然一股冷森的寒風，從他臉邊掃過，心頭一震，從回憶中清醒過來。

原來霞琳手中寶劍被那長衫老者一掌震飛，劍鋒掠著他面上飛過，鐺的一聲，擊在後面的石壁上。那長衫老者一掌擊落沈霞琳手中寶劍，借勢翻腕擒拿，扣住了霞琳粉嫩的右腕，微微一笑，道：「你不要害怕，我不會傷你……」

忽見沈霞琳一揚手，打了那長衫老者一個耳光。

那長衫老者，見霞琳臉上汗落如雨，身上白衣盡濕，心中動了憐惜，所以毫無防備，被霞琳一掌擊中右頰，但聞啪的一聲，半個臉登時紅腫起來。

楊夢寰躺在榻上看得十分真切，忍不住微微一笑。這當兒，他早已把生死之事，置之度外，是以，心情毫不緊張，看霞琳一掌打得又準又響，竟是隱忍不住。

但聞那長衫老者冷哼一聲，左手微一加力，舉起右掌，向霞琳左面「肩井穴」上拍去。

沈霞琳早已累得力盡筋疲，只因怕那老者傷害了夢寰，是以奮力苦戰，那長衫老者左手已擒拿她右腕脈門要穴，微一加力，沈霞琳立覺半身麻木，血脈不暢，哪裡還能封架對方拍向她「肩井穴」的掌勢。

楊夢寰躺在榻上看得十分真切，只可惜無法下榻相救，驚急之下，大叫出聲道：「沈師妹……」但覺一股血氣直沖上來，一句話還未說完，人又暈了過去。

沈霞琳聽得夢寰驚呼，半暈神志忽然一清，嬌軀倏然疾轉，竟把那長衫老者擊向「肩井穴」的掌勢避開。

那老者冷笑一聲，右手忽然又加了兩成勁力。

要知脈門是人身血道主穴之一，如被拿制住，全身血道登時受阻，再難運轉。那長衫老者功力深厚，再一加勁，沈霞琳哪裡還受得了，只感內腑一陣血氣翻湧，眼睛一黑向後栽去。

那長衫老者右臂一圈，把霞琳纖腰抱著，低頭看她嫩臉如火，汗下似雨，嬌喘不息，全身微顫，人已經承受不住，心中一陣憐惜，登時把左手勁力鬆去……

他舉起右手想暫時點制住霞琳穴道，以便騰出手來去收拾臥在榻上的夢寰，驀覺眼前一亮，一股逼人寒氣直襲過來。

那長衫老者吃了一驚，急向前跨一大步，身軀一轉，把霞琳嬌軀當做兵刃，向那襲來寒氣迎擲過去。

只聽一陣怒叱，寒光倏然收斂，石室中多一個長鬚道人，右手執著一支二尺多長，寒光耀目的寶劍，左手一伸，把沈霞琳迎擲而來的嬌軀接住。

沈霞琳脈穴一鬆，又吃那冷森森的劍氣一逼，人立時清醒過來，睜眼望時，看自己卻被大師伯抱在懷中，立時嬌喊一聲道：「大師伯，這些人壞死了，他們要傷害寰哥哥和黛姊姊，我和彭姊姊同他們打了半天，仍然是打不過他們。」

原來，這現身人正是崑崙三子之首的玄都觀主一陽子。

他來不及答覆霞琳之言，陡然一晃雙肩，急進數尺，左手抱著霞琳，右手寶劍一招「起風騰蛟」，向那長衫老者刺去。

劍捲寒風，透骨浸肌，迫得那長衫老者就地一翻，滾到石室一角。

原來那長衫老者借霞琳和一陽子說話之機，向臥在榻上的夢寰撲去，哪知被一陽子看出狡

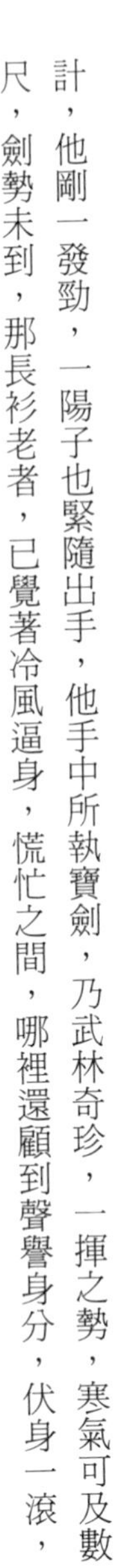

計，他剛一發勁，一陽子也緊隨出手，他手中所執寶劍，乃武林奇珍，一揮之勢，寒氣可及數尺，劍勢未到，那長衫老者，已覺著冷風逼身，慌忙之間，哪裡還顧到聲譽身分，伏身一滾，閃到石室一角。

一陽子冷笑一聲，道：「周公亮，你和史天灝一番心機白費了，不但未能害死貧道，反使我得到了這一柄武林奇珍……」

但聞霞琳在他懷中叫道：「啊！大師伯，你快救彭姊姊，她就要敗了！」

一陽子轉臉望去，只見一個面目醜怪的女人，和天龍幫中黑旗壇壇主開碑手，正打入生死關頭，那醜怪女人，雖連遇險招，但卻不肯後退一步。

大概雙方都集中全神相搏，故而對一陽子入洞之事，全然不覺。

玄都觀主陡然振腕揮劍，一招「神龍隱現」，直對開碑手崔文奇刺去。

這柄武林奇珍威力強大至極，揮擺之間，劍風激蕩，整個石洞之中都是浸肌逼人的寒氣。

崔文奇眼看獲勝在即，雙掌攻勢愈發凌厲，忽覺一股冷森森的劍風直逼過來，心頭一驚，疾收雙掌，橫躍五步。

一陽子出手一劍逼退了開碑手，寶劍回掃，冷鋒電奔，劃出一圈銀虹，護住了木榻上的朱若蘭和楊夢寰，原來他怕周公亮藉機襲擊兩人，是以在逼退崔文奇後，反手回掃一劍。

三手羅刹彭秀葦正感無力招架之時，突覺一陣寒風掠體而過，銀虹閃動，耀眼生花，只感身受之壓力忽減，崔文奇已收掌躍退，定神看時，只覺身側站一個長鬚道人，手中執著一柄二尺多長的寶劍，燭光照射下，反映出滿室霞輝。

只聽崔文奇冷笑一聲，道：「我還以爲是什麼人？原來是你玄都觀主。」

他嘴在說話，目光卻盯在一陽子手中的寶劍之上。

一陽子微微一笑，道：「崔兄別來無恙，咱們括蒼山中一別，匆匆又快一年了。」

崔文奇藉一陽子答話之時，心中暗自忖道：一陽子陡然間在此現身，也許崑崙三子都已趕到，眼下石洞情勢，已是敵強我弱，一陽子手中寶劍，光輝耀眼，大異尋常兵器，那醜怪女人不但武功甚高，七步追魂沙尤爲可怕，不如暫時退出石洞再說。

他只管盤算著心中主意，忘記答一陽子的話。

玄都觀主冷笑一聲，又道：「崔兄可是在用心思打貧道的主意嗎？」

崔文奇道：「好說！好說！江湖之上哪個不知崑崙三子的能耐，兄弟這點微末之技，就是想對付道兄，只怕也對付不了。」

說完，轉身向石室外面走去。

南天一鵬看崔文奇要走，也轉過身子跟著出洞。

一陽子突然一晃肩，搶到石洞門口，冷冷地說道：「周公亮，你請暫留片刻，貧道還有幾句話，想和周兄談談。」

周公亮霍然轉過身子，運功蓄勢，冷冷問道：「你可是要報舊恨？」

一陽子微微一笑，道：「貧道只有寥寥數語相詢，周兄這等神情，不覺著太緊張嗎？」

周公亮被一陽子說得臉上一熱，果然收了架勢，道：「不敢，道兄有話儘管吩咐就是。」

一陽子微微一嘆道：「貧道與周兄和鐵劍書生史天灝，既無舊怨，亦無新仇，兩位設計害我，究竟是爲了什麼？貧道現在還是不很清楚……」

他微一沉吟，又道：「不過兩位白費一番心機，卻使貧道因禍得福，尋得這支武林奇珍

……」他一揮手中寶劍，立時有一陣森森劍氣，逼人生寒，周公亮不自禁後退一步。

但聞一陽子哈哈一陣大笑，接道：「就請周兄轉告鐵劍書生，貧道雖無報復之心，但卻總要問明白個中原因。」

南天一鵬目睹他手中寶劍耀眼生輝，心中更是氣忿，冷笑一聲，也不回答，轉身出洞而去。

一陽子也不追趕，回頭走近木榻，把手中寶劍還入鞘內。

這時，朱若蘭用功尚未完畢，楊夢寰已被沈霞琳用推宮過穴之法，救醒過來，睜開眼，忽見恩師卓立榻前，不禁一陣感傷，低喚了一聲：「師父……」就要掙扎下榻行禮。

一陽子搖搖頭，嘆道：「看你神情，似乎受傷不輕，這些凡俗禮數，不行也罷！」

他目光又轉投到靜坐行功的朱若蘭身上，只見她散亂長髮和胸前處處沾滿的血污，心中十分駭異，略一沉思，問夢寰道：「看你們眼前情形，我很難猜想得出經過，如果你可以說話，把經過之情，扼要地給我說明。」

楊夢寰淒然一笑，長長吸兩口氣，調勻呼吸，把送朱若蘭回括蒼，留書出走，路上巧遇李瑤紅和峨嵋派衝突，自己出手相助，巧逢玉簫仙子，得知師父行蹤，二上峨嵋山，天龍幫幾位壇主尋仇萬佛寺等諸般經過，很詳盡地說了一遍，沈霞琳、彭秀葦又把朱若蘭搶救夢寰，搶奪那萬年火龜經過情形，補述出來。

說完這一段話，天色已經大亮，一陽子面色凝重地望著木榻上的夢寰，暗裡嘆息一聲，忖道：你牽出這麼多糾纏情孽，而且這些人都不是平常的女子，將來這筆帳，怎麼算呢？

他想到為難之處，不禁心頭有些冒火，但見夢寰慘白的面色，又不忍出言責備。

沈霞琳經過一陣休息，精神好轉不少，忽然皺起眉頭，道：「大師伯，要把我和寰哥哥送到一處很好的地方去住，我陪寰哥哥住在那裡，永遠不再出來了……」

一陽子聽得一怔，道：「什麼？」

沈霞琳幽幽一嘆，道：「黛姊姊雖然沒有明白地告訴我說寰哥哥傷重難醫，但我這幾天來用心去想黛姊姊的話，知道她也沒辦法救活寰哥哥了！」

一陽子暗暗吃了一驚，但他外形神情仍甚鎮靜，道：「你黛姊姊說過已無法救他了嗎？」

楊夢寰一笑接道：「弟子年來所作所為，想來就心痛如絞，對生死之事早已不放在心上，只是有負恩師十幾年的苦心教導了。」

一陽子嘆息一聲，默然無語。

沈霞琳笑道：「寰哥哥，你死了也不要緊，我會永遠地陪守在你的身側，黛姊姊說她替你報了仇後，也要和我住在一起陪伴你的……」

一陽子聽她如說夢話一般，把一件慘絕人寰的陪葬之事，說得十分動聽，而且臉上笑意盈盈，眸子中光輝閃閃，似是對那千古悲絕之事，萬分嚮往，不禁暗暗嘆息一聲，忖道：這孩子雖然是說的夢話，但那等誠摯之情，實在使人感動，看來她倒是真能做得出來，如果夢寰真的重傷難醫，就此撒手逝去，我必得設法防止此等慘事發生。

只因這中間還牽扯上一個朱若蘭，使玄都觀主心中還不能完全相信，他想，這也許是朱若蘭隨口慰她之言。

楊夢寰卻聽得心頭大震，驚道：「什麼？你們要……」

沈霞琳微微一笑，接道：「嗯！你死之後，我們要和你住在一起，陪守在你的身側，想到你死之後，還能常常和你見面，所以，我心中一點也不怕你死了。」

楊夢寰只聽得一陣激動，內腑氣血，立時上沖，剛說得一句「你們這是……」，忽然噴出一口鮮血。

沈霞琳掏出絹帕，把他嘴上血跡，擦拭乾淨，幽幽一聲長嘆，雙手放在他胸前幾處要穴上，緩緩推拿。

一陽子暗中運集功力，幫她把夢寰救醒過來，說道：「你身受之傷極重，怎麼還不知自惜自重，要知你如真的死去，會留給好多人的痛苦，你父親是我方外知交，且只有你這一個兒子，我生平也只收你這一個弟子，像你這等不知自惜之入，實在大傷爲師之心了……」

他知夢寰心地一向純厚，驟聞霞琳之言，驚震甚大，對傷勢有害無益，他愈是激動，傷勢惡化愈快，只怕他清醒之後，又要追問霞琳，故而出言相責，使他能暫時抑制住激動心情。

果然，楊夢寰聽完師父話後，暗自忖道：不錯，爹娘都過中年，只有我這一個兒子，師父苦心教育我了十二年，看來我是萬萬不能死去。求生之念一動，心中忽地鎭靜下來，閉上眼，摒棄雜念，調勻呼吸，暗中行功調息。

一陽子低聲對霞琳道：「琳兒！快過來，不要打擾他。」

霞琳依言走到一陽子身側，兩人緩步出洞，仰臉看去，滿山陽光，原來太陽已升上多時。

## 二九 師徒主僕

一陽子很留心地看了那谷中形勢後，拉著霞琳走上一處峰頂。

放眼景色如畫，不覺精神一振，想到這幾日自己經歷奇險，真如一場夢境。

他正想得入神，忽聽霞琳叫道：「大師伯，有人來了。」

一陽子轉臉望去，果然峰下谷口，有一人踉蹌而來。

他內功本極精深，運足目力看清楚來人之後，饒是他定力深厚，亦不禁訝然失聲。

來人的身影，逐漸接近了夢寰安居的石室狹道，沈霞琳亦看清楚了來人是身著黑裝的女人。

太陽光從雙峰交接之間的一段空隙中，透射在山谷中，照著那身穿黑衣的女人，只見她步履踉蹌，身體不停地搖轉，右手中握住一管玉簫，當做手杖使用，不時點在山石上面，以幫助站穩她搖動的身子，她雖然步履踉蹌，但走得並不很慢。

一陽子看著那黑衣女人，輕輕嘆息一聲，伸手拉著霞琳，由峰上向下奔去。

兩人到了峰下之時，那黑衣女人似已不能支撐，倚坐谷邊一塊大山石旁休息。

她微閉雙目，粉白的玉頸上，有一道寸許長短的傷痕，衣領滿是血污，臉色慘白，不停喘息。

一陽子緩步走到她身側，低聲對霞琳道：「琳兒，推拿她胸前『氣門』、『玄機』兩穴。」

沈霞琳蹲下身子，正待動手，忽見她睜開眼睛，隨手撿起玉簫，橫掃擊出。

一陽子左手疾探，一把接住玉簫，一挫腕，把玉簫奪了過來，怒道：「玉簫仙子，我們好意相救，你怎麼就出手傷人！」

玉簫仙子緩緩地站起身子，目光凝注一陽子臉上，望了許久，搖搖頭，黯然嘆道：「你來得太晚了，他已經被人投到那懸崖下水潭中了，我在那水潭邊守了很久時間，仍不見他的屍體浮出，想來他被那急射而下的怒濤激流，捲沉在潭底之中。唉！我身受傷勢很重，無法下潭去打撈屍體，不過，我總有一天會把他的屍體打撈上來……」

突然，她目光轉投到霞琳身上，口中輕輕啊了一聲！又低聲接道：「他傷在峨嵋二老手中，送命在一個身著黃色大褂，手套金環，面目姣好，裝束詭異的少年手中，他本來喊過他的姓氏，可是我一時記不起了……」

說至此處倏然而住，站起身子扶簫奔去，片刻間，隱過山腳不見。

沈霞琳問道：「大師伯，這黑衣女人是誰？她怎麼會認識寰哥哥呢？」

一陽子道：「很少人知道她真實姓名，都稱她玉簫仙子，在當今江湖之上，威名甚盛。」

沈霞琳重複了一句玉簫仙子，只覺這名字十分熟悉，只是一時間想不起在哪裡聽過。

兩人緩步走回石室，朱若蘭已運功完畢，下了木榻，一面用手理著散亂的秀髮，一面低聲在和夢寰談話，那醜怪的女人，卻已不在洞中。

沈霞琳急奔兩步，跑到朱若蘭身邊，笑道：「剛才我們打了半夜的架，要不是我大師伯及時趕來，只怕我和那位彭姊姊都要被人家打敗哩！」

朱若蘭先對一陽子點頭一笑，然後輕攬著霞琳問道：「那你定然是吃了很多苦啦？」

沈霞琳笑道：「嗯！我雖然和人家打過很多次架，但卻從沒有昨夜那樣厲害，我怕他們衝近木榻，傷了你和寰哥哥，所以，氣力就大了很多。」

兩人談話之間，彭秀葦提著一壺山泉進洞，朱若蘭洗去臉上、髮間血污，笑對一陽子道：「老前輩來得正好，不但及時解了晚輩之危，且將省去我一番跋涉……」

她轉臉望了靜躺在木榻上的夢寰一眼，臉上忽現黯然之色，接道：「他傷得很重，已非晚輩可以療治，因此，我想帶他到括蒼山白雲峽去見我恩師，求他老人家以所得萬年火龜療治他身受之傷。」

一陽子微一沉吟，笑道：「朱姑娘這般加惠於他，貧道十分感激，不過，他離開貧道一年之中，就牽惹著無窮風波，唉！」

朱若蘭嘆息一聲接道：「老前輩不必多責怪他，事實上有很多事，都不能怪他，眼下他傷勢很重，不宜再拖延時間，至於因他牽惹的風波後患，晚輩決不置身事外！」

一陽子道：「你們準備什麼時候動身，是否要貧道護送一程？」

朱若蘭道：「老前輩如果有事，儘管請便，由琳妹妹和這位彭姑娘伴行相助，人手已經足夠了。」

一陽子聽她口風，已知她不願讓自己隨行，微微一笑，道：「既然如此，貧道就先走一步……」

他剛轉身，忽然又停住腳步，翻腕抽下背上寶劍，笑道：「我在崑崙山一處懸崖冰岩之上，和玉簫仙子動手，忽得天龍幫幫主愛女李瑤紅傳報警訊，說寰兒被峨嵋派擒拿住，押在萬佛寺，因此就匆匆趕來峨嵋山，行至這臥虎嶺時，正值深夜，無意發現了南天一鵬周公亮和鐵劍書生史天灝，在一處懸崖上對坐清談，我因一時好奇，偷聽兩人談話，才知兩人是在計劃捉萬年火龜之事。」

他微微嘆息一聲，接道：「我偷聽兩人談話，只不過是一時好奇，哪知卻引起了鐵劍書生史天灝的殺機。」

朱若蘭道：「史天灝爲人陰險得很，不知他用的什麼方法對付老前輩？」

一陽子道：「貧道昔年游蹤江湖之時，曾和兩人見過幾面，故而相識。史天瀕故作笑臉，邀我入伙，我雖再三推辭，仍不能推脫掉，只好答允下來。史天灝裝作熱情，帶我到那萬年火龜存身中的懸崖邊緣，趁我無備之時，兩人一齊下手，把我推到那懸崖之中，哪知我卻因禍得福，撿得這柄千古奇珍，但這等寶劍，如非有絕世武功，也不配用它，僅以此寶劍相贈，藉謝朱姑娘數番援手之恩。」

朱若蘭看了那寶劍兩眼，搖搖頭道：「這等神物利器，晚輩哪裡敢受，還是老前輩自己留著用罷。再說，我一直就未存有什麼爭霸江湖之願，此刻更是萬念俱灰。貴派中分光劍法，以快速著稱武林，如再佐以這武林寶刃威力，那威勢想來必增強很多……」

一陽子看她不受，也不再堅持，收了寶劍，拱手告辭，飄然而去。

朱若蘭等也立時動身東上。

沿途之上，車船兼程，朱若蘭果然不再改易男裝，和霞琳陪守在夢寰身側，笑語慰藉，無限柔情。

她本十分擔心夢寰傷勢惡化，支撐不到括蒼山，就會傷重而死，哪知事情大出她意料之外，楊夢寰雖然數度暈厥，但一縷殘息，始終不絕。

她一面拚耗本身真氣，助他復甦，一面極盡嬌柔，慰啓他求生之念，就這樣，使楊夢寰支持著到了浙東，仍然保持著最後一口氣未絕。

這日，到浙東括蒼山下，幾人棄車步行，連夜入山。沈霞琳、朱若蘭、彭秀葦交替揹負夢寰趕路……

好在朱若蘭熟悉地勢，翻山越嶺，單走捷徑，經過了半夜緊趕，已到了白雲峽。

這時，已是子夜過後時分，一輪明月，滿山銀輝，山風吹起陣陣松濤，朱若蘭放下懷中夢寰，指著前面一座奇峰，說道：「轉過那座山峰，就是白雲峽了……」

沈霞琳緩緩把粉頰貼在夢寰鼻息處，笑道：「寰哥哥，還沒有氣絕呢！」

朱若蘭道：「唉！只不知我師父回來沒有？」

她在快到白雲峽時，心中忽然害怕起來，因爲，只要回到峽中，立時就知道師父是否已經回山，在路上，她兼程趕路，心中有著很大的把握，師父一定回到了白雲峽，但在將到之時，她的信心，忽然間完全消失，竟不敢再往前走。

沈霞琳舉起右袖，擦著臉上汗水，問道：「黛姊姊，白雲峽還有多遠？」

朱若蘭遙指著前面一面山峰，道：「就在那山峰之後，大約有五里左右！」

沈霞琳微啓櫻唇，笑意盈盈地長吁了一口氣，滿臉歡愉之色，說道：「黛姊姊！咱們不要

休息了！快些去找你師父替寰哥哥療治好傷勢，他多活這些天不死，那一定死不了啦！」

只因她心中一直記著朱若蘭相告之言，說夢寰雖活過三天時間，可是由四川峨嵋山到浙東括蒼山，耗費的時間將近二十天工夫，楊夢寰並未死去，雖然只有一縷微弱的氣息，但卻並未嚥絕。

這件事在沈霞琳純潔的心中，甚費疑猜，因為，她深信朱若蘭是無所不能之人，她既然說過楊夢寰難再活過三日，自然是無可置疑，可是，事實上楊夢寰竟延續兩旬之久，仍然未死……

不只是她，就是朱若蘭的心中，亦感到莫名其妙，雖然她不惜耗消本身真氣，助他延續生命，但她心中很明白，那只不過是祈求盡到自己最大的心力而已，決不能創出這等奇蹟。

她哪裡知道，楊夢寰在泯江舟中巧遇了那身披藍紗少女，服用了天下第一等靈藥「保命護心丹」，得那藥力神奇之效，護住他內腑一點元氣不散，雖已油盡燈枯，但一縷生命火焰，始終延續不熄。

朱若蘭雖係生性堅強之入，但此刻卻變得十分柔弱，沉思良久，才回頭望著霞琳黯然一笑，道：「要是我師父沒有回來，怎麼辦呢？我現在心裡非常害怕。」

沈霞琳先是一怔，繼而笑道：「那不要緊，咱們可以住在白雲峽等他，他總是要回來的。」

朱若蘭道：「唉！我師父一向行蹤不定，常常數月半年不回白雲峽一趟……」

忽然她心中閃起一新的意念，不禁粉臉變色，暗自忖道：師父對我一向百依百順，但那天卻大異往常，似乎連話也不願和我多說一句，如非有萬分緊急之事，決不會那樣對我，何況，

他已練成上乘內功，似無有借重那萬年火龜，以增進功力的必要。

她心念尚未轉完，驀然間長空鶴鳴，月光下見一隻巨鶴，流星般飛瀉而下，落在她身邊。

朱若蘭驟見靈鶴，心中忽然一喜，暗道：玄玉既已回來，想來師父定也回山了。因爲靈鶴玄玉，只有師父和她能夠遣用，那夜玄玉忽然不見，朱若蘭心中十分著急，及後見師父現身，料知是師父帶走，是以見得玄玉之後，心中忽然感到一陣歡愉。

她伏身抱起夢寰，轉臉對霞琳道：「我師父已回來了，咱們快走吧！」

當下，幾人又放腿向前奔去，翻過了兩座山頭，到了那高峰下面。

忽然間，錚錚幾聲弦響，從那高峰後面傳來，聲音雖然不大，但卻絲絲扣人心弦，三人都不禁一陣心跳，停住了腳步。

但聞那靈鶴一聲淒厲長鳴，展動雙翼，沖霄而去，瞬息間飛得蹤影全無。

朱若蘭望著靈鶴玄玉的去向，呆呆出一會兒神，忽地驚叫一聲，道：「琳妹妹，快走……」她口中說著話，人已似離弦弩箭般向前奔去。

她這異常的舉動，使霞琳和彭秀葦，都跟著放腿狂奔。

但覺撲鼻花氣，拂面而過，山色景物，掠目逝去，因幾人奔行得太快，無法看清楚詳細情形。

大約有一盞熱茶工夫，朱若蘭倏然收住腳步，回身把懷抱中的夢寰，交給霞琳，縱身一躍，快似掠波飛燕，直向前面撲去。

沈霞琳、彭秀葦定神望去，只見前面一片如茵綠草之中，坐著一個青袍長鬟的老人，在他身側一丈左右處，盤坐了一個身披藍紗的白衣少女，少女懷中，抱著一支琵琶，身後一排橫立

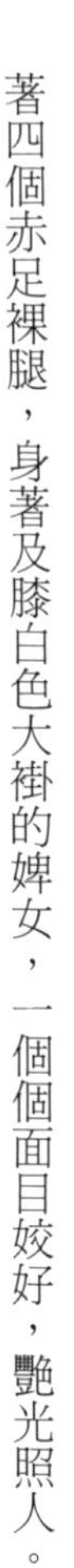
著四個赤足裸腿，身著及膝白色大褂的婢女，一個個面目姣好，艷光照人。

那少女玉頰上掛著兩行清淚，手撫著懷中琵琶，目光凝注著草地上靜坐的老人，臉上不勝愁苦，顯然，她是想撥動琵琶弦音，但卻又爲另一種力量阻止了她，一副欲彈又止的神情……。

朱若蘭撲到那老人面前，無限淒傷地叫道：「師父，師父，我回來了……」

只見那老人緩緩地睜開了眼睛，陡然一聲驚叫道：「你現在回來做什麼，快走！快走！」一面說話一面又揮手作勢，叫朱若蘭早些離開。

但見那身披藍紗少女纖指走動，懷中琵琶，錚錚錚，連響三聲。

沈霞琳忽覺兩臂一鬆，砰的一聲把懷抱中的夢寰摔在地上，彭秀葦卻隨著那三聲弦音，跳動了三步。朱若蘭雖未有所跳動，但卻突感一陣急躁不安……

幸喜那少女撥動三聲琴響之後，不再繼續，三人神智，才未受制，悠然清醒過來。

沈霞琳伏身看看地上的夢寰，氣息仍然未絕，才放下心中一塊石頭，幽幽一嘆，道：「這琵琶好生難聽……」

但見那老人圓睜著一雙環眼，大聲對朱若蘭叫道：「你快些走吧！再晚了恐怕走不了啦！我已經受了重傷！」

朱若蘭細看師父神色，大異往常，臉色慘白得毫無血色，知他所言非虛，心中更是惶急，縱身一掠，直往那身披藍紗少女身上撲去。

那少女對朱若蘭的來勢，只似沒有看見，既不起身迎敵，亦不讓避，仍然靜坐不動，可是她身後橫立的四個赤足婢女，卻一齊躍出，並肩擋在那少女身前。

朱若蘭正值滿懷傷痛之時，出手迅快至極，左掌平推一招「移山填海」，右手橫掃一記「神龍擺尾」，直擊橫打，一齊襲到。

四女被她凌厲的攻勢，迫得紛紛退避，但倏分即合，一讓過朱若蘭的攻勢，立時反擊，四個人一齊出手，由四個不同的方向攻到，八隻玉掌分襲朱若蘭八處要穴。

彭秀葦看四人合攻主人一個，不由心頭火起，大喝一聲，縱身而上，探手間已套上鹿皮手套，扣握了一把毒沙。

只聽那盤坐在草地上老人大聲叫道：「蘭兒快些停手，她是你小蝶妹妹，你絕打不過她的。」

朱若蘭聽得一怔，倏忽間拍出四掌，把四個圍攻的婢女迫退，翻身躍開五尺。

四個裸腿艷婢，也不追擊，一排橫擋在那身披藍紗的少女身側。

彭秀葦手中所扣毒沙，本已蓄勢待發，但聽那老者一喝，又見朱若蘭翻身躍退，手中一把毒沙，也不敢亂打出手，緊隨著朱若蘭躍身而退。

這當兒，那身披藍紗少女，忽站起身子，到了青袍老人身前，緩緩地蹲下身子，放下懷中琵琶，低聲說道：「老伯伯，我娘臨死之前，告訴我說，她死之後，要我到括蒼山白雲峽來找你，並要我用『弦音耗心』的工夫害死你。其實我心裡並不想害死你，何況你又對我很好，把萬年火龜的內丹，也送我服用，我娘在生前也對我談過萬年火龜的事，她說，如果能得服萬年火龜內丹，她就不會死了，所以我想那萬年火龜一定是異常珍貴之物……」

只見那青袍長鬚老人，全身一陣顫動，長長嘆息一聲，接道：「你娘說得不錯，她一生中所受的委屈，都是我加諸於她的。就是把我亂刀分屍，也不足抵萬一，只可惜她死得早了一

點，不能親手殺死我這忘情負心之人……」

那少女只聽得雙目圓睜，閃動著異樣光輝，驚叫道：「怎麼？你認識我娘嗎？」

那老人突然仰臉望著當空皓月，好半晌，才答道：「唉！我們也只不過見過幾面……」

朱若蘭在那藍紗少女蹲下身之時，也躍到那青袍老人身側，這時，突然插嘴接道：「師父，你一定認識這位姑娘的媽媽，可是你爲什麼不肯說呢？」

一語未完，突然想起了一件重大之事，啊地驚叫一聲。

青袍老人和那身披藍紗少女，都不禁被她這突如其來的一聲驚呼，嚇得微微一怔，四道眼神，一齊轉注在她的臉上。

只見她嫩臉上神情激動，星目蘊含淚光，玉齒緊咬著櫻唇，搖搖頭，故作微笑，一語不發，原來她想到那萬年火龜內丹，已被身披藍紗少女服用，萝寰病勢只怕難療好了。

那青袍老人突然咳嗽一聲，霍然起身，舉起雙手，疾走了兩圈，又重坐原處。

朱若蘭看師父疾走的步法，正是他平時修習上乘內功時所用，心頗暗暗吃驚，忖道：難道他老人家真的受了極重的內傷不成？……但轉念又想：師父精深功，博奥武學，當今之世，有誰傷得了他？

只聽那身披藍紗少女長長一嘆，又道：「我娘遺命要我害死你，我想你一定是很壞的人，誰知你竟是十分慈善的老人，唉！我娘不知和你有什麼仇恨，非要我害死你不可……」

那青袍老人微微一笑，道：「這當今之世，只有你娘和你，有殺我之能，你娘既然死去，只餘下你一個人了，你要不肯依你娘遺命害死我，我就是想死也死不了。」

朱若蘭忽地一伸右手，把那少女放在地上的琵琶，搶在手中。

身披藍紗少女轉臉望了朱若蘭一眼，道：「你最好把那琵琶摔碎，我就永不能再彈它了。」

那青袍老人突然一聲嘆息道：「怎麼？你改變了心意嗎？哼！要知一個人不聽父母之命，便是大大不孝。」

身披藍紗少女忽然放聲哭了起來，道：「可是你待我這樣好，我要害死了你，心裡不安……」

青袍老人笑道：「你娘受了幾十年活罪，忍恨偷生，把你教養成人，就是要你替她報仇，你要不肯依她遺命，把我害死，難道就不怕愧對你娘九泉陰靈嗎？」

身披藍紗少女，只聽得嬌軀一陣顫抖，伸手去搶朱若蘭手中琵琶。

朱若蘭一提氣，身體坐姿不變，倏忽間閃開五尺，道：「你要再動手搶，我真的要把它砸碎。」

但聞那四個裸腿赤足美婢，一齊嬌叱，紛紛向朱若蘭撲去。

彭秀葦、沈霞琳亦雙雙躍奔過來，出手攔截。

忽聽那青袍老人喝道：「快些停手。」右掌虛空劈去，一股強猛絕倫的力道，從幾人中間沖過，沈霞琳、彭秀葦和那四個美婢，都被那激蕩的潛力逼開。

朱若蘭舉起手中琵琶，運盡臂力，猛向數丈外一塊大山石上投去。

那青袍老人左手袍袖一拂，忽地騰空而起，伸手一抄，已把琵琶抓在手中，躍回原地，向那身披藍紗少女手中遞去。

要知朱若蘭那運力一擲，何等迅快，青袍老人能在一剎那之間，躍身而起，懸空把琵琶接

住，不但看得彭秀葦等愣在當地，就是朱若蘭本人也看得呆了一呆。

她知道，只要那琵琶交到身披藍紗少女手中，讓她彈動起來，自己也無能耐忍受，何況還有霞琳和三手羅刹。

師父又一心想死在那少女手中，自是不肯伸手攔住，必需要在那少女未彈琵琶弦音之前，重把琵琶搶到手中。

這機會只不過一刹那間，朱若蘭來不及勸求師父，驀然縱身而上，右手疾伸，抓住了琵琶一角。

這時，那身披藍紗少女，左手亦接住琵琶一角，那青袍老人還未完全放手，三個人各抓住琵琶一端。

青袍老人冷哼了一聲，道：「蘭兒，你放不放手？」

朱若蘭自聞那萬年火龜內丹，被那身披藍紗少女服用之後，心情就十分激動，此刻又被師父責問，只覺萬般委屈，一齊泛上心頭，咬牙答道：「師父打死我，我也不願放手……」

青袍老人怒道：「難道我就當真不敢打你嗎？」左掌一翻，橫掃過去。

朱若蘭平時雖得師父寵愛，對她百依百順，但一見師父真的出手，倒也不敢封架，一閉眼，準備硬受一擊。

青袍老人一掌出手，忽然想起她乃是金枝玉葉之體，自己只不過是個她的侍衛身分，只因久居這白雲峽中，遠絕塵世，致把一些凡俗禮數，盡皆忘去，朱若蘭由剛會學語之時，就在他身側長大，等到半通人事，自己因授她武功，由她改稱師父……

心念一動，趕緊收掌，但哪裡還來得及，只聽砰的一聲，擊出掌勢，正中在朱若蘭玉頰之

上，只打得朱若蘭嬌軀搖顫，秀髮散披，雪白的粉臉上，頓時現出一片紅腫。

一則朱若蘭已運氣相接，二則他擊出掌勢一收，力量減少了很多，要不然這一掌縱不致命，也必打得朱若蘭當場暈倒。

他一掌擊中朱若蘭後，心中又悔又恨，反手一擊拍在地上，手掌深陷，入地半尺。

朱若蘭強忍傷痛，垂淚說道：「師父縱然想死，也望對蘭兒說明原因……」說著話，用力一帶，立時把琵琶奪了過來。

那身披藍紗少女忽然想起，那支琵琶，是她母親遺物，要被別人砸碎，實在太可惜了。急道：「這位姊姊，你不要砸碎我的琵琶，這是娘的遺物，我想我娘時，就要在她的墳上，彈給她聽……」

青袍老人因心中悔恨交集，抓住琵琶的手，忘了用力，被朱若蘭搶了過去，聽得那少女之言，忽的兩手一伸，又把琵琶抓住，道：「蘭兒，有話好說，這琵琶是萬萬砸它不得！」

朱若蘭心中一動，道：「不要我砸碎這琵琶也好，但師父得把這中間隱密告訴我聽！」

青袍老人聽得一皺眉頭，沉吟不語，反覆忖思一陣，道：「這件事得讓我好好想想。」

那身披藍紗少女，似被朱若蘭幾句問話，觸動心事，竟然仰起臉兒，顰起黛眉，忖道：自我記事後，從未見我娘離開過百花谷中一步，不知怎會和這位老伯伯結下仇恨？

她心中一起疑竇，往事紛至沓來，側臉望了朱若蘭一眼，忽然從懷中摸出一幅白絹，攤展在草地上。

只見那白絹之上，繪著一個三、四歲的女孩子，頭梳雙辮，身披輕紗，一個二十餘歲身穿宮裝的美麗女人，滿臉微笑，站在那女孩身後，背景樓閣聳雲，不知是什麼所在？

朱若蘭看那白絹上的小女孩子，頗似自己，不禁呀了一聲！那青袍長鬚老人，望了那白絹一眼，老淚忽地奪眶而出，全身顫抖。

身披藍紗少女目光在朱若蘭臉上呆看了一陣，忽然叫道：「蘭黛公主，蘭黛公主……」

朱若蘭細聽那少女口中所呼，分明是自己閨諱和小名混稱，只是下面加了公主二字，卻是想不透是何原因？但見那青袍長鬚老人忽地仰天長嘆一聲，霍然躍起，對著朱若蘭拜了下去，說道：「老奴罪該萬死……這十餘年來一直……」

朱若蘭吃了一驚，道：「師父……師父……你老人家這是幹什麼……」急躍而起，對著那老人還拜下去。

那青袍老人，右手捧胸，左手亂顫，口中叫道：「慢來，慢來，你這等重禮豈不要折煞……」

忽的一口鮮血，從他嘴中湧出，挺身躍起，繞著草地疾走起來。

月光照耀之下，但見他臉上汗水滾滾而落，捧胸繞奔，神情極是痛苦。

大約有一刻工夫之久，他臉上汗水才逐漸消去，神情亦漸正常，重又落坐草坪，道：「我內傷很重，只怕已難久活人世……」

那身披藍紗少女幽幽一嘆，移近那青袍老人身邊，黯然泣道：「老伯伯！你當真受傷很重嗎？」

青袍長鬚老人，流露出滿臉慈愛之色，拂著她頭上秀髮，笑道：「我傷勢雖然很重，但一時之間，還死不了。這幾十年來，我日夜都在想著一件事情，只是想不通原因何在。」

他把目光轉投到夢寰身上，嘆息一聲道：「現在我明白了，可是太晚啦，你娘有沒有什麼

遺言？」

身披藍紗少女道：「我娘在彌留之際，對我說世界上最可怕的不是毒蛇猛獸，而是你心裡喜歡的男人。若你心裡喜歡哪個男人之時，就趕快把他殺掉。」

青袍老人說道：「你娘說得不錯，她若不是喜歡我，怎麼會跑到這深山大澤之中，受了二十幾年苦！又拋下錦衣玉食，冒著抄家滅門的危險，和我逃到括蒼山來，住在這幽谷岩洞之中，整日的見不著人跡，和毒蛇猛獸爲伍，爲的是什麼？只因她太喜歡我了，她爲我堅拒皇妃之位，爲我受盡鞭笞之苦，情愛是何等深厚，而我卻沒有使她快快樂樂的過過一天。這些事積壓在我的心中，已是十幾年了，我雖然日夜費心去想，但總是有些難明之處，現下看到那受傷的少年，使我多年心中不能明白的，陡地了然了。我雖然沒有打過她一掌，罵過她一句，但我加諸她的，卻是最難使她忍受的孤寂……」

朱若蘭腦際，忽然閃掠過一幕幕的回憶，但只不過是片片段段，不能想到全盤，當下問道：「師父，你說的是誰呀？」

只聽那青袍老人，又微微輕嘆一聲，接著說道：「我本不願把這些往事告訴你們，又怕我死去之後，這樁事要成爲一樁千古懸案。又怕你們永遠無法知道自己的出身來歷。我死了也不能瞑目泉下……」

那身披藍紗少女接道：「你既然知道我娘以往之事，想必和我娘相處時間短……」

青袍老人道：「唉！你娘有沒有提過你父親的事？……」

藍紗少女道：「沒有，她一直沒有和我提過，有一天我忽然想起了父親，鬧著非要她說出我父親在什麼地方……」

那青袍老人喜道：「她可對你說過嗎？」
藍紗少女道：「我一提此事，娘的臉色，立時大變，她平日十分疼我，從不肯罵我一句，但那次卻把我責罵一頓，並且告訴我說，父親是個很壞的人，要我答應以後不要再提到他。」
青袍老人哈哈一笑道：「罵得好，罵得好，你父親的確不是什麼好人！」
這時，不但朱若蘭看出了師父和這少女之間有著很微妙的關係，而且從鋪地白絹之上，回憶起很多當時情形，目光盯住在師父臉上，心中卻在推想著很多不明的疑點。
只見那青袍老人合掌望著天上星辰，口中喃喃自語了一陣，突然把目光轉投到朱若蘭臉上，說道：「先請公主恕了老奴逆國之大罪，老奴才敢直陳。」
朱若蘭急道：「師父有什麼話？但請吩咐就是，你這等神態對我，反使我心中不安！」
青袍老人嘆道：「世人均知先皇武宗無後，因而在先皇駕崩之後，擁立興憲王世子厚熜即位，卻不知先皇的至親骨肉，被我和翠蝶帶到了深山大澤之中……」
朱若蘭回頭望了仰臥在地上的夢寰一眼，道：「在皇宮中有什麼好？這些往事不談也罷。」
青袍老人笑道：「這些年來你已知道了一點蛛絲馬跡，但你卻一直不肯追問你的身世來歷，也許你不願把咱們師徒名分破壞，唉！這件事我做的是錯是對？到現在我還是分辨不清……。」
朱若蘭道：「師父做得一點不錯。」
青袍老人微微一笑，接道：「我幼年嗜武如狂，到處訪求名師，藝成後，游蹤京都，得一位同門師兄介紹入東廠，三年後，入選爲先帝孝宗近身侍衛……」

他目光忽然轉投那身披藍紗少女身上，黯然一嘆接道：「就在那年，我認識了小蝶的媽媽，那時，她還是一個十、四五歲的少女，剛剛被選入宮中……」

只聽那身披藍紗少女，啊了一聲，道：「你認識我娘？」

那青袍老人點頭笑道：「我是你生身父親，因你娘恨我太深，所以她不願告訴你，唉！這也不能怪她。」

月光下但見兩滴淚珠由他臉上滾落下來。

朱若蘭掏出一塊絹帕，送交那青袍老人手中，他接過抹去臉上淚痕，說出了一番往事。

原來那青袍老人，名叫趙海萍，本是明孝宗的貼身侍衛，因武功高強，甚得孝宗寵信，經常隨皇帝出入後宮，孝宗念他日夜衛護辛勞，就後宮佳麗中選出一位名叫翠蝶的宮女相賜。

哪知趙海萍生平嗜武如命，不願接受女色，翠蝶雖有絕世姿容，也沒法動搖他鐵石之心，兩人相處了年餘，趙海萍始終未對翠蝶生出半點情懷，可是翠蝶卻對他由敬生愛，深植芳心。

有一天，趙海萍擒到了一個深夜入宮的大盜，在他身上，搜出了「藏真圖」，他本聽過《歸元秘笈》的傳說，一見那「藏真圖」後，忽然動了尋求《歸元秘笈》之心，竟然連夜出走，離開了宮廷。

皇帝的近身侍衛，忽然失蹤不見，確實忙壞了很多當朝大員，孝宗手諭東廠太監和刑部尚書，責令限期查報他失蹤原因，追緝回宮。

這件事鬧了一年多，東廠高手和刑部中巡捕，明查暗訪，足跡遍及大江南北，但始終找不出趙海萍行蹤何處，時間一久，事情就逐漸淡了下來，成了懸案……

# 三十　花樹迷陣

趙海萍雖有一身很好的武功，但他出道之後，就被一位同門師兄介紹入東廠錦衣衛隊，很少在江湖中走動，是以經驗閱歷，均甚缺乏。

他依圖索驥，費時半年，才找到那「藏真圖」揭示所在。

但那揭示含意，一時間不易思解透徹，他徘徊在括蒼山三峰飛瀑之處，數日夜的工夫，仍未能解出揭示指說的藏寶之處。

但他嗜武成狂，雖遇挫折，仍不灰心，出山採購了很多乾糧，重返揭示所指的三峰飛瀑之下，苦苦尋找……

就這樣耗去了他半月工夫，但毫不氣餒，足跡遍及了那三峰飛瀑附近十餘里方圓的幽谷絕壑。

那藏寶所在雖未找到，卻被他尋到一處風景絕佳，地勢又異常隱密的白雲峽。

這白雲峽本是昔年天機真人的隱居之處，天然的環境又經過一番人工潤飾，峽口緊依千丈絕崖的聳雲岩，那絕峰頂端，也正是三百年前三音神尼，遠從阿爾泰山找到括蒼山，和天機真人比武三晝夜對拆五千餘招的地方。

第四天上，這兩位蓋世奇人，互以上乘內功相拚，結果鬧個兩敗俱傷，兩人都為對方重手

法擊傷內腑，對坐運功調息之時，忽然大徹大悟，覺出這一場生死的拚鬥，毫無絲毫意義，可是爲時已晚，因爲兩人都知已難久人世，醒悟之後，化敵爲友，遂把兩人絕世武學合錄成三本秘笈……

趙海萍在白雲峽口一座石洞之中，看到了天機真人留下的若干痕跡，也回想到這兩位前輩奇人的悲慘收場，但這悲慘往事，並沒有促成他丟棄尋找《歸元秘笈》的決心，反而更堅定了他尋找《歸元秘笈》的意志。

因爲他從白雲峽口石室內，看到天機真人遺留的痕跡之後，更堅信這一流傳在武林中傳說的真實性。

他在白雲峽口石室內休息了一夜，第二天又回到「藏真圖」偈語所示的三峰飛瀑之處。

他在那三峰飛瀑之下，又苦研了兩天，仍是找不出一點頭緒。第三天上忽然遇上了兩個武林人物。

趙海萍已很久未見到人蹤，此刻驟然遇到了兩個人，心中甚喜，三人交談之下，才知那兩人也是爲《歸元秘笈》而來。

這兩人來得更是冒昧，既無「藏真圖」指示藏寶所在，亦無絲毫線索可循，只是聽人說過「藏真圖」所示的山態勢形，就冒冒失失地找上了括蒼山來。

真虧他們那份毅力，在那深山大澤之中，苦尋了半年之久，才找到這三峰飛瀑之處。

趙海萍聽兩人說出了這般經過，心裡暗自好笑，忖道：我還認爲當今之世，只有我一個這樣愛武如狂之人，原來還有志同道合的寶貝朋友。

忽然心念一轉，暗道：我早有「藏真圖」偈示，但耗費了月餘之久，仍未找出那《歸元秘

笈》的置放所在，何不聯合這兩人的力量，同心尋找。

他久居宮廷，不知江湖間險詐可怕，經過一番交談，立時就取出懷中「藏真圖」，和兩人研究那偈語所示寶藏所在。

這兩個都是綠林大盜，一個叫周奇，一個叫康全，合稱爲金陵二虎，兩人橫行江南十餘年，積案如山，江南六省官府捕快雖然爲兩人吃過不少笞杖之苦，但因兩人行蹤隱密，武功又高，一直無法緝捕兩人歸案。

後來六省捕快聯手合作，並邀請了江南幾家大鏢局的鏢師相助，追蹤緊追不捨，在一次激烈的拚搏之中，二虎雙雙受傷，但仍被兩人衝出重圍逃走。

二人經過這次挫折之後，忽生再求深造之心，準備練成絕世武功，以圖稱霸江湖，兩人聽說《歸元秘笈》的傳言，遂結伴入山，苦心尋找了半年之久，但仍然找不出一點眉目，正值心灰意懶、準備離山之際，忽然遇上了趙海萍。

周奇，康全看到了「藏真圖」後，雄心復熾，兩人相互望了一眼，頷首微笑。

要知金陵二虎，數十年形影不離，早已心意相通，一眨眼、一點頭間，均能了然對方心意爲何，只是趙海萍感覺不出罷了。

當下三人仔細研究了圖上偈語含意，找出那存置《歸元秘笈》的石洞。

二虎看那石洞深不見底，陰氣逼人，遂鼓勵趙海萍先下去一查究竟，兩人故作殷勤，採了很多老藤連接一起，趙海萍一心想著那《歸元秘笈》，哪裡還能顧及二虎心存惡意，也不思索就抓起葛藤一端，當先而下。

二虎緩緩把葛藤放長，下到二百餘丈，才覺出葛藤一輕，周奇哈哈一笑，道：「這愣小子

倒是好騙得很，這座石洞深達兩百餘丈，想那洞中必然藏有毒物，先讓他替咱們掃清了道路，咱們再下去不遲。」

康全笑道：「依我看來，咱們根本就不用冒這入洞之險，待那愣小子取到《歸元秘笈》出洞之後，你可隨意和他閒扯，我在後面出其不意，給他一刀，既可免除入洞之險，又可少去日後麻煩。」

兩人計算得雖好，無奈天下事，大都不從人願，趙海萍入洞之後猶如泥牛沉海，二虎在洞口等了兩天兩夜工夫，仍不見趙海萍出來。

第三天，周奇再也忍耐不住，說道：「不行，咱們得下去看看，要是那楞小子得到了《歸元秘笈》不肯上來，咱們這個當可上大啦。」

康全搖搖頭道：「石洞之中，哪有吃喝之物，依我看多半是被什麼毒物所傷，死在石洞中了。」

二虎研討了一陣，最後還是抵不過《歸元秘笈》的誘惑，周奇首先下洞，哪知這一去，又是晝夜沒有消息。

康全終於也忍耐不住，把垂入石洞的葛藤一端，繫在一株松樹上，正想要攀藤而下，心中忽的一動，暗忖道：這石洞之深，實非任何輕功可以躍登上來，只要有一隻猴子把這葛藤嚼斷，我就活活餓斃在石洞之中。

忽然又一個念頭，展在腦際，莫不是兩人得到《歸元秘笈》，從石洞中另外的出口溜走，要是真有什麼凶險之事，周奇總該有一點警訊上來，再說他那一身武功，也非一般的毒蛇猛獸，能夠傷得了他。

本來他準備不冒入洞之險，但這一轉念，立時垂藤而下。流入洞中的溪水，擊在石壁之上，散成千萬點黃豆般的水珠兒，四下飛落，冷風徐徐，陰寒浸肌，康全一面運氣禦寒，一面打量石洞中形勢。

只見石洞愈深愈形收縮，到洞底時只餘下兩丈方圓大小。靠東南面光滑的石壁間，有一座高可及人的石門，半開半閉，入門後是一道曲折的夾道，夾道很窄，僅可容一人通過，而且黑暗如漆。

康全拔出背上單刀，護身而進，走了一段，夾道逐漸開朗，兩邊夾壁，色凝翠玉，晶瑩透明，碧光耀目。

又轉過兩個彎，夾道已盡，景物豁然開朗，一塊畝許大小的草地上，種滿著各色花樹，趙海萍和周奇正在那花樹中間，穿來走去，但卻始終不離丈餘方圓，更妙的是，兩人有時只相隔一株花樹，對穿而過，但卻不聞不見。

康全雖不懂五行奇門之術，但也意識到這花樹林是一座奇門陣式，看兩人在林中穿來走去，始終無法走出，不禁心生寒意，哪裡還敢入陣……

正在爲難當兒，突覺後面一陣急風襲來，他來不及多作思索，反身一刀劈去。刀劈出手，才看出是一隻奇大的白鶴。

巨鶴似無傷人之意，是以毫無防備，被他一刀劈中左翼。

這一刀激起白鶴野性，但聞一聲長鳴，斂藏在腹下的雙爪，突然一齊伸出，右翼也同時斜撲而下，擊落他手中單刀。

康全心頭一驚，縱身向後躍退，匆忙之中，忘記了他身後就是那花樹陣式，待他警覺，人已落入陣中，只覺眼前一花，頓時迷失了方向，周奇、趙海萍亦同時不見。

要知這花樹陣式，是天機真人和三音神尼比武兩敗俱傷，大徹大悟，化敵爲友之後，爲合《歸元秘笈》，避居此洞，因怕遭人困擾，用反五行之法布成這座花樹陣，奧妙無窮，置陣中，如墜入濃雲密霧，耳目俱失效用……

三人被困入陣中，各居一處，本都難免餓斃，但因趙海萍攜帶乾糧較多，生平又未近過女色，元陽充沛，耐受饑餓之力要較二虎強了很多，是以，他還絲毫未感到饑餓威力之時，二虎已難耐饑餓之苦，暈倒當地。

趙海萍乾糧用盡，七日之後，人也逐漸支持不住，周奇、康全早已在數日前餓斃在花樹陣中。

這時，他已不再作出陣之想，閉目靜坐在地上休息，一個人到了完全絕望之時，心中反而十分清明。

他過去的生活，又極單純，雖然朝夕生活在粉白黛綠的美女群中，但他全心全意都用在武功上面，對後宮三千佳麗，視若無睹，以翠蝶絕世姿容，和對他纏綿愛戀的情意，都無法激起他心中半點綺念漣漪……

要知那反五行花樹陣式，雖然奧妙無比，但最厲害的，還是那由心念而生的諸般幻象，對陣中受困之人，折磨最大，幻隨念變，隨生隨滅，這並非是那反五行花樹陣中有什麼邪術，而是那五行變化，和鮮豔的各色花葉，給予人由心念而生的一種幻覺。

因爲凡是被困在陣中之人，必將千方百計，想法出陣，對心力、智力消耗均大，時間既

久，心智逐漸削弱，諸般貪念、色欲、往事，便趁虛而入。

再加上那各色鮮艷花樹，給人視覺的一種錯覺，眼前境界，亦隨著那泛起心頭的往事，幻化出各種不同的形象。

尤以色慾之事，對被困陣中之人，害處最大。在一種由心而生的錯覺中，那五色繽紛的各種花樹，都化成千百個艷裝美女，著像成形，似幻如真，諸般往事，一一在腦際閃過，眼前景物，也隨著轉變。既著色像，由念生淫，到最後由淫生慾，由慾焚身，死狀之苦，不堪言喻。

天機真人和三音神尼，不用他物布成這反五行陣式，而單選各色花樹，其作用也在對付一般淫惡之徒。

因爲武林之中，有「道戒淫行」的規律，不少江湖豪客，風塵怪俠，能勘破名利自甘淡泊，但卻不能勘破情關，逃避私欲，俗戒一開，萬惡踵至。

趙海萍雖近三旬，但猶童身，既不動色欲之念，先逃過了反五行花樹陣式最厲害的一關。

但他在半月來東撞西走，一心想闖出陣外，難免心浮氣躁，靈智閉塞，五行相輔相生，幻化出遙長無盡的旅途，在他認爲已奔行千百萬里，其實只是在丈餘方圓之內打轉，此刻，出陣之望既杳，雜念隨之消去，盤膝閉目，靜坐一陣，靈台忽然空明，想起懷中「藏真圖」來，探手入懷，摸了出來。

睜眼見花色奪目，眼前幻像盡失，不覺呆了一呆，忖道：這片花樹陣，只不過數丈方圓大小，怎麼我奔走千百萬遍，仍然未走出陣，心念一動，霍然躍起，哪知剛舉一步，忽覺眼前一黑，花樹盡皆隱去不見。

他已吃過苦頭，不敢再移動一步，心知只要向前一走，不到力盡筋疲，絕難停得下來，因

他已有十餘日奔行經驗，只要向前一舉步，丈餘外就現出一個轉彎的路口，轉過一個彎，眼前又是一個，那彎口無盡無止，不知道有多少。

他略一定神，又在原地坐了下來，但他心中出陣之念未息，靈台不淨，著像生幻，只覺自己坐在一片枝葉蔽天的大森林中，一片漆黑，伸手難見五指。

他閉上眼，一面運氣調息，一面暗自忖道：花樹陣這等奧妙，如果「藏真圖」上未示明出陣之法，縱然得到「藏真圖」，只怕也無人能闖得過這攔路花樹陣式，要是如此，天機、三音兩位老前輩，既不必合錄《歸元秘笈》，亦不必勞神繪製這「藏真圖」了，不管圖上有無出陣之法，先把它打開看看再說。

他先摸索著把圖攤展身前，然後才睜開眼睛，哪知他心中仍存著出陣之想，眼前仍是一片黑暗，無法看得清圖上景物，不禁黯然一嘆道：「看來我今生已無出陣之望了。」

心灰意懶之際，索性仰身向後一躺，忽然手指觸到懷中一塊圓滑之物，心中一動，霍然又挺身坐起來，探手入懷，取出一顆龍眼大小的珠子。

明珠在手，眼前驟然一亮，霞光閃閃，照明了數尺方圓地方。

這顆明珠，本是皇宮中珍品，俗稱爲「夜明珠」，爲各色珍珠中，最爲名貴的一種，千數百年難得一粒，本是明孝宗御書房中裝飾之物，有一夜孝宗在書房批閱奏折，忽然一陣微風，吹得桌上燭光搖擺。

他本是皇帝之尊，平日頤指氣使慣了，還認爲是守值太監送夜點，不小心使夜風吹入書房，頭也未抬，就罵道：「該死的奴才……」話剛出口，驀聞身側一聲冷笑，寒光一閃，案頭上多了一把清鋼匕首。

轉臉看時，只見一個黑衣勁裝大漢手執寶劍，黑布包臉，雙目兇光閃閃，哪裡還敢開口。

那大漢伸手取了案上的夜明珠後，轉身又奔到後壁，摘取壁上的一幅唐代畫聖吳道子手作的「送子天王圖」。

他雖是萬乘之尊的天子，但看到那深入案頭的耀目匕首，也不敢出口大氣，手握朱筆，呆呆坐著。就在那黑衣大漢舉手摘圖之際，驀聞一聲「萬歲休驚」，微風動處，趙海萍一射而入，就在御書房中，和那黑衣大漢展開了一場猛烈的拚搏。

趙海萍怕驚了駕，一出手就施展本身絕學。

劍光如幕，把那黑衣大漢堵在一角，連下殺手。

激戰二十回合，那大漢吃趙海萍點中穴道，當場被擒。

孝宗目睹他勇猛擒賊，龍心大悅，竟把那顆「夜明珠」，轉相賜授。

趙海萍看珠子華光奪目，甚是好玩，隨手接過放入懷中。

這次他因得「藏真圖」偷離皇宮，遠走浙東尋找《歸元秘笈》，臨行之際，想到了尋寶需耗時日不短，這顆明珠定然值錢不少，遂把它揣入懷中帶走，以備費用，不想此時派上用場。

在那閃爍珠光照耀之下，「藏真圖」上的一切景物，均清晰可見。

只見橫寫在白絹上的「藏真圖」三個大字，已然褪色，下面四句似詩非詩的偈語寫道：

萬功歸秘元，一劍神州寒。

蒼松節明月，石上流清泉。

偈語下面，畫著幾座連綿的山峰，夾著一道幽谷，谷內峰迴路轉，曲折盤旋，幽谷盡處，蒼松林立，一松特高，有似撐傘，月光松下照，滿地鋪銀星，一道清溪繞過松下巨石，直向一個深澗中流去。

溪水不大，如一條水簾下垂，那三峰飛瀑的背景，卻用一種寫意的手法，描繪出來，黑色很淡很不易看得出來，想是天機真人、三音神尼在繪製這「藏真圖」時，怕得圖之人輕易地找到藏寶所在，故而不肯把那三峰飛瀑的背景，明顯地畫在圖上。

他仔細地檢視全圖一遍，但卻看不出一點有關脫出這花樹陣式的暗示，不禁心頭一涼，順手把白絹一折。

但見三座高峰，兩前一後地排成了品字形，一道瀑布由正峰倒瀉而下。

原來這白絹是兩層折在一起，外面明顯地畫出了藏寶所在背景，裡面卻指示出《歸元秘笈》存放的山洞。

他忽然心中一動，又仔細檢視，那三峰飛瀑擊在懸崖中一塊大山石上，濺飛起一片水珠，看了一陣，仍是不解。

他出陣之望既絕，反而定下心來，閒坐著無事可做，就數那濺飛水珠作戲，初數一遍，尚無所覺，待他數到第三遍時，心中忽有所感。

原來那濺飛水珠，共有九九八十一點，左五右四，分成九排，雖然距離不等，交插而過，但每一水珠大小卻完全相同，似非隨筆點成，且散而不亂，極易辨認。

趙海萍本不懂星卜五行之術，但他在絕望之際，忽然發現了一線生機，雖全不知其然，但卻油生一試之念。

他茫然站起身子，右手捧著夜明珠，左手握圖，依照那濺飛水珠圖形，左轉五步，右行四步，然後又依圖形，側轉半身，再轉九步。那圖上濺飛的水珠，除分成九排之外，另用交插方式，顯示出五個轉身方向，每一轉向四十五度，正是反五行花樹陣式的破解之法，只可惜趙海萍不懂五行奇門之術，方位拿不準確，多耗不少時間。

也幸得他不知其然，只是存著僥倖之心，失敗了，亦毫無灰心失望，一次不行，二次再來，轉了有頓飯上夫，忽見眼前綠草如茵，原來已脫出那花樹陣式。

回首望去，花色爛漫，查點花樹，共計九九八十一株，和那濺飛水珠暗相吻合，但置身陣兒卻絲毫看不出那排列的花樹，有何特異之處。

他幾乎不相信，那幾株花樹能把自己困在其中半月之久。

突然，他目光觸到了僵臥在花樹林中的周奇、康全，心頭微覺一震，叫道：「周兄，康兄，兩位也下這石洞中來了嗎？」

他一連高呼數聲，聲音也越叫越大，可是周奇、康全早已死了數日之久，哪裡還會聽到呼叫之聲，別說人死去，就是活人，被困那陣中，耳目也要失去靈效……他雖想重回陣中，救兩人出來，但想到那被困在陣中之苦，不禁心中陡生寒意，長嘆一聲，轉身向裡走去。

穿過了一片廣闊的草地，地勢又漸窄狹，迎面白石壁間現出兩扇石門，趙海萍運起真力一推，石門應手而開。

石門裡面是一座三間房子大小的石穴，左右各放置一塊大青石，形如蓮台，上面盤膝坐著一尼一道，滿室奇香直沁肺腑，中間有一座青石峰台，台上端放一個一尺見方，五寸厚薄的玉

盒，台前一座石鼎，鼎中滿是白色香灰，奇香就由那白色香灰中散發出來。

趙海萍估計那一尼一道，必是傳言中的天機真人和三音神尼的法身，面對著這兩大武學宗師法體，不禁心生敬慕之意，立即伏身拜了三拜。

抬頭望去，只見那一道一尼合掌閉目靜坐，狀似參禪入定一般，心中大感不解，暗道：這兩人歸真已有數百年之久，何以法體如生，毫無殘損，難道這兩位前輩奇人，都已練成了金剛不壞之身嗎？

他心中疑竇重重，但一時間卻思解不透，只得暫時悶在心中，緩步對那石案走去。

只見那石案玉盒蓋上，刻著「秘笈重寶，珍惜莫損」八個大字。

他本是嗜武如狂之人，一生之中都在想著如何練成絕世武功，但他並未存爭霸江湖、逐鹿武林的心願，只是愛武太深，養成了他除武功什麼都不想的怪癖。

他打開那案上玉盒，只見盒中端端整整地放著三本白絹製成的冊子，另有靈丹一粒。靈丹下面，放了一紙白箋，立時發現四個正楷娟秀字跡寫著《歸元秘笈》。

那《歸元秘笈》共分上、中、下三冊，上冊是講述學武的初步門徑，及各種內外功修習之法，以及玄門吐納之術，和佛門中禪坐之法，記載之廣，遍及天下各門各派的內功優劣利弊，速成、緩進，不下數十種，分記三十六篇。

中冊卻是記的掌、兵刃、暗器、療傷、點穴、震穴、擒拿等各種手法，無一不是神奧絕學，而且每招都注有破解之法，趙海萍只看得數頁，已自心馳神搖，嚮往不已……

他匆匆翻閱一遍，又打開第三本看。

這下冊所載，和上、中兩冊大不相同，全篇中是講一種內功口訣，而且句句博大深奧，處

處含蓄玄機，從頭至尾，再無第二種武功，記載到後幾頁字跡了草，顯然那執筆之人，已快耗盡心智，無法再求字跡端正……

他吃力地把全書看了一遍，對上、中兩冊所載各種內外功、拳掌、兵刃、暗器、手法，雖也有很多不盡了然之處，但他卻能意會到那都是曠古絕今之學，獨對第三冊上所記載之一種內功口訣，全然不解，只覺有很多記載特別古怪，既非人身穴道，亦非運氣行血之法，初看時覺著太過深奧，索然無味，再看了一陣卻又感糊糊塗塗，不知所云。

要知那《歸元秘笈》下冊所載，正是天機真人和三音神尼，以上乘內功互拚受傷，化敵爲友之後，合錄《歸元秘笈》。

這日，完成了上、中兩冊後在山腹密洞對坐，各述本身內功修爲之法，天機真人所修爲玄門一元罡氣，三音神尼修習的是佛門般若禪功，兩人相互說出了本身上乘內功修爲之法後，各運心智去推敲對方所習內功要旨，對坐三晝夜，忽然大悟妙諦，發覺了這玄門一元罡氣，和佛門般若禪功，如能相輔並進，則可另達一種出神入化之境。

玄門一元罡氣，是以養生爲主，練氣化神，由神還虛，保嬰固元，返老還童，克敵於舉手投足之間。

佛門般若禪功，則以修命爲主，以靜養意，以意行動，意通玄關，功走任督二脈，運轉於奇經八脈之內，克敵於呼吸之間。

天機真人本身內功已達登峰造極之境，聽三音神尼說出本身內功修練要訣之後，經過三日夜沉忖推敲，忽有大覺，啊的一聲，睜開了眼睛。

哪知三音神尼也在同時睜開了眼睛，微微一笑。

原來兩人都在同一時間中悟出療治傷勢之法……

天機真人指著石案上錄成的上、中兩冊《歸元秘笈》，笑道：「如果我們在進入這山腹石洞之後，不錄這兩本秘笈，不布那反五行花樹陣式，先要談到你般若禪功的修練之法，也許我還可療治好本身傷勢……」

三音神尼笑道：「你玄門一元罡氣，和我們佛門般若禪功，分則養生保身，合則體命變修，我們不能在入洞之初，互談修練之法，可見天意使然。但我們既然悉此大道，不如把它加錄一本下冊，留傳後人。」

兩人在合錄《歸元秘笈》之初，只想到上、下兩冊，但經悟出玄門先天氣功，和佛門般若禪功，能合一修爲之後，易名爲「大般若玄功」，錄記在下冊之上。

就在下冊完成之日，兩人心智亦耗消殆盡，無法再控制內腑傷勢，以致內傷劇烈惡化。

這時，兩人都知道無能再支撐下去，雖然悟出玄門一元罡氣和佛門般若禪功合修可療內傷，但只是時間來不及了。

一則兩人因合錄《歸元秘笈》耗費心神太多，二則因拖延時間過久，數十年苦修的一口真元之氣，已逐漸消散，縱知療傷之法，但已無能自救。

幸得兩人早已有備，石室內需用之物，早已備齊，天機真人拚盡最後一口元氣，把石門掩上，三音神尼把《歸元秘笈》放好後，又把預先置放在石鼎中的原香草燃起，又留了一粒靈丹，然後面對面盤膝而坐，剎那間白煙裊裊，滿室清香。

這兩位武學宗師，就在白煙瀰漫之中，合目而逝。

那原香草本是天地間鍾靈之氣孕育而生的一種異草，能保屍不腐。這種異草生無時地，極難尋得。昔年天機真人遊蹤海外時，在一座荒無人跡的島上發現，他本是學博古今之人，一望之下，立時認出是千載難遇的奇物，隨把它移植到白雲峽來，兩人坐禪數百年屍體能毫無殘損，就是得原香草之力。

且說趙海萍把三冊《歸元秘笈》從頭至尾閱讀了一遍，除了對下冊上所載「大般若玄功」不解之外，上、中冊所記載內功、拳劍，無一不是奇絕之學，只看得他心馳神往喜極而位。

在《歸元秘笈》上冊最後幾頁之中，記載著那反五行陣式出入之法以及星卜之學，簡潔明瞭，字字金玉，趙海萍雖讀書不多，但因那上面記載，多是實用法門，稍一用心，即可看通。

他在石洞之中一住數日，因服用過三音神尼遺留的靈丹，一直不覺倦睏。

這日，他忽覺腹中有些饑餓，屈指算來，入洞已有兩旬之久。抬頭望去，只見天機真人道袍衣袂，微微飄動，不禁心頭一顫，暗道：這石室乃兩位武學宗師奉安法身之處，我豈能在這裡久留不去。心念一動，立時輕步出了石室，翻身帶上了石門。

這時，他已知道了那反五行花樹陣式妙用，出陣自然是輕而易舉之事。

他走近周奇、康全橫屍之處一看，只見兩屍體已經開始腐爛，臭氣觸鼻欲嘔，不覺心生憐念，忖道：如果我不得「藏真圖」之助，也難脫出這花樹陣式圍困，只怕此刻也已死去多時。他本想把兩人屍首移出陣去，找一處地方埋葬起來，忽地心念一轉，回想起兩人鼓勵自己入陣之事，但兩人卻不肯和自己一齊入洞，卻在自己入洞之後，又悄悄跟隨而來，這一推想，立時覺出了兩人的用心險惡，當下打消了移屍之念，自行出陣。

幸得那垂入洞中的長藤，尚未爲野獸噬斷，立時攀藤上了石洞。

他攀上那山腹地洞之後，又回到白雲峽口那座石室之內，開始研究《歸元秘笈》上的武學，那石洞不但異常深大，而且裡面分成了五個單獨的石室，還遺留著天機真人昔年丹爐。

匆匆十年，他武功已然精進數倍，不但拳掌、兵器之學，天下無雙，即使玄門一元罡氣，亦有很大成就，但那《歸元秘笈》之上記載的武功，乃天下武術精華大成，趙海萍十年苦學，成就雖大，但也只學得上、中兩冊內十之三四而已。

這日，他突發奇想，用白紙僞製了一部假的《歸元秘笈》，重入山進入石洞，放在那石盒中，然後再把「藏真圖」放置在昔年天機真人和三音神尼比武的聳雲岩頂，在他想：這部武林奇書，數百年來，不知多少武林高手爲它濺血送命，如果有人尋得「藏真圖」，找到那山腹石洞之後，找到的只是一部假書，那不但是一件十分好玩之事，也許還能免除日後爲爭這部奇書的連綿慘劫。

他想得倒是不錯，只是他生性頑皮，讀書又不多，提筆之時，不知寫些什麼才好，想了頓飯之久，仍不知如何落筆，想得煩惱時，就隨手亂畫一通，鳥獸魚蝦，無一不全，因他書畫不佳，畫在上面的東西大都是似像不像之物。

他把假的《歸元秘笈》送回到山腹石洞之時，忽見一隻巨鶴擋在天機真人和三音神尼法體奉安的石室門口。

這時，他武功已精進很多，隨手一掌就開碑裂石，他見巨鶴擋在石室門口，也不思索這山腹石洞之內哪來的生物，隨手一把抓去。

哪知巨鶴忽地一展雙翼，閃電飛起，不但把他一掌讓開，反而一沉左翅，橫掃過來，而且

力道奇大，捲起呼呼勁風。趙海萍微微一呆，疾躍而退，雙手伸縮間連抓五次。

但那巨鶴靈活無比，竟似懂得武技一般，雙翅搧動，一連閃躲過他五次擒拿。

這一來，卻引起他的興致，長嘯一聲，飛身撲擊過去，那巨鶴倏然一展雙翼，疾沉數尺，掠地飛過，避開他這一擊之後，右翼忽地一轉，反向他後背攻去。

這一鶴一人，就在山腹石洞之內，反五行花樹陣邊，展開了一場搏擊。鬥了頓飯之久，趙海萍換了十幾種擒拿手法，但始終未能把那巨鶴擒住。

趙海萍久戰無功，不禁心中氣了起來，暗自忖道：我十數年前，已有伏虎降獅之能，哪知練了十幾年《歸元秘笈》上記載的武學，竟連一隻白鶴也打不過了，一面打，一面在想《歸元秘笈》上各種擒拿手法。

忽的被他想到了一種奇絕的擒拿手法，但因對付那大白鶴迅猛的撲擊，分心不少，無法凝神思解，心中十分焦急，哪知越急越是想不出個中要訣。

人鶴又相鬥了一陣，趙海萍突然盤膝而坐，潛動真力，左手發掌，呼呼掌風如輪，把那巨鶴逼在丈餘外處，右手卻探入懷中摸出《歸元秘笈》。

他這十餘年來，日夜研讀那上、中兩冊，是以對各種分類記載武學部位，記得十分清楚，很迅捷地就找到擒拿篇中所記的一招「降龍伏鳳」。

他默記了手法要訣，把奇書放回懷中，一面目注巨鶴，一面暗中運氣。

這時，那巨鶴正脫出他掌力迫襲，展翼急撲而來。

趙海萍不再發掌擋擊，霍然一躍避開，左掌反手一揮，一招「羅漢飛杵」，向那巨鶴身前三尺左右處擊去。

這一掌拿捏得恰是時候，掌力發出，剛好把巨鶴前衝之勢擋住。

那巨鶴似已知他掌力威猛，長鳴一聲，雙翅倏然一沉，鶴身微微一頓，長頸疾伸，前衝之力，倏然間變成向上飛衝之勢。

趙海萍心中大喜，一收左掌力道，忽地急躍而起，直向巨鶴撲去。

那巨鶴吃趙海萍左掌收回內力一帶，上衝之勢，微微一頓，趙海萍已追襲而至，右手疾出，抓住了巨鶴雙腿。

因牠要把前衝之力，改變成向上飛衝之力，必得把長頸和雙腿伸直始可。

趙海萍右手抓住那巨鶴雙腿之後，用力向下一拉，左手閃電般由鶴背掠過，抓住了巨鶴長頸，大笑聲中，雙手運力，前後扯直，身軀又微微向前伏去，那巨鶴頸腿受制，單餘雙翅克敵，又被趙海萍一扯，鶴腹觸地，空自展翅掙扎，只擊的地上碎石斷草亂飛。

趙海萍待巨鶴無力掙扎之時，忽地一鬆雙手，躍開了。

那巨鶴略一休息，猛又撲擊過來，趙海萍縱身躍開後，大笑道：「好啊！我已在這深山大澤悶了十幾年啦，今天就借你這野禽活動活動筋骨吧！」大笑聲中，重施故技，又把巨鶴雙腿和長頸抓住。

如是擒放，一連數次，在趙海萍只是覺著好玩，並未存心收伏巨鶴，但當他第五次放手之後，忽見那巨鶴伏地長鳴，既不再撲擊，亦不飛走。

趙海萍認為牠已被自己整怕，也未放在心上，逕推石門，進入天機真人和三音神尼坐化石室。

他取出懷中的偽製《歸元秘笈》，放入石案上玉盒中，然後帶上石門，繞過反五行花樹陣

式，到了出洞之處。

抬頭望去，不禁心頭大駭，原來他入洞時垂下的一條長藤，已不知被什麼獸類咬斷，這兩百丈深淺的地洞，四面光滑如鏡，下半段又滿生青苔，別說趙海萍眼下無能攀上，就是他再修爲十年，只怕也不易飛躍出洞。

正感爲難當兒，突覺一物觸於左臂之上，轉頭望去，原來那隻巨鶴不知何時已到了身側。

他心一動，暗道：這巨鶴力大無窮，也許能載我出洞，何不騎上一試。

他心念轉動之間，已自跨上鶴背，人剛坐好，念還未息，那巨鶴已長頸伸動，展翼而起。

只因那洞底太過狹窄，巨鶴雙翼無法用上全力，是以飛行很慢，愈上洞口愈大，那巨鶴飛得也愈快。

驀然日光耀目，山風拂面，待他發覺出了石洞，那巨鶴已高飛到百丈上空。

初時，心中不免有些擔心，怕巨鶴越飛越高，跌下來非要摔個粉身碎骨不可，但片刻之後，恐懼之心完全消失，因爲那巨鶴飛行雖快，但身子十分平穩，乘坐鶴背上，絲毫不覺顛簸之苦，忽地一陣冷氣拂面，眼前驟然一黑，如陷夜色之中，原來進入了一片濃雲之中。

大約有一頓飯工夫，日光忽地重現，回首望那片濃雲，色灰如墨，閃光劃空，雷聲盈耳，想是那片濃雲籠罩之下，正在下著大雨。

俯瞰萬峰千山，閃電般向後倒逝，那巨鶴飛行之快，直似流矢離弦。

這時，趙海萍不但已無恐懼之心，反而覺著十分好玩，心中暗自喜道：這乘鶴遨遊，實是天下第一等快心樂事，怎生想個法兒，把這巨鶴收服才好。

忽地巨鶴雙翼斂收，由那萬丈高空中急湧而下，趙海萍心中一驚，右手一把抱緊鶴頸，暗道：要糟！莫不是這巨鶴飛得力盡了？由這等高空跌落下去，縱是鐵打銅澆之人，也要跌個片片碎裂……

他心中轉念未息，忽覺那急瀉之勢一緩，鶴翼平伸，輕飄飄落在一個絕峰之上。

趙海萍跳下鶴背，仔細一看，原來這巨鶴降落之處，正是白雲峽上的聳雲岩頂，心頭大喜，急把懷中「藏真圖」取了出來，找到天機真人和三音神尼比武之處放好，再看那巨鶴昂首挺立，紅冠在日光照射之下，鮮艷耀目，不但毫無睏倦之態，而且不時張翼轉頭，似欲振翼再飛。

趙海萍看得心中喜愛至極，奔到巨鶴身側，手拂鶴羽，那白鶴忽地伏地長鳴，偎依在他懷中，但苦於不懂馴鶴之法，一時間不知如何處理。

突然，他目光觸到那巨鶴長頸之下，掛著一節竹筒，立時伸手取過。那竹筒不過二寸多長，大指粗細。他這時功力何等深厚，雙指微一用力，那竹筒已應手而碎。

只見那竹筒之內，藏著一片白絹，趙海萍展開白絹一看，只見上面寫道：巨鶴玄玉，千年神物，性已通靈，力降龍虎，留贈新主，萬望善顧。

下面屬名天機真人留贈與有緣獲取《歸元秘笈》新生主，絹上並記有馴鶴之法。

趙海萍收服靈鶴之後，心中高興至極，每日練武過後，總要騎在那大鶴背上，飛遊一陣。

這日，他忽然想起了往昔之事，暗道：我離開北京，轉眼間十幾年了，不知昔年的舊友是否都還健在？這靈鶴玄玉飛行迅速，日行數千里，我何不乘鶴回到京中一遊，一則探望錦衣衛隊中幾位舊友，二則也可順便看看翠蝶怎麼樣？他本是胸無城府之人，想到了立刻就做，當天夜中就乘鶴北上。

要知靈鶴玄玉，乃千年以上神物，不但飛行迅快，而且續飛之力，異常強大，這遙遙萬里的行程之間，只經過一次休息，在第二天初更過後，已然到了北京。

這時，他已懂馴鶴之法，降落之後，立時遣鶴遊飛在高空之中，自己卻逕往皇宮奔去。

深宮內苑，雖然深遠宏大，但他昔年出入記憶猶新，是以仍可辨認出道路。他生性雖非愚蠢，但因一心狂愛武功，致養成了除武功之外，什麼事都不喜用心去想的怪癖。他已十餘年未履深宮之內，也不想這十年之內會有好多變化，仍然和往昔一般，明目張膽地向裡面闖去。

突然間，暗影中響起了兩聲怒叱道：「什麼人這樣大的膽子，竟敢在深夜之中擅闖深宮？」隨著那兩聲喝叱，一點寒星挾著劃空尖風打到。

趙海萍隨手一抄，接著偷襲而來的一枚銀梭，笑道：「你是什麼人，敢對我施放暗器，當心我打爛你的屁股。」

他驟然間回到了十年前的舊地，往事泛湧心頭，還以爲自己是十年前的身分，皇帝的貼身侍衛，是以在接得施襲之人銀梭後，衝口反問了人家一句。但聞一陣颯然風動，暗影中躍出來兩個勁裝握刀的錦衣衛士。

兩個人四隻眼睛，一齊盯在趙海萍身上打量了一陣，不禁皺起了眉頭。

原來趙海萍在白雲峽一住十年，全神集中在練武之上，早已把整容穿衣之事忘去，弄得衣衫破損不堪，僅可勉強遮住身體，髮長數尺，亂鬚滿腮，除了一雙眼睛中，可見炯炯神光之外，耳、鼻、口盡被亂髮掩住。

但聞左邊握刀一人，冷笑一聲，道：「哪來瘋癲之人！」左手疾伸，抓住刀背，右手呼地一掌拍出，但聞一聲悶哼，那人便仰身栽倒。

右面一人見同伴一交手間，就被擊倒在地，心中又驚又怒，再喝一聲，掄刀攔腰斬去。趙海萍雙肩一晃，不退反進，一舉步，已欺到那人身側，右掌一揮，劈臉打去。

在他心想，只不過打他一個耳光好玩，可是他忘了此刻他功力是何等深厚，但聞砰的一聲，那人腦袋應手而碎，連哼也未哼一聲，就橫屍地上。

他似是想不到這輕輕一掌，就把人腦袋震碎，不覺呆了一呆，回首再看左面一人，早已氣絕多時，滿臉都是鮮血，原來那人吃他一掌，震得五腑離位，七竅湧血而死。

他望著兩人屍體，心中突然襲上來一陣恐懼之感，暗道：我擊斃錦衣衛士，何殊殺官造反，如果被查了出來，那可是株連九族的大罪……

要知他十餘年前，被選爲孝宗的貼身侍衛，曾數度奉旨抄斬犯人的家族，少者數十，多者數百，不分男女老幼，盡皆刀刀誅絕，內中又大都是封疆大吏，內閣要員，位居極品之人，那抄斬家族時的諸般慘象，一一在他眼前展現，兒哭女啼，慘不忍睹，他正在想得入神，突覺雙手一緊，回頭望去，只見一柄寒光閃閃的刀鋒，抵在他背心之上，三個錦衣衛士，分站他兩側身後，雙手亦被人左右拉住。

那用刀抵在他背心之人，年齡較大，望了望兩具橫臥屍體，冷笑一聲，道：「這兩個人，可是你殺的嗎？」

趙海萍道：「我只不過隨手一揮，哪知竟把兩人打死了？」

那人看他長髮飄垂，亂髮遮面，身上又無兵刃，分明是個瘋癲之人，哪裡肯信他之言，一

皺眉頭，怒道：「就憑你這樣三分不像人，七分倒像鬼的樣子，也敢大言不慚，你知道這是什麼地方？」

趙海萍道：「我怎麼不知道，這是皇宮內苑……」

那人接道：「這皇宮內苑，也是你來的嗎？」

趙海萍道：「我要見皇帝，不到這裡來，到哪裡去找？」

那人冷嗤一聲，道：「你胡謅些什麼？」

手一加勁，刀尖直向他背心刺去，這時趙海萍的玄門一元罡氣，已練有基礎，雖然毫無防備，但這至高的內家氣功，自含著一種抵禦攻擊反彈之能。那大漢看趙海萍瘋瘋癲癲，想一刀把他刺死算了，哪知雙手微一用力，忽覺對方被刺之處一軟，直似刺入一團棉花，剛覺不妙，一股反彈潛力，已自擊出，只感兩手一麻，單刀脫手飛出到一丈開外。

那兩個分握趙海萍雙腕的錦衣衛士，亦覺著他被握手腕，忽然一熱，如觸在火燒的紅鐵之上，不覺雙雙鬆手，退了兩步。

趙海萍哈哈一笑，雙袖一拂，左右兩個錦衣衛士，被他隨袖拂出的內力，震倒地上，身後那年齡較大之人，看他一舉手間，就有這等威力，早已心寒膽裂，轉身一躍，狂奔而去。

他奔了幾步，不聞有人追趕，停住步回頭一看，哪裡還有趙海萍的影兒。

原來趙海萍在他奔逃之時，也同時向前跑去，因他心中記著殺人之事，十分不安，只望早些逃出皇宮，騎鶴南歸，哪知心中一慌，未再留心辨認去路，翻越過幾座屋宇，迷了方向。

這時，天上星辰忽又被一片烏雲遮去，仰臉望天，只見一片漆黑，亦無法從星斗位置上辨出方向，只得運足眼神，四周張望，想自昔年的記憶之中，看出停身之處，以便覓出宮之路。

他這十年來依《歸元秘笈》所載的玄門吐納之術，修習一元罡氣，內功進境極大，雖是在暗夜之中，目光仍可達及數丈外微細之物，但見重重樓閣，盡隱在茂林修竹之中，卻是自己從未到過之處。

要知皇宮內苑，不但建築宏偉，而且深遠遼闊，趙海萍昔年雖得選爲明孝宗貼身侍衛，出入深宮，但他足跡所及之處，只不過十之三四而已……

靜夜中，突然響起了一聲銅鐘，鐘聲並不大，但餘音悠長，歷久不絕。

緊接著四外響起一種細微竹哨之聲，屋面上，火光忽現忽隱，趙海萍忽然想起這正是錦衣衛隊，在夜間對付強敵的布置工作，只要讓他們布置就緒，再想闖出他們箭網攔截，勢非要大開殺戒不可。

他心念一轉，暗道：前面茂林修竹，想必是得寵嬪妃的居住之所，我不如轉向來路，趁他們尚未布置完成之時，衝出深宮，乘鶴一走了之。

他心念未息，突聞身後不遠處，一個低沉的聲音，說道：「再往前搜，就到了皇上遊樂的豹房禁地，要被怪罪下來，哪個能擔當得起？」

只聽另一個陰冷的聲音，接道：「劉公公已傳下令諭，無論如何得把那入宮之人擒獲，咱們西廠中人，只聽劉公公的意旨，管他什麼豹房禁地不禁地，捉賊要緊……」

趙海萍隱在暗處，聽幾人的腳步聲音，直對自己停身之處而來，忖道：我如此刻現身，必難免一場拚搏，如果宮中高手，相繼聞警趕來，我一人決難抵擋，還是先把行蹤隱起來的好。

他做事，素來不喜深思，想到要隱起行蹤，立時一展身，直向茂林葉中竄去。

哪知，幾個搜索來的西廠禁衛，都是奸閹劉謹重金聘來的武林高手，趙海萍如能伏身暗處

不動，藉濃雲夜色掩護，或能逃過來人搜查，他這一心急奔逃走，帶起的衣袂飄風之聲，立時引起搜尋之人的注意，但聞一聲陰惻惻的冷笑，三道破空寒光，並向他身後打去。

趙海萍回手一拂，兩把飛刀，吃他內功震落，另一把卻從他身側擦飛而過，寒鋒閃處，擊在一株手臂粗的花樹上，但聞喳的一聲，花樹登時兩斷。

就在回手拂刀的一瞬間，來人已追到身側，一左一右地把他挾在中間。

趙海萍細看兩人，一個是年約六旬的枯瘦老叟，鼠目濃眉，兩臂長垂膝下，嘴角掛著一份陰冷的笑意，另一個年約四旬，身軀魁偉，雙手握一對虎齒鋼輪。

那枯瘦老叟打量了趙海萍兩眼，一語未發，右手突然一伸，疾抓而下，出手就是鷹爪力重手法，捷逾電奔。

手握雙輪大漢，一見那枯瘦老叟出手，一分虎齒鋼輪，平推橫擊，一齊襲去。

趙海萍自學那《歸元秘笈》上武功之後，一直就沒和人動過手，剛才只不過隨手一擊，不想就把兩個錦衣衛士擊斃，現下忽遇強敵，心頭大喜，早把那殺人大罪，忘置腦後，呵呵大笑道：「好啊！咱們就打一架玩玩！」右掌忽地一招「龜騰九天」，逼開雙輪，左手卻疾伸而出，擒拿那枯瘦老叟右腕。

這兩招雖是一齊出手，但卻用力互異，右掌力打，左手巧拿，心分二用，雙手各成一路搏擊之勢。

那枯瘦老叟猛一收丹田之氣，倏然收住下擊之勢，疾躍而退。

但聽趙海萍一聲大笑，擊出右掌忽地向後一收，身子轉了半周，左右雙手易敵而攻，這一招不但變得迅快無比，而且其間少了收發之勢，搶盡先機，左掌易拿爲打，正擊在手握雙輪大

漢背上，右手拿住那枯瘦老叟脈門，用力向前一帶後，又陡然鬆開他被拿脈門。

這幾招都是《歸元秘笈》上記載的絕學，這兩人就是武功再強上幾倍，也難以躲得開。那手握雙輪大漢，吃他一掌打個嘴啃泥，栽倒地上，那枯瘦老叟被他扣緊脈門，全身勁力頓失，如何還能抗拒他那一帶之勢，不自主地向前一栽，正好摔在那手握雙輪的大漢身上，他剛剛掙扎欲起的身子，又被那枯瘦老叟全身重量一撞，砰地一聲，再度摔在地上，那大漢在被撞之後，反臂一掄，向上擊去。

那枯瘦老叟血道剛活，輪風已到，這等生死之間，也無法用口解釋，右肘一推，擊在那大漢「曲池」穴上，挺身躍起，反手一把拉起同伴，替他解了穴道。

再看趙海萍時，早已不知去向，兩人相對驚愕，思索良久，仍是想不出對方用的什麼手法，竟能在舉手之間，就把兩人制住。

手握雙輪大漢，用衣袖擦去滿臉泥土，道：「活見他奶奶的鬼，老子跑了幾十年江湖，就沒有遇上過這等怪事，怎麼搞的？糊糊塗塗就被他在背上擊了一掌。」

那枯瘦老叟生性陰險，也較持重，淡淡一笑，道：「反正這皇宮四周，都已重重封鎖，除非他先找個隱密地方藏起來，料他也逃不了……」說著話，反向來路奔去。

趙海萍在擊倒了兩人之後，並未走遠，隱身在一株花樹後面，查看兩人舉動。

他昔年隨侍孝宗，知道守衛皇宮中的錦衣衛隊，用一稱連珠匣弩，能夠連續放射弩箭，箭經劇毒淬煉，最利夜間防守，聽那枯瘦老叟說出錦衣衛已守各處之言，心中不禁一動，暗道：眼下陰雲密布，夜暗如漆，分辨不出方向，如果硬闖出宮，只怕不易，不如暫在這花樹葉中坐息一陣，待雲散星現，辨出方向再走。

他本是不善心機之人，想到就做，當下閉目盤膝而坐，行起玄門吐納之術，片刻間，雜念盡消，靈台空明，由丹田緩緩升起一股熱流，分行四肢百骸。

他行功未完，突聞一陣步履交錯之聲，急奔而來，剎那間，已到花樹林外。

趙海萍心頭一驚，趕忙收斂心神，逆轉真氣，想把緩行四肢的熱流，重聚於丹田之中，以備迎敵。這正是修為上乘內功的大忌，一個不好，氣滯內體經脈，凝聚不散，輕則受傷，重則殘廢。他在心急之下，頓忘大險，只覺逆返真氣，帶動全身血液，回攻內腑，鼻息忽然轉重，遍體熱汗湧出。

那花樹葉外之人，均是武林中傑出高手，耳目靈敏至極，趙海萍鼻息之聲，早已驚動搜索的人，但見那花樹枝搖葉動，一道強烈的燈光，照射過來，略一移動，停射在趙海萍的身上。這時，他逆轉真氣，尚未完全納歸丹田，只要一動，真氣必將停滯經脈之中，只好靜坐不動。

忽地寒光一閃，一把飛刀，劃空襲來，趙海萍雙手難動，只好一張嘴，用牙齒把襲來飛刀咬住，燈光照射之下，看那刀身一片藍光閃動，知是淬毒之物，不覺心頭一震。

他這一分心神，正在逆轉的真氣，驟然滯留不進，右腿、左臂隨著同時一麻，他還未來得及轉動心念，忽聞兩聲輕叱，僧袍飄動，一柄禪杖，捲著疾風劈下，兩支虎齒鋼輪，也在同時平推襲到。

幸得他一部分真氣，已歸納丹田，人雖受傷，武功未失，大喝一聲，挺身而起，左腳點地一躍，避開一杖、雙輪，右掌呼地一招「直叩天門」，疾勁的掌風，正擊在手握雙輪大漢前胸，只聽一聲慘叫，那大漢魁梧的身軀，登時震飛出七、八尺遠，雙輪脫手，七竅流血而死。

那揮杖施襲的和尚，看他舉手一擊，威勢如此之重，不禁微微一呆。

趙海萍右腿、左臂，已失作用，單餘左腿、右掌克敵，看一掌得手，立時左腿用力點地，一挫腰，騰空而起，右手一探，抓住了和尚禪杖一端，用力一拉，左腿疾踢而出。

那和尚被他一拉，不自主地向前一栽，正好迎上了趙海萍踢出的左腳，登時被踢個頭骨碎裂，腦漿橫飛。

他受傷之後，激起了滿腔怒火，出手盡是殺手絕學，不但精奧難測，而且快速絕倫，那和尚屍體還未栽倒，禪杖已被他奪到手中，振腕一投，直向那燈光發射之處投去。

禪杖出手，疾若奔雷，但聞一聲慘叫，那照射在花樹葉中的燈光一閃而熄。

可是他這奮勇幾擊，使滯留在體內的真氣，劇轉惡化，麻木的左臂、右腿，開始迅快延展、擴大，氣喘血湧，再難支撐。他心中明白，如不趁僅存的一口元氣支持著退走，再有敵人襲來，只有束手就縛。當下轉身一躍，直向那茂林修竹叢中奔去……

要知他此刻神志已經不很清楚，哪裡還能分辨方向去路，只知背向敵人逃奔。

花木樹葉外雖然環守候著七、八個西廠高手，但都被趙海萍出手幾擊的奇猛威勢震懾，那執燈照射之人，又被趙海萍飛杖擊斃，花樹叢中又恢復一片黑暗，一時間誰也不敢入內搜索，直待趙海萍走了很久，幾人才想起用暗器的方法，迫使對方現身，一人出手，群起效尤，剎那間飛刀、袖箭、金鏢、銀梭，紛紛向花叢中打去。

幾人打了半晌，不見動靜，才壯著膽子進了花樹叢搜尋，但見滿地落花斷枝，刀、箭、鏢、梭，哪裡還有敵人的影子。幾人略一商量，分出一部分人繼續搜尋，一部分把三個死去的屍體抬回覆命，其實，幾人心中都明白，以來人武功而論，別說幾人之力，就是盡出東、西兩廠高手，也無法攔擋得住，分人搜追，也就不過是虛張聲勢而已。

# 三一　蘭黛公主

趙海萍糊糊塗塗地向前躍奔了一陣，忽覺左腿一軟，栽倒地上。

他右腿、左臂，早已麻木無用，單餘右手、左腿，現下左腿上幾處要穴也逐漸開始麻木，再難向前躍奔，心知想逃出宮苑禁地，是萬難如願，不禁黯然一聲長嘆。

抬頭望去，只見數丈一片翠竹盆花，環抱一座樓閣，一盞垂掛的蘇州宮燈，高掛樓閣頂上，目睹那高挑宮燈，忽然觸動了靈機，暗道：巨鶴玄玉，十分通靈，何不拚盡最後一口元氣，召來靈鶴，馱我離宮南歸。

他想得雖然不錯，但他滯留經脈中真氣，早已凝結成傷，這在練武人來說，叫走火入魔，功力愈是深厚，傷得也愈是慘重，全部經穴，早已大部閉塞，別說真氣難以運轉，就是血道亦早不通……

他勉強把一口真氣提聚丹口，仰臉一聲長嘯，哪知嘯聲剛發出口，忽感內腑一陣血湧，真氣立時中斷，嘯聲亦倏然而沒……

他絕望地閉上了眼睛，緩緩從懷中取出《歸元秘笈》，忖道：看來今宵已難逃出宮禁，這部蓋世奇書，如不毀去，萬一所遇非人，必將造成武林中空前浩劫，如果就此毀了，實在可惜得很，想那天機真人和三音神尼，在合錄這部奇書之時，不知消耗了多少心血，我今宵死在皇

宮，再毀去這部奇書，當今之世，再也無人能得這《歸元秘笈》上記載的絕世武學……

他心中千迴百轉，一時間難作決定，既怕奇書所得非人，又惋惜絕學失傳，手拿奇書，不自禁兩眼淚落……

驀地裡，由他來路之上，傳來了一陣急促步履之聲，他明白是剛才那聲輕嘯，暴露了行蹤，召來了搜追的錦衣衛士。

這匆忙的一剎那，使他無暇再多作考慮，本能地把《歸元秘笈》再揣入懷中，右掌、左腿並用，向那片翠竹盆花環抱的閣樓中奔去。

他原意是奔到那翠竹中暫避搜追，但當他到了那座閣樓前面時，忽然又改變了心意，右掌一加力，忽地躍入閣樓，隱入一張桌子下面。

但聞急促的步履之聲，向那翠竹林搜去。

他躲在桌下暗影之處，心中仍在盤算著如何處理《歸元秘笈》，不自禁又把懷中奇書取出，隨手一翻，正翻在療傷篇上。

他目力本異常人，再借室中高照紅燭之助，看得更是真切。

只見上面寫道：學武之道，必先習自救之法……正待再往下看，忽聞閣樓外面響起一個尖聲尖氣的聲音，道：「萬歲駕到」，趙海萍心頭一驚，趕忙收好《歸元秘笈》，向閣樓一角書架後面移去。

他身子剛藏好，兩個執燈太監已引著一個身著金絲繡蟒黃袍，頭戴便帽，年約二十一、二的青年，那黃袍青年身後，緊隨著一個白面無鬚，三旬左右的青衣太監。

只聽那黃袍青年笑道：「豹房中幾個新進美女，姿色雖然不錯，但都不解床笫間事，乏味得很！」

那青袍太監躬身笑道：「奴才已派人四出搜求美女，不日即可送置豹房，以供吾皇歡樂。」

那黃袍青年笑道：「翠蝶這賤婢，倒是強橫得很，但不知這幾個月把她折磨成什麼樣兒了……」

一語未畢，忽聞一聲細碎步履之聲，兩個穿藍衣的強壯宮女，攙著一個綠裳美人，扶梯而下。

趙海萍凝神望去，不禁心頭一震，原來那兩個宮女攙扶的綠衣美人，正是孝宗賜給他的宮女翠蝶。十幾年前的往事，陡然回集心頭，想到翠蝶相待自己情意，忽生愧疚之感……

但見那綠裳美人，拜伏地上，說道：「臣妾翠蝶叩見萬歲。」

黃袍少年笑道：「朕乃天子至尊，難道不如一個錦衣侍衛，你如再不相從，可莫怪朕要懲治你了！」

翠蝶叩頭泣道：「先皇把賤妾賜賞於趙侍衛後，賤妾身侍其人，君臣之倫，豈能亂得？」

那黃衣少年怒道：「我乃一國之主，誰敢不遵我旨意？」

翠蝶泣道：「賤妾奉先皇旨意，委身趙侍衛，況且破甑之軀，亦不敢污瀆龍體……」

那黃衣少年，聽她抬出先皇，一時間倒不好再發脾氣，略一怔神，笑道：「後宮佳麗、豹房美女，無不爭朕寵幸，你竟敢忤逆朕意，看來你膽子很大！」

翠蝶還未及答話，那站在黃衣少年身側的藍衣太監，已搶先接道：「萬歲何苦和她鬥嘴，

這件事交給奴才辦吧，不出三日，包她甘心順從吾皇寵幸就是！」

黃衣少年點點頭道：「朕尚未遇上過這等剛毅的女子，你切不可難爲她。」轉身出了閣樓。

那藍衣太監躬送黃衣少年去後，回頭望著翠蝶冷笑一聲，道：「你很膽大，我倒有些不信你真能抗拒聖意……」

話到此處，回頭望了一旁掌燈的小太監一眼，接道：「快去取咱家的蛟皮鞭來，我倒看看她是不是鐵打銅鑄的人？」那小太監一躬身，急出閣樓，片刻工夫，果然手提一支蛟皮鞭，急奔而來。

藍衣太監接過皮鞭，又吩咐兩個健壯宮女，用一塊錦帕，塞了翠蝶櫻口，揮動手中皮鞭抽去，但聞皮鞭帶起的風嘯之聲不絕，片刻間，翠蝶已皮綻肉裂，全身鮮血，衣裙片片散飛，滿地翻滾，髮散釵落，慘不忍睹。

趙海萍隱身在書架之後，目睹昔年傾心相愛之人，身受這般苦難，頓生憐惜之情，只覺那隔空風嘯的蛟皮鞭子，有如擊在自己身上一般，不由大怒，正待躍出相救，忽覺一陣血氣上沖，暈了過去……

青袍老人說到此處，忽聽那身穿藍紗的白衣少女，啊地一聲驚叫，兩行熱淚奪眶而出，哭道：「你說的是我娘嗎？那時她不會一點武功，怎麼能受得了啊……」

沈霞琳早聽得粉臉上淚痕縱橫，聽那藍衣少女一嚷，不覺接道：「那太監太壞了，日後我若遇見他，定要好好打他一頓。」

朱若蘭也聽得秀目中滿盈淚光，皓牙輕咬著櫻唇，眼光投注在那青袍老人身上，黛眉輕顰，似在回憶往事……

只聽那青袍老人長嘆一聲，接道：「因我身受重傷，大部分真氣凝滯全身脈穴之中，眼看著相愛情侶慘遭鞭撻之苦，一時情急，暈在當地。待我醒來之時，那奸閹已停下了手，我當時心中十分駭異，擔心翠蝶被那一頓亂鞭抽死，探頭向外一看，只見一個頭梳雙辮，身著黃綾的女孩子，伏在翠蝶身上，奸閹高舉手中皮鞭，卻不敢落下，想是怕傷了那黃衣女孩子。我昔年久居深宮，一見那黃衣女孩子穿著，心中已知她身分尊貴，是以，那奸閹才不敢再下手抽打翠蝶。」

身披藍紗少女輕輕嘆息一聲，接道：「那位姊姊真好，日後我要見到她時，定要拜謝她護救我娘的恩德！」

趙海萍道：「蝶兒！那女孩子不是別人，就是先皇的至親骨肉蘭黛公主，她就在你身旁。」

身披藍紗白衣少女忽然轉過頭來，望著朱若蘭，道：「我剛才初見姊姊之時，就好像在哪裡見過，直待打開我娘遺贈白絹，才想到原來是在那白絹的繪圖之上。我娘生前，每日總要對這白絹上圖像，默默祈禱。並且常常告訴我說，要是遇上了那圖上身披輕紗之人，不管什麼大事，都得依她吩咐。唉！只是那圖上姊姊舊像，年齡還小，可是現在姊姊……」

她忽然改口接道：「現在公主已經長大了，我一時想不起來……」

這時，朱若蘭已回憶起不少兒時情景，對自己身世，又瞭然許多，當下搖搖頭，道：「蘭黛公主早已不在人間了。我現在叫朱若蘭，你就叫我蘭姊姊吧……」

一語未完，突爲趙海萍一陣急促的咳嗽之聲打斷，他一面潛運功力，抵拒內傷，一面搶先說道：「我看了這幕慘劇之後，心中突生強烈的求生之念。只有我活著，才能把翠蝶救出深宮，當下凝神運功，依照《歸元秘笈》療傷篇上所載的『道氣歸元』之法，運氣自療，行功一周，傷勢大好，睜眼一看，只見滿窗日光。原來這一陣療傷行功，竟耗去三、四個時辰，幸得未被人發現行蹤，否則就是有十條命也保不住……」

朱若蘭接道：「師父運功把凝滯在脈穴中真氣導入丹田之後，就登樓去看翠姨的傷勢，對嗎？」

趙海萍道：「不錯，我暗中運功伸臂舒腿，覺出左臂、右腿麻木已消，全身經脈雖然還未能暢通，但已好了大半，因心中惦念翠蝶傷勢，忘卻身置禁宮，逕自上樓去看她，那時公主和先皇武宗都在房中，我只得先隱藏在她房中的橫樑上……」

朱若蘭道：「是啦，父皇走後，你就由那橫樑上躍落下來，幾乎把我嚇暈過去。」

趙海萍道，「不是嚇暈，是我由橫樑上躍落之時，點了你的暈穴，因爲我那時鬚髮掩面，衣著破損，別說公主看了會害怕叫喊，就是翠蝶也是被嚇得叫出了聲！我心頭一急，只得也點了她麻穴，然後才給她解說我是何人。」

朱若蘭輕聲嘆道：「師父以後還是叫我蘭兒吧！那公主二字，實在有些刺耳！」

趙海萍微微一笑，接道：「翠蝶對我，舊情仍熾，顧不得本身傷勢，要我立刻帶她離宮。老奴雖然狂妄，但也不敢把公主一齊帶出皇宮，但翠蝶卻要我把公主一並帶走。她說你身分雖然尊貴，但生母早已死去，很小就由她帶養。先皇寵信奸閹劉謹，只知遊樂，不理朝政，更無暇管及後宮之事，留下你，不但無人看顧，而且在嬪妃爭寵之下，你還有被害的可能……」

朱若蘭道：「翠姨說得不錯，住在深宮之中有什麼好？……」

趙海萍不禁淡然一笑，接道：「我在那深宮之中住了三天，把自己傷勢養好，又把翠蝶的鞭傷療治得大部復元，第四夜中，我帶她離了深宮，連夜乘鶴南歸，回到這白雲峽中，公主也在那夜和我一起離宮南下……」

話到此處，突然一頓，仰臉望著天上一輪皓月，淚水緩緩而出，面上神情，若悲若喜……

朱若蘭心知他正浸沉在往事的回憶之中，也不去驚擾他。但那身披藍紗的白衣少女，卻追著問道：「以後的事呢？」

青袍老人如夢初醒般，啊了一聲，接道：「翠蝶到了這地方後，生活的確十分快樂，她每天忙著澆花剪草，做飯洗衣，我怕她生活寂寞，替她捉了很多小鳥、小鹿、小白兔，給她解悶玩。在一個月明之夜，我和翠蝶帶著蘭黛公主，在聳雲岩頂賞月。記得那晚上的月光，和今夜月色一般的美麗，可是前塵如夢，已不堪回首往事，二十年山河依舊，但人事滄桑，同樣月夜，心情卻是大不相同。」

那身披藍紗的少女，忽然一顰秀眉，問道：「爹和娘既然這等要好，我娘爲什麼會離你而去呢？」

趙海萍黯然接道：「這要怪爹爹太笨，不解你娘的心事……唉！都是《歸元秘笈》害人，致使你娘一怒，絕我而去。」

朱若蘭道：「我似乎還記得翠姨離開白雲峽時，滿臉淚痕而去，我只知道她想到了什麼傷心往事，出洞散心，哪知她竟一去不返了！」

趙海萍接道：「那夜賞月絕峰之上，她本來玩得非常快樂，可是回到石洞之後，忽然顰眉

不樂起來。經我相問之下，她才告訴我說，她想起了留在禁宮的一支玉琵琶，沒有隨身帶來，那是她心愛之物，說過之後，忽又展眉笑道：她雖愛那琵琶，但卻不及愛我的萬分之一，能和我住在這等樣風景幽美之處，過上一輩子，不論什麼都不會放在心上了。」

「我聽過之後，當夜就悄然離山北上，重返禁宮，找著那玉琵琶，順手牽羊，又把一架精緻的玉琴也帶了回來。我想把玉琵琶帶回白雲峽後，定能使翠蝶大大高興一下，哪知她見我歸來，不但毫無歡樂之情，反而把我責斥一番，說我不應重到禁宮冒險，害她四、五個晝夜，都未能合眼。當時我心中十分懊悔，心想：女人心事，當真是難以捉摸，我辛辛苦苦去把她心愛之物取來，反使她大不歡愉……現在想來，這等真誠的情愛，是何等的感人，何等的高潔……只是那時候，我體會不到罷了！」

身披藍紗少女，見他又停下不說，忍不住又問道：「以後呢？難道我娘就爲這件事，離開了白雲峽嗎？」

趙海萍遲疑半晌，才接道：「以後，她對我更是體貼入微，閒暇之時，常常彈著琵琶給我唱歌，在一個大風雨夜裡，她忽然跑到了我住的石室，說她心中害怕雷雨，要和我住在一起，那晚上……我們就成了親。事後，我發覺《歸元秘笈》上幾種深奧的武功，都因失了童身，無法再練，心中忽對翠蝶生了厭惡之感，任憑她百般溫柔體貼，都無法使我心回意轉，反而更加重厭惡之心。唉！那時我完全陷入練武的狂熱之中，一氣之下，就從洞外搬了一塊大石頭，把我住的石室入口擋了起來，翠蝶幾次給我在外面苦求，我都置之不理，她又無力推開那擋在入口的巨石，只有在外面哭求我，就這樣一連數月，我一直未和她講一句話，看她一眼，最後一次求我之時，告訴我她已經懷了身孕，但我仍然執迷不悟，不肯推開那擋在入口的巨石，現在想來，無怪她恨我入骨了！」

朱若蘭、沈霞琳都聽得滿臉淚痕，那身披藍紗少女，更是哭得淚人一般……

只聽趙海萍繼續說道：「有一天我出洞習練掌法，臨行之際，忘記把那巨石放好，翠蝶就趁機會溜到我住的石室，把三卷《歸元秘笈》一齊帶走，待我返洞之時，她已不在，單留下蘭黛公主一人，在洞中啼哭，靈鶴玄玉，也同時失蹤。當時我還想她是乘鶴散心，過一陣自然回來，哪知等了一夜，仍不見她歸來，我才開始感到焦慮起來，擔心她出了什麼事情。蘭黛公主又每天哭鬧著要找翠姨，更使我心情不安！三日後，玄玉自返石洞，翠蝶行蹤，卻石沉大海一般。從那時開始，我才逐漸由愛武的狂熱中覺醒，慢慢地思念翠蝶起來，《歸元秘笈》反而不放在我的心上了。」

「這種思念之情，隨著時光，與日俱增，我開始悔恨過去對翠蝶的殘酷，每日帶著公主，騎鶴繞飛深山之中，尋找翠蝶下落，一連半年之久，仍然找不出一點眉目。我也被那日漸加深的悔恨相思，折磨得毫無生趣，但想到公主乃金枝玉葉之體，無端的被我帶到這白雲峽中受苦，我如死了，誰來照料她，只得稍抑悲苦，開始傳授公主武功。我原想候公主年齡稍長，武功可以自衛，再把她身世來歷告訴她，讓她重返皇宮，然後，我當盡一生歲月，天涯海角追尋翠蝶，直到找到她爲止。哪知公主天賦奇才，聰明絕倫，一經指點，立時就會，這一來，激起我惜愛之心，遂把所學武功，傾囊相授，又替她易名朱若蘭，別號小黛，暗合她蘭黛公主的尊貴身分……」

說到此，倏然停口長嘆一聲，把目光轉投朱若蘭臉上，接道：「如非激起我對你惜愛之心，只怕我也難活到今日了！」

朱若蘭道：「恨我當時年齡太小，什麼事都不知道，要是我當時大了幾歲，勸勸翠姨，她也不會走了！」

趙海萍道：「唉！我那個樣子對待她，難怪她要傷心欲絕，不顧纖纖弱軀，身懷六甲，拂袖遠走，這實是我一生中最大的憾事！」

但聽那身披藍紗少女哭道：「無怪我娘會這樣恨你，要我……」忽然想起那是她生身之父，下面的話再難開口，嗚嗚咽咽哭了起來。

趙海萍長嘆一聲道：「孩子！不要哭啦！爹爹爲此痛悔了半生歲月，現在好了，蘭黛公主已得我全部武學，又親眼看到我可愛的女兒，人世間恩怨已了，我可以安心去找你娘了。我要把她移葬在世間最美麗的地方，然後陪著她，度過我殘餘的歲月，我昔年怎麼折磨她，現在我就怎樣折磨自己。我聽過她那凄怨悲泣的苦求之聲，現在我跪在她靈墓之前，用同樣的聲音去向她懺悔。」

朱若蘭接道：「以師父武功，再加上靈鶴玄玉的飛行力量，縱然歷盡天涯海角，也應把翠姨尋回才對。」

趙海萍苦笑一下，道：「我要不是尋到她，也不會害她走火入魔了……」話未完，兩行熱淚已泉湧而出。沉忖一陣，說出了一番經過。

原來，自孝宗把翠蝶賜給趙海萍後，兩人相處年餘，但始終保持著清白之身。趙海萍因狂愛武功，不願破去童身，翠蝶雖然深愛情郎，但對於床笫之事，又羞於開口。趙海萍得到「藏真圖」，偷離大內，遠到浙東尋找《歸元秘笈》，一去十年，翠蝶雖然思念情郎，但一個女流

之輩，又深居在後宮之中，除了日夜祈禱情郎平安之外，又有什麼法子可想……

後來，孝宗駕崩，武宗正德即位，這位明室中最風流的皇帝，即位後，終日迷於酒色。奸閹劉謹投其所好，徵歌選色，修築豹房，以供武宗逸樂，把這位皇帝擺布得終日糊糊塗塗，一日不見劉謹，就覺得悶悶不樂。

翠蝶容色，本極艷美，雖因思念情郎，不喜修飾，爭艷於後宮粉白黛綠之中，但那素衣淡裳，卻無法掩遮她國色天香，再加數年相思愁慮，人更顯得清秀，在後宮無數佳麗之中，另有一種風韻……

但她每日幽居在御花園中一角閣樓，很少出遊，那座閣樓，本是昔年孝宗把她賜給趙海萍後，特別贈給他們的住處。因爲那時趙海萍是孝宗最信任的侍衛，是以，特示恩寵，把御花園中一座閣樓，指作他和翠蝶的居住之處。以後趙海萍偷離皇宮，孝宗雖然大爲震怒，降旨刑部，行文天下緝查歸案，幸未罪及翠蝶，其實他日理萬機，早把翠蝶忘去。

以後孝宗駕崩，太子厚即位，是爲武宗，易年號正德。這位明朝世系十六代中最爲風流的皇帝，即位後就被太監劉謹、馬永成、谷大用、魏彬、張永、邱聚、高鳳、史祥八黨（**後又號八虎**），逢迎蠱惑，淫傷聖心，擊兔走馬，放鷹逐犬，整日沉迷酒色。劉謹更慫恿武宗，修築豹房，廣選狡童歌女，日夜縱樂，罔顧朝政。後宮粉黛只要稍具姿色，被武宗看到，必然召幸豹房。

這時，翠蝶有一閨友玉黛，人極美艷，被武宗看到，寵封黛妃，但不過數月，已遭冷落，但玉黛卻在幾度春風之後，身懷六甲，生產之時，正值陽春三月。滿園春色競放，武宗聞報，由豹房回駕，一看黛妃生的是個女孩子，心中甚感失望，當下戲封爲蘭黛公主，又返豹房取樂去了。

黛妃原想生育之後，定可重得武宗寵愛，誰知武宗早被豹房新寵所迷，黛妃在氣悶之下，致罹重病。她產後身體本就不好，再加上這一氣悶，病勢急轉直下，御醫束手，公主未滿月，她已病重而死。

她在彌留之際，把翠蝶叫到身側，鄭重地把蘭黛公主托付與她，並把受寵武宗時獲贈的珠寶古玩，一併轉贈。

翠蝶含淚受了托孤之重，以後果然盡心撫養蘭黛公主。

事情過了兩年，武宗忽然想起蘭黛公主，查詢之下，才知黛妃已於兩年前逝去，蘭黛公主由宮女代養。他似乎想起了做父親的責任，親到御花園翠蝶居住的小樓，探看女兒，哪知一見翠蝶，又著了迷，又要封贈嬪妃。

但卻被翠蝶婉言謝拒，說自己已身侍他人，不敢再瀆龍體。

哪知武宗根本就不管這一套，只要姿色美艷，管你是不是白璧之軀。其實翠蝶還是個貨真價實的黃花閨女，為要婉拒皇帝封妃，故意借詞搪塞。可是武宗不理這一套，逼得翠蝶沒法，只得硬起頭皮，堅持君臣之倫，先皇遺命，不肯答應。這其間還得了蘭黛公主助力不小，因蘭黛公主只要一離翠蝶，就大哭大鬧，武宗為了女兒，只好暫時放棄翠蝶。

但他並非真的把翠蝶忘去，仍不時到翠蝶居住的閣樓中糾纏。幸得翠蝶應付得法，才保得了清白之軀，最後被奸閹劉謹相逼，打得遍體鱗傷，如非趙海萍及時趕到，把她救出深宮，縱可藉蘭黛公主護身，恐也難得白璧無暇……

趙海萍說到此處，忽然抬頭望天，捶胸嘆曰：「趙海萍啊！趙海萍！翠蝶為你受盡了千般苦難，情意是何等深重，你不但未能照顧於她，反把她活活地折磨死了。」

說到忿恨之處，忽然揚腕打了自己幾個耳刮子。

朱若蘭道：「唉！可恨幾個奸閹蠱惑父皇，不知害了多少良家婦女。」

趙海萍略一定神，接道：「你父皇乃天子之尊，咱們為人臣子，倒不宜多所批評。」

朱若蘭道：「如是父皇還在，我當不惜冒死諫勸，如是劉瑾等幾個奸閹還在，我定要他們斬絕劍下！」

那身披藍紗少女忽然長嘆一聲，道：「爹爹怎麼會害我娘走火入魔？爹爹既然知道了，為什麼不設法救媽媽呢？」

趙海萍黯然接道：「我因傳授蘭黛公主武功，不能專心一志去找你娘，待公主武學有成，已是八易寒暑，我決心離開公主，去找翠蝶。行前我在聳雲岩頂，對天立誓，把今後歲月，盡用在找翠蝶之上，如不見翠蝶，寧可埋骨白山黑水，不再回白雲峽來。」

「可是當我乘鶴離開了白雲峽時，忽然又想蘭黛公主不過是一個十三、四歲的孩子，丟下她一個在荒山絕壑之中，不但愧對先皇，而且也對不起翠蝶，不禁心中又為難起來。」

「經過一天忖想，才被我想出一個法子，立時又趕回京都，在禁宮之中，活捉一個武功高強的錦衣衛士，又選一個年齡較大的宮女，我把他們帶回白雲峽，說出蘭黛公主身世，讓他們立下重誓，留在白雲峽中伺候公主，並由公主傳授他們武功。那錦衣衛士名叫神鷹陳葆，不但武功高強，而且人也十分忠厚，我暗中查看了一月之久，見他們都能赤膽忠心地保護公主，才放心去尋翠蝶。我初意乘鶴尋找，但想到翠蝶為我所受的苦難，隨把靈鶴玄玉，留在白雲峽

中，徒步踏上旅程，費時五年，足跡遍及大江南北，雲貴邊區，城鎮山村，名山勝水，尼庵廟觀，總算皇天不負苦心人，被我尋找到岷山深處的百花谷中……」

他望了那身披藍紗少女一眼，接道：「那時，你大概有十三、四歲吧！正和四個小孩子在那百花谷花叢中追逐鳥蝶玩耍，你長得和你母親一般模樣，當時就啓動了我的疑心。但我知道你娘恨我入骨，如果我正面去見她，她絕對不會見我，只得暗中隱起身子，直待你們玩倦回家之時，我才暗中跟蹤你們，找到翠蝶的住處。我想突然衝進去，使你娘無法躲避，我泣涕苦求，要她原諒，萬一不行，我回頭就走，也免去一番唇舌解釋。哪知我一念之差，卻害她走火入魔而死……」

朱若蘭一顰黛眉，接道：「不知翠姨練什麼內功，難道以師父精深的內功，和《歸元秘笈》上記述的療傷之法，都不能救她嗎？」

趙海萍嘆道：「唉！那《歸元秘笈》療傷篇上記載，雖然廣博，但翠蝶所習內功，乃是天機真人的玄門一元正氣和三音神尼的般若禪功，合轉而成的『大般若玄功』，也是《歸元秘笈》上最爲深奧的一種內功。此種絕世之學，一旦練成，其效能實非人能夠測想，翠蝶知我已盡得《歸元秘笈》上、中兩冊武學，如不練成『大般若玄功』，恐必無能制服住我，唉！可憐她以一個毫無內功基礎的纖纖弱質，竟憑一點聰明，硬把那修習上乘內功的法門記熟，苦心練習，這其間不知經歷了多少的危險。我闖入洞中之時，她正行功在緊要關頭，可恨我當時太過衝動，沒有想到她正在行功，十幾年相思之情，四、五年跋涉之苦，一旦找到她，心中驚喜至極，急撲過去，抓住她大叫她的名字。」

「哪知我這一鬧卻害她走火，只見她忽地睜開眼睛，噴出幾口鮮血，人便暈倒過去。我被

那意外的變故，驚得呆在那裡，半晌之後，神志才恢復清醒，才看出她是在修練內功，被我這一擾，走火入魔。我自禁宮受傷之後，已把那療傷篇中各種療傷之法，熟記胸中，當下動手，替她療傷，哪知耗去了頓飯工夫，仍無法把她救醒，似是那療傷篇上記載的各種療傷之法，全部沒效，正在空自發急之時，翠蝶忽然清醒過來，左右開弓，打了我兩個耳刮子，罵道：『哼！你怕我練成了「大般若玄功」之後，就不能再被尊稱為天下武功第一是不是，所以，不惜到處找我』。」

「她說過這句話後，人又暈了過去，這時我才曉得她練的是『大般若玄功』，那《歸元秘笈》就放在她的身側，我立時遍翻全書，看看有無療治走火入魔之法，直待找到下冊最後一頁，才見寥寥數語，寫著：如練此功走火入魔，一年內經脈硬化而死，唯一的救助之法，需服萬年火龜內丹，此物在峨嵋山……」到了山字之間，忽然中斷，想是天機真人和三音神尼寫至此處，人已不支。」

「我當時心中悲痛至極，恨不得把那《歸元秘笈》毀去，但一轉念又想到，秘笈中記載武學之博大精奧，天機真人和三音神尼在重傷之後，合錄這本秘笈的苦心，毀去奇書之心，又告消失。我本想留在那裡，想再待她清醒之時，給她解釋一番，然後再去找那萬年火龜，但想到她心中恨我之深，只怕留在那裡對她有害無益，只得把《歸元秘笈》放好，悄然離開石洞，轉奔峨嵋山中，尋求萬年火龜。可是峨嵋山萬巔千峰，一時間哪裡去找。我在那深山峻嶺之中，往返苦尋，一直耗去了半年時間，仍然沒找出一點頭緒……」

「這天，我忽然想起翠蝶傷勢，不知在這半年之中，成了什麼樣子，懷念之心一動，再難遏止，立時暫停尋求萬年火龜，又到岷山百花谷中，我不敢再去驚擾翠蝶，只是想隱在暗處，偷看她幾眼。哪知我藏在翠蝶居住的石室對面一晝夜之久，始終不見人影。第二天我實在忍不住了，才潛蹤到石室入口之處一看，但見室空四壁，哪裡還有翠蝶的影子。當時，只急得我如中瘋魔一般，不知她是傷重而死，或是他遷而去……」

那身披藍紗少女忽然接道：「我們遷到谷後一座樹林中去了，那次遷居之時，娘曾對我說了她心中最恨的人，竟是我生身之父。」

趙海萍輕聲一嘆，又繼續說道：「我當時雖然極痛欲絕，但經細查石室，凡是需用之物，均已搬得一件不遺，如果翠蝶是傷重而死，自然不會有這等閒情逸致，經我這一推斷，才料定翠蝶是他遷而去，雖然我沒有見她之面，但只要知道她還活在世上，心中就安靜很多。我在石室中住了兩天，又折回峨嵋山去，繼續搜尋那萬年火龜下落。哪知半年過去，仍未找出一點眉目。這一來，真使我萬念俱灰。因為據那《歸元秘笈》上記載，翠蝶傷勢只能拖過一年，一年時間，雖然不算很長，但也不算短，我原想盡一年之功，總可以把那萬年火龜尋得，哪知一年勞碌奔走，不但未能尋得萬年火龜，而且連一點線索也沒有找到。」

只聽那身披藍紗少女哭道：「娘在遷居樹林之後，只有九個月就不幸死去，臨終之前把我叫到身邊，告訴我說，待我長大後，心裡要是喜歡哪一個男人之時，就趕快把他殺掉，並要我依她傳授之法，苦練那《歸元秘笈》，待那任、督兩脈一通，《歸元秘笈》初步基本工夫就算完成了，只要日後不斷修習，自然日勵精深，而且還要我將《歸元秘笈》讀熟，字字記入心中，然後再把《歸元秘笈》用火燒去，再到括蒼山白雲峽找你替她報仇！唉！娘啊！娘啊！你真叫女兒作難死了，我怎能害死親生父親，可是，我又不能不遵你的遺訓……」

她突然站起身子，緩緩面西而跪，雙手合掌當胸，玉頰上淚痕縱橫，口中喃喃自語，不知

在說些什麼。

朱若蘭仔細看，只見她臉上肌肉，不停地顫動，顯然她內心正有著無比的激動，不禁心頭微微一震，霍然起身，慢慢走到她的身邊。

這時，趙海萍正閉目靜坐，默運內功，想拒本身傷勢，只見他臉上滾滾而下的汗水，已知在強忍著很大的痛苦，是以他對自己愛女一切行動，均未見到。

沈霞琳更是從未聽到過這等淒涼哀怨的故事，看到這等悲慘動人的情景，早已是淚若泉湧，哭得哀哀欲絕，雙目紅腫，淚眼難抬。

只聽那身披藍紗少女幽幽長嘆一聲，接著哭道：「媽呀！媽呀！我怎能忍心害死爹爹，可是我不能背棄媽媽遺訓，這實使蝶兒作難死了！」

說完，忽地從身上拔出一把匕首，翻腕向自己前胸刺去。

朱若蘭早已看出她神情有異，暗中戒備，追到她身側相護，見她拔出匕首，立時一伸左手，去奪她手中匕首。

哪知她右手將搭在身披藍紗少女手腕之際，忽覺她右臂輕飄飄地斜飛半尺，剛好把朱若蘭一抓之勢避過。

朱若蘭吃了一驚，不知她用的什麼武功，竟能在極度悲苦之中，出其不意之下，行同無事般，讓避開她這一招奇快的擒拿，情急之下，衝口喝道：「快把你手中匕首放下！」

那少女被她一叱，不禁微微一怔，忽然依言放下手中匕首，道：「唉！我娘告訴過我，不管你說什麼，我都得聽你的話。」

朱若蘭伏身撿起地上匕首，緩緩握著她一隻手，柔聲說道：「翠姨從小把我帶大，恩情也

和母女一般，師父雖然有很多對不起翠姨之處，但他這十幾年懺悔之苦，也實在夠受的了。要是翠姨不死，知道師父這十幾年中的痛苦，只怕早已回到白雲峽了。」

身披藍紗少女忽然想起了趙海萍身受重傷，回頭一看，不覺失聲叫道：「我爹爹哪裡去了？」

原來趙海萍自知本身所受之傷，異常嚴重，仗自己數十年修爲的精深內功，勉強把傷勢克制住，不使發作。

但他很明白，越是克制，待傷勢發作之時，也越是厲害，他剛才已覺出體內有了變化，只怕很快就要發作，這一發作，定然是十分痛苦，只怕女兒看了傷心，藉眾人分心旁顧之時，悄然起身而去。

他武功已達出神入化之境，走得無聲無息，幾人雖都距他不遠，但卻沒有一人發覺。直待那少女一叫，朱若蘭才驚覺到，抬頭看去，已不見趙海萍的蹤跡。

一向沉著的朱若蘭，此刻也有些心慌意亂了，看看靜躺在地上的楊夢寰，忍不住淚珠奪眶而出。她放腿奔到一座崖壁之下，飛身搶上峰頂，提聚丹田真氣，大聲叫道：「師父！師父……」

但聞四面山谷回響不絕，滿山盡都是呼喊師父之聲。

突然間一聲鶴唳，玄玉由空中急瀉而下，落在她的面前，原來她這幾聲呼喊，未能叫回師父，卻把靈鶴玄玉召回。

一聲鶴唳，把她由極端痛苦之中喚醒，舉袖拭去臉上淚痕，暗自忖道：沈霞琳純潔無邪，難當大任，師父愛女，久居在百花谷中，只怕也毫無理事之能，三手羅剎彭秀葦，雖然有很豐富的江湖閱歷，但其野性尚未全馴，不能太過信任，我如再不能克制心中傷痛，任令眼下淒涼錯綜的紛擾局面擴大，演變下去，不知是一個何等悲慘的結局！楊夢寰傷重奄奄，只等嚥絕那一縷弱息，師父愛女，又正值舊痛新創，交集心頭之時，既悲亡母之仇難報，又痛生父身受重傷，心中早已動了死念，沈霞琳寄情夢寰，愛重生死，楊夢寰如果氣絕，她絕難獨活人世……

她本是智慧絕倫之人，略一沉忖，立時壓制下滿腔痛苦，躍下山峰，先奔到那身披藍紗少女身邊，拉著她一隻手說道：「師父內功精深，縱然身受重傷，也絕不會有什麼意外，他定是養傷去了，以他老人家神功而論，就是傷勢再重一點，也能自療復元，翠姨只有你一個女兒，你得要好好活下去，妹妹告訴我，你叫什麼名字？」

那身披藍紗少女，舉袖拭去滿腮淚痕答道：「我叫小蝶，公主身分尊貴，我哪裡敢當妹妹之稱。」

朱若蘭輕輕嘆道：「不要這樣說，別說翠姨對我有養育之恩，就是師父待我，也和他自己女兒無異。蘭黛公主，早已死在皇宮，我現在叫朱若蘭，你以後還是叫我大姊姊吧！」

趙小蝶還要推辭，朱若蘭已拉著她起身走到夢寰身側，緩伸玉掌，在他胸前按摸一陣，顰起黛眉，黯然一嘆，兩顆晶瑩的淚珠，滴在夢寰臉上。

趙小蝶目光凝注在夢寰臉上，望了一陣，忽然說道：「姊姊，我認識這個人，他可叫楊夢寰，是嗎？」

朱若蘭聽得微微一怔，道：「你怎麼知道呢？」

趙小蝶道：「我離開百花谷東來之時，在船上見過他，他的本領很好，我四個使女都打不過他，後來我彈那《歸元秘笈》上的『迷真離魂曲』給他聽，他就聽得受了內傷……」她詳盡

地把岷江遇上夢寰經過，說了一遍。

朱若蘭心中一動，問道：「你既把那《歸元秘笈》讀得爛熟於胸，不知會不會替人療傷？」

趙小蝶略一思索，道：「那療傷篇確實記載了很多療傷之法，我卻一點不會，因那上面記述的都是身有武功之人，才能替人療傷，我不會武功，不能推活他經穴脈道。」

朱若蘭奇道：「怎麼？你當真沒有學過武功嗎？」

趙小蝶道：「我從記事時候起，娘就教我一種打坐調息之法，這十幾年來，我一直都在練習打坐調息和學彈琵琶，此外，連一招武功也沒有學過。」

朱若蘭道：「你練習的是什麼內功？」

趙小蝶道：「我當時只知依照娘的所授之法去做，直待以後我看熟了《歸元秘笈》，才知我練習的是『大般若玄功』。」

朱若蘭雖已得師父大部真傳，但她始終未看過《歸元秘笈》，是以不知那「大般若玄功」乃《歸元秘笈》所載武功中，最爲精深的一種武功。聽得趙小蝶說她不會武功，心中自是不信，微微一笑，道：「妹妹自小就追隨翠姨身側，熟講《歸元秘笈》，如說不會武功，怎能使人相信，就憑剛才閃避我那一招擒拿，就得甘拜下風。」

趙小蝶嘆口氣，道：「我哪裡敢騙姊姊，實在是真的不會武功，媽媽未死之前，傳授我四個使女武功時，我也哭鬧著要學，媽媽卻不肯教我，她說：『就是學會那些武功，也不能替她報仇』，每天限制我靜坐四個時辰以上，到我九歲那年，每日靜坐的時間，又逐漸加長，同時開始傳授我調息之法，唉！十幾年的時間，就一直在靜坐中度過，我眼看四個使女的武功一

天一天地增高，能在那山壁懸崖間奔走如飛，追蝶撲蛾，心中十分羨慕，又再苦求我媽媽教我武功，哪知不但遭到嚴厲的拒絕，而且還惹起了媽媽的傷心，氣得她哭了一場。從那次之後，我再也不敢求媽媽教我武功了，每天都靜靜地枯坐在石洞之中。後來，媽媽讓我閱讀《歸元秘笈》，又教我彈琵琶玩，但卻限制我，不准偷學那《歸元秘笈》上面的武功，可是又要我把全書熟記胸中……」

朱若蘭接道：「既要你熟記各種武功要訣，又不准你去學，那實在是一件很難之事。」

趙小蝶道：「嗯！但媽媽對我說時，神色幽傷，語意堅決，我只得依言去做，把三冊《歸元秘笈》讀得字字記入心中，卻盡力克制住好奇之心，不去學它，不過媽媽對我說過，待我任、督兩脈通達之後，就可以開始學習武功。誰想媽媽竟被爹爹驚擾內功，走火入魔，身受重傷不到一年，就棄我而去。在她受傷的那段時間裡，對我用功之事，不但沒有放鬆，而且督促更嚴，她本想親眼看到我任、督兩脈互通，可是我卻使她大失所望，直到她嚥絕最後一口氣時，我任、督二脈，仍然未通。不過，這時我已從《歸元秘笈》之上，得到了本身修練的功夫，是玄門『一元罡氣』和佛門『般若禪功』合璧的『大般若玄功』，只是《歸元秘笈》上並無記載『大般若玄功』的克敵手法，我的任、督兩脈又初通不久，還未顧得到去學習武功，因想到母親臨終遺言，要我替她報仇，就離開百花谷，到白雲峽來找爹爹，不想在路上，遇上了幾個壞人，要搶我《歸元秘笈》，我四個使女，就和他們動手打了起來，我因不會武功，只好站在旁邊觀戰。這時，爹爹剛好路過，助我們打退強盜，問我到哪裡去。我雖有母親繪製的圖像，但那時他戴著面具，我自然認不出來，就對他講了實話……」

朱若蘭長嘆一聲，接道：「是啦！定是師父在臥虎嶺奪得萬年火龜之後，又去百花谷中找你，他雖知事延多時，翠姨可能已傷發而死，但仍然存著千萬分之一的希望，期望翠姨能從《歸元秘笈》之上，悟得自救之法，拖延不死，想盡最後一點心意。可是，當他到了百花谷時，不但翠姨已死，你也離開了，傷心之餘，只得帶著萬年火龜，返回白雲峽來，在路上遇到了你們。」

趙小蝶道：「唉！姊姊真是聰明，猜得一點不錯。爹爹擊退強敵之後，告訴我說，他就住括蒼山，和白雲峽相距不遠，要和我們結伴而行。沿途之上，更對我愛護備至，我從小在百花谷中長大，除了媽媽和四個使女之外，從未和外人相處過，爹爹對我那樣愛護，我仍絲毫不覺奇怪，只想他是個好人罷了。直待到了白雲峽，他仍然不脫掉臉上面具，反而哄騙我說，白雲峽就在附近，到明天他再帶我去找害死我娘的仇人，並把那萬年火龜用陳醋煮熟，剖取內丹，騙我服下。哪知我吃過之後，忽然全身發起高燒，痛苦至極。我四個使女，誤認爹爹下手害我，當時就和爹爹動手，她們自然不是爹爹對手，不過片刻工夫，都被爹爹點了穴道，我心裡一急，就迷迷糊糊地暈了過去。那一覺也不知睡了多久時間，醒來時，爹爹卻坐在我的身側，勸我不要害怕，並告訴我服用的是萬年火龜內丹，乃天下千載難求神物，說完之後，就離我而去。待天色入夜，他又來告訴我說，害死我娘的仇人，已得知我來替娘報仇的消息，而且他剛從百花谷中回來，沿途還和我們走在一起，約我今夜二更時分，在附近一座高峰下面相會，可笑我那時竟仍然不知道，他就是害死我娘的仇人……」

朱若蘭嘆道：「師父已存了身殉翠姨之心，所以他不肯暴露身分，說明真相。」

趙小蝶道：「二更時分，我和四個使女依約前往，果然看見草地上坐著一個長袍老人，我本有娘繪的圖樣，看他面貌和圖上無異，就用玉琵琶，彈出『弦音耗心』之曲，害他受了內

傷，如果姊姊不及時趕到，我就成為親手殺害我父親的兇手了。」

朱若蘭道：「剛才我聽到你的琵琶音，當真是音韻勾人魂魄，聲聲褫人心神，不知那些曲調，是否也是《歸元秘笈》上所記？」

趙小蝶道：「『弦音耗心』，和『迷魂離真曲』，都是《歸元秘笈》下冊所載，融在那『大般若玄功』之中……」

朱若蘭似是忽然想起了一件緊要大事似的，霍然一躍而起，急急截住趙小蝶的話，道：「妹妹！師父替你剖取萬年火龜內丹之後，不知那龜肉放置何處？」

趙小蝶一怔神，搖搖頭，道：「我自服過萬年火龜內丹不久，人就暈過去，不知何時才醒轉來，那龜肉如何處理，我就不知道了。」

朱若蘭回顧了夢寰一眼，黯然一聲嘆息，道：「妹妹，姊姊想求你一件事，不知道你會不會答應？」

趙小蝶道：「姊姊有指使之事，但請吩咐，我怎麼敢不聽呢？」

朱若蘭道：「我想借閱你《歸元秘笈》，看看那療傷篇上，有沒有救他之法？」

趙小蝶微微一笑，轉身走到四婢停身之處，自一個年齡較大的婢女身上，要過一個小巧玉盒，交給朱若蘭，道：「《歸元秘笈》就在那玉盒之內，姊姊自己拿吧。」

朱若蘭打開玉盒，果見放著三本冊子，上面寫著《歸元秘笈》四字，筆跡娟秀，似非男人手筆。

她無暇仔細翻閱這一部引得武林人物如瘋如狂的奇書，迅捷地閱到療傷篇上，很細心地看了一遍。

只見那療傷篇上記載，包羅了各種各樣的療傷之法，活血接骨，閉穴封脈，解毒續筋，暢經順氣，洋洋灑灑，看得人眼花撩亂，但大部都是自療之法。

朱若蘭仔細看完了療傷篇各種記載，心中也不知是喜是愁，只覺上面記載，有很多方法都可以適用於夢寰，但細細一想，又都有些差異，她合上《歸元秘笈》，交還給趙小蝶，嘆道：「這本《歸元秘笈》無怪能引得武林中人物如瘋如狂，實是一部千載難遇的奇書，只看那療傷篇中記戴，已使人驚服得五體投地了。」

她口中雖然在和趙小蝶說話，心中卻在推想那療傷篇中暢經順氣手法。

忽然她啊了一聲！盤膝而坐，閉目運氣，雙掌互搓。沈霞琳、趙小蝶、彭秀葦，都靜靜地站在一側看著她……只見朱若蘭雙掌互搓，速度越來越快，粉臉上熱氣蒸蒸上騰。

趙小蝶輕輕嘆了一口氣，自言自語說道：「姊姊用本身真氣，要是再不能恢復他五腑機能，那就沒有救啦！」

猛見朱若蘭睜開星目，右手輕輕一掌擊在楊夢寰背心的「命門穴」上，一般熱流，循背而出，緩緩透入夢寰穴道。大約有一刻工夫之久，楊夢寰仍僵挺不動。

朱若蘭一顰黛眉，口中咦了一聲，左手疾伸而出，一觸夢寰鼻息登時面如死灰，目瞪口呆，半晌工夫，才叫出一聲「琳妹妹！」

沈霞琳慢慢蹲下身子，目光中愛憐橫溢，深注著朱若蘭，答道：「姊姊有話對我說嗎？」

朱若蘭緩緩移開楊夢寰「命門穴」上右掌，一字一句說道：「你寰哥哥死了！」

沈霞琳突然一呆，目光移在僵挺而臥的夢寰身上，右手緩緩伸出，握住了夢寰左手，只覺一陣冰涼，如握鐵石，隨著微一顫動嬌軀，上半身慢慢伏在夢寰身上，答道：「姊姊已經盡了

心力，救不了他，也是沒有法子的事！」

說完，輕合雙目，臉上浮現出淒涼的笑意，雖然流露無限幽怨，但卻毫無激動。

山風飄起她的衣袂，西斜的月光，照射在她的臉上，她臉上看不到一點淚水……她慢慢握住夢寰的另一隻手，粉頰貼在夢寰胸前，鼻息逐漸轉重，竟自沉睡過去。

原來她這段時間之中，日夜都在想著夢寰生死的事，耗費她無限的心神，早已疲倦不堪，但因夢寰一直不噓絕最後一縷弱息，是以她也一直未能靜下心神，此刻見他死去，支持她不眠不休的希望驟然斷絕，精神一散，人再無法承受，伏在夢寰身上，不覺間沉睡過去。

朱若蘭輕輕嘆息一聲，隨手拂拭下臉上汗水，也慢慢閉上眼睛，原地靜坐，行功調息。

她剛才因替夢寰療傷，耗消去不少真氣，也睏倦難支。

趙小蝶呆呆地望著幾人，心中卻不停地想著《歸元秘笈》療傷篇上記載的各種療傷之法，她已把那秘笈背得滾瓜爛熟，上面的每句每字，都已深印腦中，想來自是毫不費力，活血接骨，閉穴封脈等等的療傷之法，閃電般在她腦際一一掠過，雖然想得迅快，但卻一字不遺。

只覺那各種療傷辦法，雖然各極其妙，但卻無一種療傷辦法，適合眼下形勢。

要知趙小蝶生性異常穎慧，只因一直靜居深山幽谷，與人無爭，對事不求索解，雖有才智，但卻甚少用過，何況她已有「大般若玄功」基礎，此刻略一用心，立時對各種療傷記載，豁然貫通，應用之法，亦隨即了然。

她過去一直認爲自己不會武功，是以對那《歸元秘笈》上所載的各種武功要訣，從未用心想過，其實她修練的「大般若玄功」，乃內家功夫中極高的一種氣功，在修習過程中，已兼攝了各種精深武學要訣，克敵制機已成爲她一種自然本能。只要心念一動，即可不知不覺中施出

攻守絕招，只是她自己不知道罷了。

她由極難入易，只要稍一用心思索，自然通達，可惜她昔時從未用心想過，現下目睹朱若蘭憂苦神色，不自禁用心思索那療傷篇中各種療傷之法。

哪知《歸元秘笈》上各種武功記載，她都已爛熟胸上，這一用心去想，只覺各種武功的秘奧竅訣，一一在腦際掠過，直似江河堤潰一般，洶湧而出，而且順理成章，無不了然，一時間竟難遏止。

不知道過去了多少時間，朱若蘭首先在極度的痛苦中清醒過來，緩緩伸出右手，拂著霞琳秀髮，叫道：「琳妹妹，起來吧！咱們先把他移放到我住的石室中去，讓我再想想看，有沒有辦法救他？」

但聞霞琳微鼻息之聲不絕，她睡得竟是十分香甜。

朱若蘭輕嘆一聲，收回拂在霞琳秀髮上的手，抬頭望天，明月早落，東方天際泛起一片魚肚白色。原來天色已亮，再看幾人身上，都已被晨露浸濕，四個半裸玉腿的白衣美婢，並排靜坐一側，彭秀葦卻垂手站在自己身後，趙小蝶圓睜著一雙星目，呆呆出神，不知在想什麼……

這情景有一種無法形容的淒涼，雖然聽不到一點哭聲，看不到一滴淚水，但那整個的山谷中，卻都被一種悲傷的氣氛籠罩……

突然間，一聲鶴唳，玄玉忽展雙翼沖霄而起，兩翅搧起一陣狂風，只吹得幾人衣袂飄飛。

朱若蘭一顰黛眉，還未來得及轉動心念，忽見趙小蝶微一側身，原坐姿未動，人騰空而起，隨手一抓，竟把那飛起了八、九尺高的靈鶴，右腿抓住，倏忽間隨鶴上升了兩丈多高。

趙小蝶這隨手一抓，只是一種潛在的本能，勢在意先，待她看清楚已離地兩丈多高時，只

嚇得一聲驚叫，鬆了緊抓鶴腿的右手。

只聽四個白衣美婢同時啊呀一聲，紛紛由地上躍起，一齊伸手去接趙小蝶的嬌軀。

四婢從小就和趙小蝶一起長大，知她不會武功，怕她摔在地上受傷，個個急得玉容變色。

突然間，一陣急風，由四婢頭上掠過。朱若蘭已飛身而起，她輕功造詣十分精深，飛來之勢，快似電奔，那穿空一掠，已到了趙小蝶身旁，雙臂一伸，向她抓去。

就在她雙手將觸及趙小蝶時，忽覺她身子隨著雙手去勢，向後飄退了半尺，剛剛把她雙手讓開。

朱若蘭看得一呆，忘記了身懸半空，長吁一口氣，失聲叫道：「這是什麼……」猛覺丹田真氣一散，全身向下疾沉，正好對著四婢停身所在落去。

但她究竟是武功絕高之人，警覺失事，忽地一收雙腿，懸空一個觔斗，落到一丈開外。再看趙小蝶時，身若飄空飛絮般，緩緩地降落到地上。

趙小蝶似對自己由兩丈以上的高空跌下而毫無損傷之事，甚感驚奇，怔了一怔，才緩步走近朱若蘭，道：「姊姊，我想起了一個救那姓楊男人的辦法，只是不知道有沒有用？」

這時，朱若蘭已知她身具內家上乘功夫，只是她自己還不知道罷了，聞言喜道：「什麼辦法，快說給姊姊聽聽！」

趙小蝶道：「我剛才才想到那『大般若玄功』之中，有一段記載，說：滿則溢，不足勝有餘，但如打通任、督二脈，則有餘可補不足，無滿溢，無窮止，……」說至此，玉頰上忽泛起兩片紅暈，倏然住口。

朱若蘭雖然不知「大般若玄功」修練之法，但聽她背述口訣，卻是修爲上乘內功時，無法克服之難關。

因爲凡屬上乘內功，大都要背人體生理常規逆行，是以在修習期間，才有走火入魔之險．但當一種上乘內功修習成功之後，其日益精深的進化，故可增強克敵威力，但卻無法使體內各經各脈運行，全部適應，所謂大成小缺，其大成愈大，則小缺愈險。

如練金鐘罩、鐵布衫一類外家硬功的人，其功夫縱然登峰造極，刀槍難傷，但卻總有一處地方沒法練到，在武林行家中，稱那處地方爲罩門，如果你能知道他罩門所在，只需普通的人一指之力，即可使他身負重創，或死或傷，其功力愈深，那無法練到的罩門之處，也愈發脆弱，只是罩門所在之處，別人不易知道罷了。

修練上乘的內家功夫，亦同樣難逃一險關，只不過其脆弱地方，不是罩門，而是內體經脈。一般說來，奇經八脈，最不易練到，但那奇經八脈，深藏體內，如不知體內脈穴位置，自無法傷人。

因那上乘內功，大背了人體生理常規，如練到極深之時，很容易引起生理變化，滿則溢，有餘無用易成害，所以，一個內功極深之人必需在一定的時間內，靜坐調息，以排遣有餘，但因有餘和不足，相因相成，以調息排遣有餘爲不足，則愈練愈進，是故，武功成就越高的人，其走火入魔的機會也越多。

朱若蘭忖思一陣，道：「妹妹口中所述，似是『大般若玄功』中修習要訣，和療傷之事，似無關連。」

她雖已聽出那四句真訣之中，含意精奧博大，正是克服修爲上乘內功走火入魔的辦法，只是一時不能完全思解透徹，何況她心懸夢寰傷勢，也無暇集中精神求解，略一沉忖，微顰秀

眉，答道：「妹妹所述的口訣，含意雖然深奧博大，但能否救得他的傷勢，正自難說。」

趙小蝶秀靨更紅，嗯了一聲，道：「重傷不虧，大損無餘，他在身受重傷之後，而能拖延這樣長時間不死，想那內腑六臟，定然傷而無損，只是把一口真氣消耗盡絕，使內腑功能消失，百脈硬化，氣血不暢。如能助他幾口真元之氣，使他六臟效能復常，再以真氣，助他暢通百脈，或可救他復活。」

朱若蘭搖搖頭，道：「我已盡本身之能，不惜消耗真氣，打通他奇經八脈，但已無法使他清醒過來……」

趙小蝶接道：「姊姊所用手法，只是助他暢通脈穴，以本身真氣，催動他全身的氣血，逼使他重傷的六臟，恢復功能。如果他受傷不重，或是他傷的是外穴內脈，不難復元，但如他被內力重擊，震傷了內腑，姊姊這救他之法，反使他護傷元氣，加快耗憒，待他元氣耗盡，人就無法可救了。」

朱若蘭聽得呆了一呆，道：「不瞞妹妹，我已數度用本身元氣助他恢復六臟功能，但是……」

趙小蝶微笑接道：「是啦！姊姊定是把本身真元之氣，用口傳入他的內腑，是也不是？」

朱若蘭突感臉上一熱，輕輕一嘆道：「爲救他性命，我也顧不得男女授受不親之嫌了！」

趙小蝶突然瞪大了兩隻圓亮的星目，神情奇異地問道：「姊姊心裡很喜歡他是嗎？」

朱若蘭被問得一張臉紅到了耳根後面，暗道：要命！怎麼能這麼問法。她心裡雖感羞澀，但又不得不當面承認，點點頭，道：「嗯！他是個很好的人……」

她本想替自己解說一番，但一時間卻想不起適當的措詞，只答得一句，就無法再接下去。

趙小蝶忽然閉上眼睛，緩緩跪下雙膝，兩手合十，口中喃喃祈禱了一陣，起身睜眼，笑道：「好啦！我已經對娘說了！我肯替他療傷，完全是爲著姊姊，我心裡半點也不喜歡他。」

朱若蘭想到翠姨一生所受師父折磨，也難怪她在臨死之際，會留下這等偏激遺訓，淡淡一笑，道：「難道那《歸元秘笈》下冊中另載有療傷的辦法嗎？」

趙小蝶道：「那療傷要訣，包羅在『大般若玄功』之中，縱然知道療救之法，但如無『大般若玄功』基礎，也是無法下手。」

朱若蘭看她在片刻之間，對《歸元秘笈》上各種武功要訣，似是陡然全部悟解一般，說來頭頭是道，孰不知她剛才用心在索想那療傷法門之時，已把爛熟於胸中的《歸元秘笈》，從頭到尾想了一遍，上面記載的各種法門竅訣，她早已深印腦際，暗與神會，此刻，再用心一想，自然能融會貫通，朱若蘭一身武功，雖然也是《歸無秘笈》所記載，但她都是經師父授受而得。趙海萍只精熟上、中兩卷的記載武學，至於那下冊所載的佛、道兩家合璧而修的「大般若玄功」，因爲行文博大深奧，字字含蘊玄機，非親身修爲，極難了然。

兩人面對面呆站了一陣，趙小蝶忽然拉起披肩藍紗一角，蒙在臉上，笑道：「蘭姊姊，你站在那裡想什麼心事？」

朱若蘭啊了一聲，目光移到趙小蝶臉上，她雖用藍紗蒙面，但那薄如蟬翼紗，如何能擋得住朱若蘭的視線，只見她一張粉白的嫩臉，忽然間紅暈如霞，眉目間似笑非笑，鼻尖上汗水直滴，神情極是特異，不覺一怔，道：「你怎麼啦？」

趙小蝶輕輕嬌喘了兩聲，勉強一笑道：「我……我心裡有些害怕！」

朱若蘭奇道：「你怕什麼？」

趙小蝶道：「我想起了要救那姓楊的男人，心裡就怕。」

朱若蘭笑道：「救人乃大善之事，有什麼好怕的？」

趙小蝶道：「姊姊你不知道，他的護陽元氣，早已耗消而盡，要想救他，必得用我『大般若玄功』，把本身真氣，傳入他體內脈穴……那……那要三日夜以上時間……」

朱若蘭忽有所悟，回頭望了夢寰一眼，忍不住星目熱淚，奪眶而出，深深對趙小蝶福了一福，道：「妹妹，請看在姊姊份上，你就委屈一下，救救他吧。」

趙小蝶舉手撤下蒙面藍紗，道：「唉！媽媽早已對我說過，不管姊姊要我做什麼爲難之事，我都得依你。」

朱若蘭輕聲一嘆，轉身走到夢寰身邊，輕輕在沈霞琳「命門穴」上，拍了一掌。

只見沈霞琳嬌軀一顫動，睜開了眼睛，望著朱若蘭道：「黛姊姊，咱們要走啦？唉！早把他安置好，你也可以早些去給他報仇了……」

朱若蘭微微一笑，接道：「不要傻想啦！他已經有救了。」

沈霞琳眼睛一亮，霍然跳起，偎入朱若蘭懷中，道：「啊！姊姊的本領真大，人死了，你還有救活的辦法！」

朱若蘭緩緩推開霞琳，伏身抱起夢寰，道：「我哪裡有這樣大的本領，是那位趙妹妹想的辦法。」

沈霞琳聽得微微一呆，緩步走到趙小蝶身邊，她本想說幾句感謝之言，但一時間又不知該說些什麼，只叫得一聲：「姊姊你真好……」就無法再接下去。

朱若蘭抱著夢寰，當先帶路，趙小蝶、沈霞琳手牽手隨在身後，四個白衣美婢依序緊追在趙小蝶後面，彭秀葦卻和幾人距了三、四丈遠，而且還不時回頭張望。

要知彭秀葦，昔年乃是橫行江湖女盜，見聞極爲廣博，她對那白鶴陡間沖霄飛去一事，覺著十分可疑，只是一時間想不出原因何在，心中雖然動了疑慮，但卻不便妄作測論，只好悶在心中。

朱若蘭居住的石室，就在聳雲岩下，穿過一片草坪，已可見敞開的石門。

趙小蝶看那石洞在百丈以上山壁之間，很擔心自己無能攀登，哪知微一用力提步，身子已飄空而起，走來全不費力。

朱若蘭把夢寰放在自己住的一間石室之內，笑對趙小蝶道：「妹妹，他已經氣絕多時，如果再拖延時間，只怕救治不易，你如有需我相助之處，儘管出口吩咐。」

趙小蝶微現羞怯之態，答道：「倒不煩姊姊相助，只是有一件事，得求姊姊答應。」

朱若蘭笑道：「你說吧，不管什麼爲難之事，姊姊也會答應。」

趙小蝶嘆道：「我要在這石室之內，伴他三日夜之久，而且療傷之時，還有很多疑難之事，不過爲了姊姊，我也顧不得男女之嫌，所以我想請姊姊留在這靜室之內，陪我三天，以全見證，如果他傷勢將好之時，心中動了邪念，那我就一刀把他刺死，姊姊不許怨我，也不許攔於我，你要答應，我就替他療傷，要是不答應，我……就只好不管了。」

朱若蘭沉忖一陣，道：「心動邪念之說，漫無限制，再說他大傷將癒之際，理性或較脆弱，只要他沒有侵犯妹妹的舉動，那就不必深究，就姊姊所知，他確實是一個拘謹守禮之人。」

趙小蝶雙目神凝，神色十分莊重地說道：「如果他有侵犯我的舉動呢？」

朱若蘭嘆道：「那你殺了他吧。」

趙小蝶探手入懷，摸出一把寒光耀眼的匕首，道：「姊姊，如果我殺他之時，你千萬不要出手相救，因為那時我恐難自制。」

朱若蘭看她滿臉堅毅之色，不禁大感駭異，兩人雖只相處半宵，可是朱若蘭已看出她是個生性溫婉柔和之人，而且一片天真純潔，極和霞琳相似，哪知在這前後不過一刻工夫，她卻完全判若兩人，這種性格上的突然轉變，實使人無法捉摸。

她目光緩緩由趙小蝶臉上，移注那四個白衣小婢身上，想從四人神情上，觀察出一點跡象，哪知四婢個個瞪著眼睛，滿臉驚奇之色，似乎從未見過趙小蝶這等莊肅之態，饒是朱若蘭聰明絕倫，她也無法想得出，趙小蝶何以會在短短一刻工夫之中，性格大變。

要知趙小蝶和沈霞琳，是兩個生性大不相同之人。沈霞琳嬌稚純潔，胸無城府；趙小蝶卻是穎慧無比，聰明異常之人，只因久居那深山大澤之中，不知人世間各種事端，是以對人對事，毫無成見，看上去和霞琳生性為人，頗為近似，其實兩人性格卻迥然不同。

朱若蘭沉忖良久，答道：「如他真有侵犯妹妹之處，任憑你處置於他，姊姊絕不插手。」

趙小蝶綻唇一笑，緩走到洞口，吩咐那四個白衣小婢，道：「我和姊姊在這石室內，替那姓楊的男人療傷，在三晝夜內不能分心，不管有什麼重大之事，都不許驚動我！」

說完，正待回身閉門，忽見朱若蘭一晃肩，搶到門口笑道：「妹妹且慢閉門，姊姊去備些食用之物來。」說著話，人已向後面奔去。

這石洞本是昔年天機真人修身之所，深達數丈，共分五室，最後一室，被翠蝶改做廚房之

用。

她剛奔到廚下，瞥見神鷹陳葆和伺侍自己的老宮女松苔，雙雙躺在地上。仔細一查，原來兩人都被點了暈穴。等了一盞茶之久，兩人清醒過來，忽地挺身坐起，呆望了朱若蘭一陣，一齊跪拜下去。

原來兩人被點穴道過久，全身血脈不活，驟然醒來，只覺眼花撩亂，半晌工夫，才認出是公主回山。

陳葆一面叩見主人，一面說道：「前兩日，趙老爺子不知由哪裡帶了一個身披藍紗的美貌少女回來，老奴……」

朱若蘭搖搖手，接道：「我知道了，你們快點準備些食用之物，送到前面，款待幾位遠道來客，不許有怠慢之處。」說完，又奔回前洞。

她又囑咐了三手羅剎和霞琳幾句，才退回自己臥室。

不大工夫，陳葆和松苔手捧菜飯而來，兩人驟然看到了這多人，不禁微感一怔，但瞬即恢復了鎮靜，擺好菜飯，恭請幾人入席。

這時彭秀葦和霞琳都已感到饑餓，也不客氣，立時就坐下吃喝起來。

朱若蘭拿了很多麵餅菜果，放在自己臥室，閉上石門，笑對趙小蝶，道：「妹妹，你要不要先食用一點東西，再替他療傷？」

趙小蝶道：「我心裡不安得很，吃不下東西，姊姊自己吃吧！」

朱若蘭也不勉強。其實她一心想著夢寰生死之事，哪裡還能吃得下東西，勉強吃下一塊油

餅就不再吃。

轉臉望去，只見趙小蝶席地而坐，輕顰著兩道黛眉，臉上神情無限憂鬱，右手放在膝上，呆呆地坐著一語不發，似乎已把替夢寰療傷之事忘去。

她忍了又忍，到最後還是忍不住，說道：「蝶妹妹，他已經氣絕多時，拖久了，只怕難以救治，你答應替他療傷，也該動手了吧？」

趙小蝶緩緩站起身子，似自言自語，又似答朱若蘭問話，道：「唉！既然答應了給他療傷，遲早總是難以避免……」

朱若蘭聽得芳心一震，道：「怎麼？你有些……」

趙小蝶伏身抱起夢寰，接道：「唉！我是不應該答應替他療傷，但我已經答應了姊姊，自然是不能反悔！」嘴裡答著話，人也同時緩步向臥榻旁走去。

朱若蘭心中雖然有氣，但並未出言反駁，只怕真的激怒了她，害了夢寰，只得靜靜坐在一側，冷眼旁觀。

只見趙小蝶把夢寰放在榻上，慢慢脫去他裡身勁裝，只留下貼身內衣……

朱若蘭雖和楊夢寰相處甚久，而且還有過肌膚之親，但此刻，驟見他全身外衣長褲盡去，幾乎成裸體之狀，亦不禁一陣心跳，泛上來滿頰羞紅。

趙小蝶脫去了夢寰衣服之後，目光投注在朱若蘭臉上，無限委屈地淡淡一笑，取下來披肩藍紗，脫去衣裙，全身只留一件玫瑰色的兜胸，和一條僅掩胯臀的短褲……

只見一個冰雪耀目的美麗胴體，不住輕微顫抖，驚懼和緊張，使她粉臉上羞紅如霞，她呆呆地傍楊玉立，足足有一盞熱茶工夫之久，才一閉眼跳上了木榻。

朱若蘭暗暗嘆息一聲，緩步走到榻邊，低聲說道：「蝶妹妹，你爲姊姊忍受這種委屈，真叫我於心難忍。」

趙小蝶忽然睜開星目，兩顆晶瑩淚珠奪眶而出，雙臂一展，把夢寰抱入懷中，無限羞怯，說道：「等下我行功之時，全身真氣，都將凝聚一起，姊姊千萬不可動。」

說完話，盤膝坐好，左手按住夢寰「天靈穴」上，右手環抱夢寰腰間，雙目圓睜，默運真氣，片刻後，氣通任、督兩脈，一股熱流，湧集左手，由夢寰「天靈穴」循脈而下，遍行四肢百骸，不到一頓飯工夫，楊夢寰五腑六臟，已被小蝶真氣催動，恢復功能，凝滯的血氣，逐漸向全身各脈行去。

朱若蘭看見楊夢寰本已僵硬的四肢忽然活動起來，毛孔中亦浸出汗水，不禁心中大喜。

忽見趙小蝶嬌軀一傾，按在夢寰「天靈穴」上的左手，倏然移到他背上的「命門穴」，人也由盤坐的姿勢，緩向榻上倒去，隨著她雙臂撥動，楊夢寰也倒臥在榻上，全身盡被趙小蝶抱入懷中，貼胸相偎，並頭而臥。

朱若蘭看了一陣，不自禁轉過頭去，心中暗暗忖道：無怪她在療傷之前，神情上那等恐懼不安，縱然是我，只怕也要猶豫難決……

忽然，另一念頭，在她腦際閃起，暗道：蝶妹妹乃黃花閨女，爲救人不惜以全裸的肉體，和一個男人相抱相偎，此時如果被別人看到，叫她以後如何做人？她肯這般委屈自己，又完全是看在我的份上，心念及此，忍不住又轉過臉，向木榻上兩人望去。

# 三二　天機石府

只見趙小蝶輕輕地合著眼睛，秀眉雙鎖，淚痕宛然，肌膚瑩光，耀眼生花，臉上紅暈未褪，嬌小玲瓏的身體，仍然在不停抖顫，顯然，她心中的驚怯之念，還未能完全消除。

這情景忽然啓動了朱若蘭一個新的奇怪念頭，心道：我如能促成他們一對百年良緣，不但蝶妹妹不再以今日之事爲憾，且可使楊夢寰獲得了當代武功最好、容貌無匹的妻子……

突然，她心中又泛現出沈霞琳的音容笑貌，那嬌稚無邪的神態，純潔善良的言笑，和那以身殉葬的無限深情，登時心頭意亂，很多矛盾的思潮，洶湧腦際，千頭萬緒，不知如何善處……

石室逐漸地陰暗下來，已經過去了一天時間，木榻上的楊夢寰，仍未清醒過來，趙小蝶經過這一段長時間之後，驚懼和激動的心情，似乎已平復不少，但見她貼擁夢寰而臥，睡得十分安詳。

朱若蘭點燃了火種，點起松油火燭，石室中驟然明亮起來。

忽聽趙小蝶啊了一聲，鬆開了緊擁夢寰的雙臂，挺身坐了起來。

她似乎很睏倦，睜開星目，輕輕嘆息一陣，伸手按在夢寰胸前，大約有一盞熱茶工夫之久，臉上忽現歡愉之色，笑道：「姊姊，他內腑已逐漸恢復了效用，今晚上如果不能清醒過來，明天打通他奇經八脈，人就可以說話啦！」

朱若蘭微微一嘆，道：「這都是妹妹賜助之力，我想他知道了，心中一定很感激你。」

趙小蝶淡然一笑，搖搖頭道：「我是相助姊姊，只要你心裡快樂就行了，倒不需要他感激我！」

朱若蘭道：「姊姊和那位沈家妹妹都和他一樣的感激你。」

趙小蝶綻唇一笑，不再答話，盤膝坐好，行功調息，片刻後，忽見她頂門間冒起蒸蒸熱氣。

朱若蘭看她在片刻之間，就能把真氣運聚，心頭甚感驚異，暗道：她小小年紀，能有這般的深湛內功，實是不易，看樣子，師父也要遜她一籌。

只見趙小蝶頂門間熱氣，愈來愈濃，不過一個時辰，她全身都被一層薄霧籠罩，那瑩光耀目的玉體，也愈覺晶明如玉，但因她環繞全身的熱氣，越來越濃，看上去竟如若有若無一般。

忽見她合在胸前的雙掌，倏然一分，迅快絕倫地拍在夢寰兩處要穴之上，但她雙手並不即時拿開，反而緊緊按在夢寰被拍中穴道之上，繞在她身上的熱氣，卻逐漸減少，大約有一盞熱茶之久，她才把雙手拿開，如此運功反覆六次，拍遍了夢寰全身十二死穴。

她每次用手按在夢寰穴道上時，那全身環繞的熱氣，就逐漸消減，一經盤坐調息，熱氣又復蒸蒸上騰，不過她調息時間，愈來愈長，六次過後，天色已經大亮。

這一夜，朱若蘭連眼皮也沒有合過，她一直瞪著眼睛，看著小蝶替夢寰療傷。這一天一夜的時間裡，楊夢寰仍然是靜靜地躺著，沒有清醒，也沒有掙動過一下，她幾次想走近木榻，看看夢寰，但她每次站起身後，就想起趙小蝶相誡之言，只得勉強忍著滿腹焦急，站起來重又坐

下。

趙小蝶在連按夢寰十二死穴之後，忽然向後移開兩步，閉目休息一陣後，睜開眼睛，笑道：「姊姊，我已用本身真元之氣，助他恢復五腑效能，活開他十二死穴中凝滯的氣血，讓他稍休息一陣，再打通他奇經八脈，他人就可以清醒了。」

朱若蘭緩步走近木榻，笑道：「蝶妹妹，我現在可以不可以查看一下他心臟跳動情形？」

趙小蝶天真的一笑，道：「可以，不過他氣血初行，體內硬化經脈，尙未復元，不要移動他的身子，免得他初行氣血，又滯留凝結。」

朱若蘭慢慢伸出右手，輕輕觸在夢寰前胸，果然覺出他心臟已經恢復跳動，不禁心中一喜，笑道：「多謝妹妹啦！你把他從死亡中拯救回來，他心中定然是很感激你……」

趙小蝶臉色突然一變，冷冷地接道：「哼！我才不要他感激我哩，我救他，完全是爲著姊姊。」

朱若蘭本還有很多話要說，但聽趙小蝶口氣冷峻，一臉漠然不屑之色，自不便再接下去，尷尬一笑，道：「自然我心裡也十分感激妹妹！」

趙小蝶突然閉上眼睛，兩行淚水，緩緩由眼角流下，道：「我娘死前，再三對我說，不許我喜愛男人，就是很好很好的人，我也不能喜歡他，我這樣救他，心中已愧對媽媽在天之靈，但我又不忍看著姊姊痛苦，所以，才不惜背逆媽媽遺言救他，待他傷好之後，我就要離開姊姊，回到百花谷中，在媽媽墓前好好的哭上一場。」

朱若蘭嘆道：「翠姨這偏激遺言，只不過是傷悲際遇的氣忿之言，哪裡能夠當真？妹妹乃聰明之人，想想姊姊的話，是否有錯？」

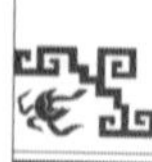

趙小蝶還未能答話，突聞石室外傳來一陣喝叱之聲，因那石門緊閉，不易傳音，喝叱之聲，聽來並不很大，但兩人耳目均極靈敏，不但聽得甚是清晰，而且可辨出那是三手羅刹彭秀葦的聲音。

朱若蘭一揚黛眉，霍然躍起，正待拉門而出，忽聞趙小蝶叫道：「姊姊，開不得門！」

朱若蘭聽得一怔，回頭問道：「爲什麼開不得門？」

趙小蝶輕聲一嘆，目光投注在夢寰身上，說道：「他六臟恢復功能不久，血氣又在散行之時，如果被人闖進石室一擾，只怕氣血復滯，白費一晝夜療傷救護之功。」

朱若蘭道：「如果白雲峽來了強敵，我如不出去，只怕她們抵擋不住？」

趙小蝶低頭望望自己幾乎全裸的玉體，道：「姊姊打開石門，要是那位沈姑娘衝了進來，擾他傷勢轉重……」

話還未完，石室門外，已響起沈霞琳清脆聲音叫道：「黛姊姊，有敵人來到白雲峽了！」

朱若蘭被趙小蝶幾句話嚇住，果然不敢開門，答道：「你寰哥哥療傷正在緊要關頭，我無暇出去，你們可協力守住洞口、只要不讓敵人衝入石洞就行！」

沈霞琳應了一聲，轉身急步奔去。

朱若蘭回頭再看趙小蝶時，已開始替夢寰打通奇經八脈，她所用手法，異常特別，和自己大不相同，舉手緩慢，而且每次必和夢寰身體相接很久時間。

足足耗去兩個時辰，趙小蝶才停下了手，一對星目睜得又圓又大，盯在夢寰臉上，兩手交胸而過，臉上微帶笑容。

朱若蘭初看一陣，還不覺有什麼特異之處，哪知和她目光接觸時間已久，忽覺心神搖搖。

忽見趙小蝶臉色一變，取過置放在枕邊匕首，目光凝注在夢寰臉上，嬌靨上泛現殺機，看樣子只要楊夢寰稍有失常舉動，她即將揮刀刺殺。

朱若蘭吃了一驚，縱身躍到木榻旁邊，低聲叫道：「蝶妹妹！他是否清醒過來？」

趙小蝶道：「他全身脈穴，都已暢通，再過幾個時辰，我再幫助他回聚本身真氣，他就可自行運功調息了。」

朱若蘭聽她講話聲音仍甚柔和，並無絲毫怒意，這抓刀戒備，似乎是一種本能的預防，心中暗道：看來她心中已深印翠姨偏激遺訓，潛在她的意識之中，對男人深惡痛絕。夢寰重傷初癒，只怕理性尚未全復，如果言語和行動之間，對她有冒犯之處，恐難逃一刀之危。現下他體內經脈既已恢復功用，助他回聚真氣，已無什麼大難，我何不接替她工作，以免她傷害夢寰……

朱若蘭想定了主意之後，說道：「小蝶妹妹，你替他療治傷勢，定然是一件十分吃力的事，是不是？」

趙小蝶嘆道：「縱然是身負絕世武功之人，如果他任、督二脈未通，或修習不是『大般若玄功』，也是無法救他。」

朱若蘭道：「現下他體內經脈已通，六臟效能又復，那助他回聚本身真氣之事，不敢再勞妹妹，就由姊姊代替你吧！」

趙小蝶低頭望望右手握的匕首，笑道：「我知姊姊的心啦！是怕我殺傷他，是嗎？」

朱若蘭聽她一語說穿，也不再隱瞞，點點頭，道：「唉！妹妹猜得不錯，他在重傷初癒之時，只怕很難有自制之力，妹妹又深懷戒心，時時以翠姨的遺言爲念，在這等情勢之下，很容

易造成慘劇，萬一他無意間碰到妹妹，但你卻認爲有心相犯，這一來就很難分出真正是非，不如讓姊姊代你，免得鬧出什麼淒慘之事。」

趙小蝶不再答話，緩緩把嬌軀移到木榻一角。

朱若蘭躍上木榻，盤膝坐好，暗中運功，行聚真氣。

趙小蝶道：「這怎麼行，他真氣復聚的瞬間，是這療傷過程中最爲緊要的關頭，姊姊必需要以肌膚和他相接，再以本身真氣助他，使他能把那一口散去元氣，重回聚丹田之中。這中間道理，一時間很難說得清楚，要知現在推動他六臟跳動，血脈運行的，完全是我本身相助他的真氣，必須要使他引爲己用，他才能夠真的復元重生。」

朱若蘭不再多問，緩緩解開衣扣，一件一件脫去，直脫得和趙小蝶一樣，只留下玄色胸兜和一條短褲。

兩個美麗絕倫的身體，並坐在松木榻上，那瑩若珊瑚的肌光膚色，微帶羞澀的嬌態神情，散發出無比的熱力，縱是鐵打的金剛，也將會在這熱力中溶化，只可惜那一道緊閉的石門，關住了無邊的春色……兩個人互相呆望了一陣，都不禁綻唇淺笑，暗裡在讚美對方。

朱若蘭舉手理理雲鬢，閉眼運集功力，然後，緩緩伸出右手，向夢寰「玄機穴」上按去。

她手還未觸到夢寰身體，忽聽一聲微弱的嘆息之聲，嚇得她急忙把伸出的右手縮回，定神望去，只見楊夢寰微一睜動雙目，又很快閉上。

雖然只是那麼輕迅的一瞥，但已使朱若蘭心頭泛上了無比羞意，那收回的右手，再也不敢伸出。

忽聽趙小蝶的聲音，在她耳邊響起，道：「姊姊，快些動手，他已經清醒過來了，我幫助

你。」

只見一雙光滑柔軟的手掌，輕輕地按在她背心「命門穴」上，一般熱流，很快地流行全身，和她本身真氣，匯合在一起。

處此情勢之下，朱若蘭只得疾伸右掌，按在夢寰「玄機穴」上。

只感趙小蝶觸在她後背的手掌，熱流滾滾而來，有如怒海波濤，無盡無止，不禁暗暗驚心，忖道：她這等精湛內功，別說我難及她萬一，就是師父，只怕也難及她百分之一。

要知趙小蝶任、督二脈已通，全身真氣循環相生，無盡無窮，耗消雖大，但卻不傷身體。

但見楊夢寰慘白的臉色，逐漸地泛現出艷紅，鼻息轉重，前胸起伏加速，忽然長長吁一口氣，陡然睜開了眼睛，目光爍爍，盯注在朱若蘭身上。

她忽感心頭一陣跳動，有如鹿撞一般，按在楊夢寰「玄機穴」上的右手，本能地縮了回來。

趙小蝶的急促聲音，又在她耳邊響起，道：「姊姊，快些抱住他，他初暢經脈，受不住過速的氣血運行，要是他不能把一口真氣，納回丹田，只怕要……」

她話還未完，忽見楊夢寰雙手虛空亂抓，呼吸轉急，臉色漲紅，似乎胸中湧塞著什麼東西，要吐又吐不出來一般。

一種少女的矜持，使朱若蘭一時間猶豫難決，本來那時的禮教，十分森嚴，要一個半裸玉體的黃花閨女，自動去抱一個僅穿貼身內衣的男人，實是一件大不平常之事，何況她身旁還坐著另一個少女……

忽覺一陣風飄來，趙小蝶像一條躍水鯉魚一般，由她身側掠過，雙臂一合，把夢寰抱在懷

中，輕啓櫻唇，堵在夢寰嘴上……

朱若蘭呆了一呆，輕輕移開嬌軀，退至木榻一角。

仔細望去，只見趙小蝶一個身子，扭股糖般，纏在夢寰身上，心中忽生感觸，正想伸手去取衣服，瞥見趙小蝶輕合雙目之中，淚水緩緩垂下，心頭一凜，暗自責道：人家和夢寰之間，毫無情意可言，肯這般委屈自己，挽救夢寰性命，完全是看在自己的面上，又怎能心動他念……

只見趙小蝶把堵在夢寰嘴邊的櫻唇輕輕移開，幽幽一嘆，睜開星目，望著朱若蘭淒苦一笑，道：「姊姊，我已用本身真元之氣，助他把一口真氣納回丹田，片刻之後，他人就可清醒過來，但他體內脈穴，尚未能恢復正常，以適應氣血運行，必須要借他人身體熱力之助，使那已經硬化的經脈，逐漸復元，這一段時間，大約需兩個時辰以上，請姊姊坐我身側，以作見證……」話到此處，倏然而往，緩緩鬆開摟抱夢寰的右臂，取過身後匕首放在枕邊，然後又把右臂放回原處。

表面上看去，兩個人緊擁並臥，睡得十分香艷，其實卻大謬不然，趙小蝶睡態雖極嬌柔，但臉上神情，卻是一片冷漠，她經過兩天一夜時間，心中的驚懼之念，似已消滅不少，雖然和夢寰肌膚相接，但已毫無激動情緒。

靜坐在木榻一角的朱若蘭，心中反而大感緊張起來，她目光不停地由夢寰身上，移注到枕邊那寒光耀目的匕首之上，心中情緒十分矛盾，既希望楊夢寰早些清醒，但又怕他清醒過來……她已知道趙小蝶身負武功，高出了自己很多，如果她真對夢寰下手，只怕非自己能力所救……

忽聽趙小蝶嗯了一聲，身子向後移動了一下。

朱若蘭心頭一震，轉臉望去，只見楊夢寰左手正自伸動，原來他在伸動左手之時，碰到了趙小蝶的胸前。

這時，他人雖已平靜下來，呼吸也轉趨均勻，但眼睛仍然閉著，顯然，他神智還未恢復。

趙小蝶瞪大星目，看了夢寰一陣，見他神智未復，臉上嗔怒之色，才逐漸平復下來，又輕輕合上雙目，偎入夢寰懷裡。

這是一幅異常香艷的畫面，兩個美麗無比的少女，幾乎全裸玉體，陪伴著一個僅著貼身內衣的男子，同處在一榻之上。其實，這香艷動人的畫面中，卻潛藏著一種沉默的緊張，三人心情，也大不相同。

楊夢寰神智未復，雖然玉人在懷，但並無絲毫的異樣感覺。

朱若蘭一直集中全神，注意著趙小蝶的一舉一動，怕她在急怒之下，真的傷了夢寰。

趙小蝶的神態十分奇異，心情也最爲複雜，她雖然把玲瓏嬌美的身體，蛇一般纏在夢寰身上，但臉上卻毫無愛惜纏綿之情，她心中深印著母親臨死遺言，對天下男人都存著戒心，不知不覺中，對男人生出了一種憎恨意識，這種潛在意識，支配了她的感覺，雖然緊抱夢寰並臥，但卻蕩不起她心中一點情波，反而時刻警惕著楊夢寰醒來相犯，這好像柔和春風，吹入了萬丈冰窟，儘管畫面香艷撩人，但氣氛卻極不調和……

不知道過了多少時間，忽聽石室外傳來了沈霞琳清脆的聲音道：「你雖然是寰哥哥的朋友，但也不能進這石室。」

只聽一個尖銳的聲音，問道：「這爲什麼？」

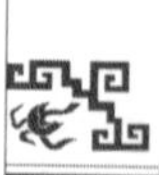



沈霞琳道：「因為我黛姊姊正在那石室中替寰哥哥療治傷勢，連我都不能進去，你自然是更不能進去了。」

朱若蘭聽得那尖銳聲音之後，忽地心頭一震，忘記了全身半裸，霍然一躍離榻，飛落門邊，待她雙足落著石地以後，才想起自己未穿衣服，急忙又跑回木榻。

忽聽彭秀葦的聲音，冷冷接道：「那石室之內，是我主人閨閣重地，豈是你能去得的？」

朱若蘭聽到三手羅刹聲音之後，心中略覺一寬，知她見多認廣，深悉江湖陰詐，陶玉鬼計雖多，卻不易逃過她一雙眼睛。

只聽沈霞琳嘆道：「姊姊不要這樣對他，他是我寰哥哥很好很好的朋友。」

陶玉格格一陣大笑，道：「你寰哥哥被什麼人打傷了，不知他傷勢如何？」

朱若蘭聽得暗暗罵道：「哼！好個陰險狡猾之徒……」

她心念初動，忽覺眼前寒光一閃，趙小蝶右手已抓起枕邊匕首，對準夢寰前胸，眼神湛湛，逼視在夢寰臉上，但她左臂仍然緊抱著夢寰身子，半裸嬌軀仍緊偎在夢寰懷中。

這陡然的變故，使朱若蘭無暇再分心旁顧，急聲問道：「蝶妹妹，是不是他有了侵犯你的舉動？」

趙小蝶笑道：「沒有，不過他人已快清醒了，待他清醒之時，看到我舉著匕首，正觸在他的胸前，我想他一定要大吃一驚，他心存害怕，就不會侵犯我啦！」

朱若蘭輕輕嘆口氣，道：「你如真要殺他之時，望能告訴姊姊一聲，不要舉刀就刺。」

趙小蝶還未答話，陶玉尖銳的聲音，又從石室門外響起，道：「楊兄身受那等重傷，我這做兄弟的，如何能不入石室，探望一番？」

朱若蘭聽得暗暗叫糟，顯然，沈霞琳已把楊夢寰慘重傷情，告訴了陶玉。

要知朱若蘭在峨嵋山相救楊夢寰，關於陶玉用卵石活埋危難之事，一直未對霞琳說過，是以沈霞琳迄今不知那段經過。

只聽沈霞琳長嘆一口氣道：「你是寰哥哥的朋友，看他自是應該，只是他療傷正在緊要關頭，什麼人都不能進去打擾，黛姊姊告訴我說，這療傷要費三日以上時間，你要看他，等明天三日夜期滿之後，你再來吧！現在要見他，不但要害他傷勢難癒，恐怕還要害我黛姊姊走火入魔……」

陶玉驚訝地啊了一聲，道：「什麼，他那樣慘重內傷，還真有療好之望不成？」

沈霞琳笑道：「我黛姊姊本領大極啦，什麼困難之事，她都有辦法解決……」

彭秀葦大概是看出了陶玉異常神情，截住了霞琳之言，冷冷接道：「你這人怎麼這等不識抬舉，人家已對你說得十分清楚了，還在喋喋不休地囉嗦什麼。別說那石室中有人療傷，就是沒有人在室中療傷，你也不能進去！」

陶玉冷笑一聲，道：「姑娘這份尊容倒和說話一般，使人不敢恭維，如果我一定要進這石室，你又敢怎麼樣？」

彭秀葦道：「那就請試試我七步追魂沙味道如何？」

沈霞琳似是十分爲難，幽幽勸道：「你們不要吵啦，驚擾了黛姊姊，怎麼辦呢？你一定要見寰哥哥，就請在這裡住兩天吧，待他傷勢復元，再見也是一樣。」

但聞步履之聲，逐漸遠去，幾人似已離開石室門外。

朱若蘭聽霞琳作主留下陶玉，心中暗暗吃驚，忖道：此人個性陰毒，武功又高，此刻，陡

然打上白雲峽來，只怕不會懷著什麼好意。沈姑娘無城府，留他住下，這無異開門揖盜。

她心中念頭還未轉完，忽聽楊夢寰長長吁了一口氣，倏然睜開了眼睛，看到眼前情景，不禁一呆。

趙小蝶一揚手中匕首，在夢寰面上一晃，冷冷地說道：「你回聚丹田真氣，尚未能完全隱固，快些運氣調息，使氣血運行於經脈之間，自行再回取丹田，然後，還要坐息四個時辰以上，才能算完全復元。」

這幾句話，雖然指導楊夢寰療傷之法，但因她聲音冷峻，又滿臉冷若冰霜的神情，雖是好話，但聽上去，亦使人有極不受用之感。

朱若蘭看得顰起眉頭，暗自忖道：你這等冷漠的神態，哪裡像替人療傷的模樣，手舉匕首，倒像是逼問敵人一般。

楊夢寰緩緩轉動眼睛，目光由趙小蝶臉上移注到朱若蘭身上，嘴唇啟動，微微一笑，正待說話，忽覺一般冷氣，逼到胸前，趙小蝶嬌脆冷漠的聲音，重又響起，道：「快些閉上眼睛，運氣行功，不許說話，也不許看來看去。」

他本有話要對朱若蘭說，但聞得趙小蝶警告之言，又把目光緩緩轉投到她的臉上。

趙小蝶陡然一揚黛眉，右手匕首在夢寰胸前一按，怒道：「你這人怎麼搞的，瞧著我幹什麼？」

朱若蘭看她神態越來越兇，忍不住低聲勸道：「蝶妹妹，他已暈迷過去兩旬之久，現下人雖清醒過來，只怕神智還未恢復。你這般神情對他，叫他如何能安心運氣？」

趙小蝶對朱若蘭勸解之言，恍如未聞一般，對夢寰反而更兇起來，手中匕首揮動之間，帶

起一陣冷風，罩住了他前胸小腹，擦觸楊夢寰前胸，劃破一道寸許長的口子，鮮血汩汩而出。

朱若蘭只看得心頭泛上來一股寒意，右手疾伸而出，擒拿趙小蝶右腕，想把她手中匕首奪下。哪知手指還未觸到趙小蝶右腕上，忽見趙小蝶右臂飄飛而起，心頭一凜，趕忙把右手縮回。

再看楊夢寰時，已閉上雙目，胸前起伏不定，全身肌肉都微微抖動，原來他已遵照趙小蝶吩咐之言，運氣行功起來。

只見趙小蝶慢慢坐了起來，把匕首放在枕邊，望著朱若蘭微微一笑，低聲說道：「他要一說話，或是貪看姊姊的冰肌玉體，分了心神，恐怕會使他尚未引爲己用的真氣，散滯於經脈之中，要是那樣，不但我們白費兩晝夜替他療傷之功，而且他也將落得殘廢之身。」

朱若蘭看著夢寰前胸出血傷口，道：「這麼說來，他胸前傷口，也是妹妹故意劃破的了。」

趙小蝶點點頭，笑道：「我要不故意傷他，只怕他還不會這樣聽話，不過姊姊儘管放心，他這點皮膚之傷，不致影響他運氣行功。」

朱若蘭輕輕嘆息一聲，不再追問，目光凝注夢寰身上，靜觀變化。

但見他胸前起伏加速，全身波動也越來越大，氣息轉重，臉上泛現出一片艷紅之色。

趙小蝶忽然輕顰起黛眉道：「唉！以他個人之力，是無法重把那暢行全身經脈的真氣，重新納歸丹田，看來我是還得幫助他了。」

她聲音中，微帶著一種幽怨，似是對朱若蘭說，也似是自言自語……

只見趙小蝶把嬌軀移近夢寰，慢慢地伸出右掌，按在他「玄機穴」上，片刻之後，楊夢寰

鼻息轉勻，身上波動，也逐漸平息下來。

忽聽他長吁了一口氣，倏然挺身坐起，俊目圓睜，盯注在趙小蝶半裸的玉體之上，眼光中放射出強烈的情焰，忽的一舉右手，搭在她皓腕上面……

這一次，趙小蝶沒有掙動，閉著眼盤膝而坐，讓夢寰握著她滑膩的玉腕。

朱若蘭初見夢寰眼神情態，心中甚是擔心，更是大吃一驚，本欲伸手相阻，但又怕在這緊要關頭之間，驚擾他走火入魔，就這一猶豫間，已被他握住了趙小蝶的右腕。

出於意外的，趙小蝶並沒有出手反抗掙動，這使朱若蘭安心不少……

但她哪裡知道，趙小蝶、楊夢寰都已陷入極危險的情態困擾之中……

忽見楊夢寰緊握趙小蝶的右手，向懷中一帶，趙小蝶輕輕地哼了一聲，嬌軀盡投入夢寰懷中……

她閉著的星目並未睜開，臉上紅暈似火，情態極盡嬌柔，玉頰依偎在夢寰胸前，半啓櫻唇，不停嬌喘……

朱若蘭本對趙小蝶的定力，有著很深的信心，何況她一直在留心警戒著楊夢寰相犯舉動，是以雖然看出有異，但並未出手相阻，哪知越看越覺情勢不對，趙小蝶不但沒有掙脫夢寰擁抱之意，反而婉轉相就，張臂反抱夢寰……

楊夢寰臉上神情，也是愈來愈見激動，雙手也逐漸放蕩起來，不停在趙小蝶玉體上移動，幾乎遍及她全身各處……

不知是妒意，還是羞忿，氣得朱若蘭一縱身躍下木榻，她迅快地穿好了自己的衣服。轉臉望去，兩人已相擁倒在榻上，對她躍下木榻之事，視若無睹。

這一瞬間，她忽覺心被劍刺穿一般，忍不住兩行熱淚奪眶而出，一咬牙，轉身向室外走去，她走得很慢，好像每一舉步，都要用盡她全身氣力。

好不容易，走到門邊，正待舉手拉開石門，忽的心念一動，暗道：蝶妹妹處處戒備，擔心他醒來相犯，楊夢寰亦是心地磊落之人，別說兩人之間素無情意，縱然有心，也不致當我之面，表演出這般纏綿舉動。

念轉慧生，立時感覺到事情不好，反身一躍，重回木榻，舉手一掌，輕擊在趙小蝶「命門穴」上。

這一掌拍的正是時候，趙小蝶忽地打了一個哆嗦，睜開了星目，啊地驚叫一聲，玉臂一揮，推開夢寰低頭一看，羞得她粉臉色變，嗚咽出聲。

原來，她遮蔽胸腹的一件玫瑰色兜胸，不知何時已被撕破，僅掩胯臀的短褲，亦被撕破，如果，朱若蘭負氣而去，或是晚回來一步，後果就不堪想象……

再看楊夢寰時，已被趙小蝶推到木榻邊緣，臉上艷紅未褪，心情仍甚激動，目光爍爍，盯著她幾乎全裸的身軀，嘴角間似笑非笑，呼吸急促，神態極是怪異。

趙小蝶略一定神，舉手拭去臉上淚痕，探臂抓過枕邊匕首，冷喝了一聲，猛向楊夢寰前胸刺去。

朱若蘭舉臂一擋，想把她握著匕首的右臂架開，哪知雙臂一觸之下，只覺趙小蝶右臂光溜無比，嬌軀直向兩人之間撞去。

趙小蝶寒森森的刀鋒，已觸及夢寰前胸，聽得朱若蘭急促的叫喊之聲，不覺間往後一緩。

就這微一緩衝，朱若蘭已到兩人之間，就榻一滾，擋住了楊夢寰身子，舉手把趙小蝶右臂

推開。

趙小蝶氣得星目熱淚泉湧而出，怒道：「姊姊已答應過我，他若有犯我之外，允許我把他殺掉，你這樣護著他，是何居心？」

朱若蘭嘆道：「他雖有犯你之意，但不能完全怪他，你先把衣服穿上，咱們再慢慢的談，如果錯在他一人身上，我決不阻攔妹妹殺他。」

趙小蝶心中雖氣，但卻不好太使朱若蘭難看，依言穿好衣服，握著匕著，道：「我肯替他療傷，完全是看在姊姊面上，媽媽遺言說得不錯，世間男人，沒有一個好的。」

朱若蘭趁趙小蝶穿衣之時，暗運功力，拍了楊夢寰「天靈」、「玄機」兩大要穴，使他安靜下來，其實楊夢寰全身經脈已通，傷勢已好了大半，再經朱若蘭拍中兩個要穴，神智逐漸由高燒的慾念中清醒過來，聽得趙小蝶責問之言，心頭頓生感愧，忽的一躍下榻，急向室外奔去。

這一下，大出兩人意外，朱若蘭顧不得回答趙小蝶的問話，縱身一掠，從夢寰頭上飛過，翻身攔住他，問道：「你要到哪裡去？」

楊夢寰神智雖已清醒，記憶尚未全復，恍恍惚惚中，似乎記得剛才緊擁著趙小蝶並臥榻上之事，聽了朱若蘭問話，仰面思索一陣，答道：「我要出去，找一處安靜地方，一個人想想看，我做了些什麼事情？」

朱若蘭看他神態，已知他神智還未完全恢復，微微一笑，道：「你大傷初癒，精神、體力均未復元，哪裡能隨便亂跑……」

她聲音忽然低得只可對面相聞，接道：「木榻上那位姑娘，就是療救你傷勢之人，快些過

去說幾句感謝之話，人家爲救你性命，忍受了無限委屈，如果言語間對你有什麼刺傷之意，也要忍耐下去，決不可反唇相激。」說完，舉起皓腕，拉著他一雙手走回木榻。

趙小蝶滿臉嗔怒之色，手握匕著，目光盯注夢寰，一語不發。

朱若蘭替他取過衣服，先讓他穿好衣服，才對趙小蝶道：「蝶妹妹！翠姨活在世上時，對我愛護如自己女兒一般，這十幾年來，我一直在想著翠姨對我養育恩情，過幾天，咱們一起到你們住的百花谷去，也讓我奠拜翠姨墳墓，聊盡一點孝心。」

趙小蝶一怔神，忽然拋下手中匕首，垂首閉目，兩行淚水，緩緩由眼角流下，低聲答道：「小婢知罪了，但請公主責罪就是。」說完話，一躍下榻，盈盈跪拜下去。

朱若蘭急忙伸出雙手，扶起趙小蝶嬌軀，道：「翠姨對我的養育之恩，重如再生父母，咱們以後還是以姊妹相稱的好，我比你大上幾歲，就算姊姊吧！再說妹妹的父親，又是我授業恩師，不管怎麼算，咱們都是姊妹，以後千萬不要再這般對我，你這樣，反使我心中不安了。」

她側目望了夢寰一眼，接道：「你這人怎麼啦！我蝶妹妹爲救你性命，不知道忍受了多大屈辱，還不快拜謝救命之恩。」

楊夢寰被朱若蘭拿話一逼，只得深深一揖，道：「楊夢寰拜謝姑娘救命之恩！」

趙小蝶望也不望他一眼，冷冷地笑道：「不是看在蘭姊姊面上，誰愛管你死活！哼！我不殺你，已經不錯了。」

楊夢寰被她幾句話頂得愣了一愣，緩步向石室一角默默垂首而立。

朱若蘭輕輕一嘆，拉著趙小蝶，一同在木榻上坐下，道：「事情既已過去，尙望妹妹看在姊姊份上，不要再去追究……」

她本想再替楊夢寰辯解一番，但想到這種事難於出口，又難辯說得清楚，只好忍下未完之言。

趙小蝶緩緩站起身，道：「姊姊再要他坐息一陣，就可完全康復，我到外面通知四個使女一聲，準備一下，就回百花谷去了。」

朱若蘭道：「妹妹既然到了這裡，何不多住幾天，這座石洞，異常廣大，就是再多上幾個人，也有住處！」

趙小蝶幽幽一笑，道：「謝謝姊姊盛情，我已經很久沒有到媽媽墳上奠拜了，還是早些回去了好。」

朱若蘭拉著她一隻手，無限惜愛，深情地說道：「我要到翠姨墳上去奠拜一番，過兩天咱們一起走，好嗎？」

趙小蝶緩緩仰起粉臉，幾度啓綻櫻唇，但卻答不出話，她心中湧集了無比的痛苦悔恨，既傷痛背棄媽媽遺言，又心痛楊夢寰相犯舉動，但又不忍太傷朱若蘭惜愛之心……一時間猶豫難決，不知如何是好？

朱若蘭看著她爲難神情和滿臉痛苦之色，知她芳心之中，正爲著母親遺言和夢寰相侵之事苦惱，當下輕輕一嘆，接道：「我知道，妹妹心中很痛苦，但望看在姊姊份上，不要這樣多尋煩惱，你這樣，我心中十分不安。你雖然身負上乘武功，但卻毫無一點江湖閱歷，縱有絕代聰明，也難防江湖間陰惡鬼謀。何況，你還帶著武林中人視若比性命還重要的《歸元秘笈》，讓你一個人走，我如何能放得下心。」

趙小蝶幽幽一笑，道：「姊姊這般待我，我心裡更是感激……」突然她屈膝而跪。

朱若蘭靜靜地站在一側，直待她祈禱完畢，伸手攙她起來。

趙小蝶經過一陣祈禱，心情似乎輕鬆不少，臉上那幽怨之色，亦隨著消失，綻唇一笑，道：「我都告訴媽媽啦！我替那男人療傷，完全是爲著姊姊，我心中一點也不喜歡他，所以，他雖有犯我舉動，也可以原諒他了。」

朱若蘭聽她講得十分認真，忍不住接口問道：「翠姨對你說些什麼？」

她這隨口一問，本是無心之言，話出口心中已覺出後悔。

只見趙小蝶神情凝重，臉色十分莊肅地答道：「媽媽心中，一直很愛惜姊姊，每日都要對著姊姊的畫像祈禱，彌留之際還不停叫著蘭黛公主，而且再三告訴我，見得姊姊之時，一切都要依你吩咐，姊姊，我做的事，縱然錯了，媽媽也不會生氣……」

朱若蘭聽她娓娓說來，如有其事，好像翠姨真的在她身側一般，不禁心頭一凜，暗道：難道翠姨陰靈，果然有知不成，怎麼能在片刻之間，使她由痛苦之中，變作歡愉之容？聯想到翠姨養育之恩，不禁頓生尊敬之心。

但聞趙小蝶長長嘆息一聲，道：「媽媽雖然已死去多年，但在我感覺之中，她仍然在我身邊，每當遇上什麼疑難之事，就跪地向她訴說，媽媽就會指示我如何去做。」

朱若蘭聽她說得神奇，心中雖然不信，口頭上倒是不好反駁，淡淡一笑，道：「有敵人來了白雲峽，咱們出去瞧瞧去，妹妹可把調息之法傳給他，留他在這裡養息吧。」

趙小蝶側臉望了呆站在石室一角的夢寰一眼，只見他垂首閉目，臉泛愧色，一派拘謹神情，心中忽生不忍，聲音也較前柔和了很多，道：「你再坐息一陣，就可完全復元，最要緊是，把我助你真氣，借爲己用，先行百骸，再納丹田，運行三次之後，即能融歸己有。」

她說話聲音雖然柔和許多，但神態仍甚冷漠。

朱若蘭輕步走到夢寰身側，低聲慰道：「快去依言而做，等一下，我帶琳妹妹一起來看你。」

楊夢寰慢慢睜開眼睛，淡淡一笑，也不答話，就地盤膝而坐，運功調息。

朱若蘭本想扶他到自己臥榻之上，但又想不便當人之面，做出那樣親熱舉動，暗暗嘆息一聲，和趙小蝶攜手出了石室。

楊夢寰得趙小蝶以本身修練的真氣相助之後，本已大好，身受陶玉太陰氣功暗算，亦被趙小蝶以本身真氣迫出體外，再連兩次運氣調息，登時感到全身舒暢，百脈俱通，正待再第三次調運真氣，忽聽石門一響，微風颯然，人影閃動，陶玉帶著滿臉笑意，躍落身側。

他目光盯在夢寰臉上望了一陣，忽然格格大笑道：「楊兄好大的福命，兄弟實在想不到咱們還有今日這見面之緣。」

楊夢寰嘆道：「這一年來，有如度過百年一般，想起身歷凶險，直似一場夢境……」話至此處，忽然一頓，仰臉思索一陣，接道：「陶兄，咱們在峨嵋山中，好像見過一面，那時我傷勢甚重，不知是否記憶有錯？」

陶玉心頭微微一驚，略一沉忖，立時笑道：「不錯，不錯，那時楊兄正與身穿黑衣的女人，困於一座山洞之中，兄弟曾與那女人動手相搏……」

楊夢寰道：「那女人就是名傳江湖的玉簫仙子，陶兄只怕不是她的敵手。」

陶玉看夢寰神情，毫無懷疑之色，知他當時神智已昏，無法回憶起當時經過，心頭一寬，道：「說起來慚愧得很，兄弟竟連一個身受重傷的女人也打不過，被她擊落在懸崖下水潭之中。」

楊夢寰道：「玉簫仙子之名，早已震盪江湖，陶兄敗在她手中，也不算什麼丟人之事。」

陶玉道：「勝敗之事，兄弟也不放在心上，只是未能救得楊兄，不無愧疚之處。」

楊夢寰道：「陶兄爲我，身歷落水之險，深覺不安，雖未能救得兄弟，陶兄已盡心盡力，兄弟仍然感激得很。」

陶玉微微一笑，道：「剛才已得令師妹述及楊兄受傷情形，兄弟十分擔心，只是楊兄正值緊要療傷關頭，不便驚擾，只得在洞外等候……」

楊夢寰嘆息一聲，說道：「待我再做一次運氣調息之後，咱們尋個清靜地方，再作長談，我正有很多事請教陶兄呢。」

陶玉正待答活，突然石室外面傳來朱若蘭的聲音道：「哼！那個奇裝異服，男不男女不女的人，壞透了，你以後再見他之時，千萬可要小心……」

只聽沈霞琳幽幽答道：「他是寰哥哥的朋友，我怎麼能夠不理他呢，……」

但聞兩人談話之聲，由遠而近，瞬息間已到了石門外，陶玉忽然一舉右手，按在楊夢寰背後「命門穴」上，提高聲音，叫道：「楊兄，讓做兄弟的助你一臂之力，看看效力如何？」

他餘音未全落，朱若蘭已躍入石室，但見他右手按在楊夢寰要穴之上，不禁驚得呆了一呆。

要知那「命門穴」乃人身十二死穴之一，陶玉只要微一吐蘊掌心內勁，立時可把楊夢寰震死掌下，處在這等情形之下，叫她如何不驚！只聽陶玉格格大笑一陣，說道：「楊兄氣血已可

暢通百穴，傷勢已經大好，再經過一次調息，就可以完全復元……」

朱若蘭冷笑一聲，接道：「哼！貓哭耗子，裝的什麼假慈悲！」

陶玉口中雖對夢寰說話，目光卻盯在朱若蘭臉上，這時，她已換著女裝，玄衣裹身，嬌軀玲瓏，瑰麗容色，耀眼生花，只看得陶玉目眩神弛，忘記了身置何處。

朱若蘭看他一雙眼睛，只管在自己身上打量，不禁心頭大怒，微一晃肩，已欺到陶玉身側，正待揮掌擊出，忽見陶玉按在夢寰「命門穴」上右手微微向前一推，楊夢寰靜坐的身軀，倏地向前一傾，緊閉的雙目，霍然睜開，朱若蘭心頭一凜，急忙向後躍退。

只聽陶玉格格一笑，道：「楊兄快請凝神行功，眼下你真氣正運行在全身經脈之中，要是分心旁騖，岔了氣，可不是鬧著玩的。」

楊夢寰被他按在「命門穴」上的右掌一推，忽覺一股潛力，侵入體內，那運行真氣，立時凝滯不動，覺著有異，才睜開雙目，但聽得陶玉一叫之後，趕快又閉上眼睛，凝神行功。

只覺那侵入體內潛力，倏然消失，滯凝真氣，重又運轉全身經脈。

朱若蘭已和陶玉動手兩次，知他武功，要比夢寰高出很多，何況他此刻已把右手按放在楊夢寰「命門穴」上，她心中如輪轉般，思索一陣，目光移注在他臉上，說道：「你不要傷害他，什麼事，咱們都可以談。」

陶玉微微一笑，道：「第一件，咱們都不許提起以往舊事，免得鬧出誤會。」

朱若蘭道：「好吧，不過，得定出限期，難道咱們今生今世，都得受此約言限制不成？」

陶玉道：「以三月為期，時間不算長吧？」

朱若蘭冷笑一聲，道，「不算長，也不很短，你還有什麼話，請快說吧？」

陶玉道：「第二件事，三個月內，彼此不能有相犯行動。」

朱若蘭道：「你難道不準備離開這裡了？」

陶玉道：「不錯，我想和你們在一起玩它三個月，再走不遲。」

朱若蘭心中雖然極爲不願，但見陶玉緊搭在夢寰「命門穴」上的右手，早蓄勁待發，只得委委屈屈地答應了，金環二郎格格一笑，忽然閉上眼睛，潛運真力，攻入楊夢寰「命門穴」。

楊夢寰只覺一股熱流，催動運行的氣血，片刻之間，已遍達四肢百骸。

朱若蘭和霞琳，靜靜地坐在一側，看著陶玉助夢寰氣血運行。

要知陶玉此刻的武功，已非昔年可比，內功亦有極大進境，不足一刻，楊夢寰那運行全身經脈間的真氣，重又納歸丹田，忽地睜開眼睛，望著朱若蘭微微一笑道：「我現在大概可以算完全好了吧？」

朱若蘭還未及接口，陶玉搶先接道：「楊兄的傷勢，已算全好，只要再能安心調養幾天，待身體復元之後，就可恢復昔日雄風了。」

楊夢寰剛才被陶玉用內家潛力，幾乎逼散運行在經脈中的真氣，正值緊張關頭之時，是因聽得陶玉告誡他凝神運功之後，立時聚精會神，運氣行血，又得陶玉以本身功力相助，使全身氣血行速大增，意與神會，心無雜念，對朱若蘭和陶玉一番問答之言，一句也未聽入耳。是以，在聽得陶玉幾句稱讚之言後，回頭笑道：「如非陶兄相助之力，只怕我還得多加幾天調息時間，才能氣達百穴，血暢全身經脈呢。」

陶玉收回置放在夢寰「命門穴」上右手，道：「好說，好說，如果要是兄弟受了楊兄那等慘重之傷，恐早已屍冰骨寒多時了。」

楊夢寰嘆道：「我這次所受之傷，確是慘重至極……」他目光忽然轉投朱若蘭臉上，接道：「都多虧這位朱姊姊，援手相救，才得死裡逃生。」

朱若蘭綻唇一笑，道，「你應該謝那位趙家妹妹才對，不是她，你哪裡還有命在？」

楊夢寰想起剛才趙小蝶對自己冷漠神情，不禁默然垂目。

陶玉突然站起身子，對朱若蘭深深一揖，笑道：「在下該代楊兄謝謝朱姑娘相救之恩。」

朱若蘭臉色微變，道：「哼！你不要裝得若無其事，總有一天，把你的惡跡告訴他。」

陶玉格格一笑，故意打岔道：「好說！好說！」

這時，沈霞琳也已進了石室，截住陶玉的話，叫道：「寰哥哥，你的傷好了嗎？」一張雙臂急向夢寰懷中撲去。

她這近月的時日之中，爲擔心夢寰傷勢惡化，受盡了痛苦折磨，驟然見他傷勢大癒，不禁喜極而泣，伏在夢寰懷中，淚水泉湧而出，雙臂緊緊抱著夢寰，接道：「要是你不能活啦，我和黛姊姊，都要陪你住在一起，仍然可以天天跟你見面，所以，前天你傷勢重的快要氣絕之時，我也沒有灑過一滴淚水。」

楊夢寰理理她的秀髮，笑道：「這些時日之中，恐怕苦壞你了！」

沈霞琳緩緩鬆開緊抱夢寰的雙臂，抹去臉上淚痕，抬起頭笑道：「我沒有什麼苦，受苦的都是黛姊姊，她要想法子救你，還要和很多壞人打架，唉！要不是黛姊姊，你是一定不能活啦。」

# 三三　山雨欲來

陶玉靜靜地站在一側，目睹霞琳和夢寰諸般親熱舉動，心中頓生妒意，但他是城府極深之人，內心雖然恨得想把楊夢寰活劈劍下，但外形仍然保持著平靜神色，絲毫看不出激動之情。

楊夢寰轉臉望著朱若蘭，低聲說道：「姊姊數番相救之情，我只有深銘五內，今生今世，只怕我無能報答了。」

朱若蘭微微一笑，沒有回答什麼，萬千柔情蜜意，盡在那盈盈一笑中。

陶玉冷眼旁觀，看兩人相對夢寰，一般地深情款款，再也忍不住心中妒忿，冷哼了一聲，道：「楊兄這場傷疼之苦，可算沒有白受，做兄弟的……」他在妒忿之下，幾乎說溜了嘴，趕忙輕咳兩聲，把後面幾句話，重又嚥回肚中。

朱若蘭目光湛湛地移注在陶玉臉上，冷冷接道：「不是你，他還不致於受那等慘重之傷，是也不是？」

陶玉面不改色地淡淡一笑，道：「哪裡，哪裡，兄弟要有那樣大的本領，早就把楊兄救出峨嵋山了，也用不到朱姑娘救他。」

朱若蘭道：「什麼兄弟兄弟的，你講話要有點分寸，哼！我雖然已答應你三月內不提舊事，不過你還是小心點好，要是想在我白雲峽搗什麼鬼，你就別想活著離開括蒼山。」

陶玉格格一笑，道：「只怕你未必一定能殺得了我。」

楊夢寰看兩人頂嘴愈來愈兇，只怕當真動起手來，使自己左右為難，趕忙勸道：「陶兄遠來是客，朱姑娘看在我的份上，相讓幾句吧。」

朱若蘭輕輕一嘆，道：「往後你得要小心一些，別讓人家把你給算計了，你還不知道怎麼死的呢。」

楊夢寰素知她不肯隨便說話，此際，連番撩挑陶玉，決非無因，不覺轉過臉望了陶玉兩眼。

金環二郎究竟是心機深沉之人，雖然處在大不利己的情勢之下，仍然毫無驚慌之色，淡淡一笑道：「我和楊兄一見如故，才不惜千里迢迢的跑到白雲峽來看他，朱姑娘連番挑撥，不知是何居心？咱們武林中人，最重信義二字，既是出口之言，自是不能反悔。」

他怕朱若蘭把峨嵋山目睹之事，當面揭穿，故而又拿話把她扣住。

朱若蘭冷笑一聲，拉著沈霞琳，一齊退去，左腳跨出石門，又陡然回過頭，對楊夢寰道：「你要小心自己，最好不要擅離此室一步。」說完，又隨手帶上石門。

這時，楊夢寰已看出朱若蘭一切言行，不只是為了厭惡陶玉，再三警告要自己小心，定非無因，不禁提高了幾分警覺，暗中運氣戒備。

但他這戒備之心，哪裡能逃過陶玉一雙眼睛，只聽他格格一笑，道：「怎麼？楊兄真的對兄弟不放心了？」

他這單刀直入的一問，反使楊夢寰大感尷尬，連聲答道：「哪裡，哪裡。」趕忙把提聚的真氣散去。

陶玉目光流動，打量了石室一遍，笑道：「這石室之中，布設倒還不錯，不知是何人臥室？」

楊夢寰訕訕一笑，道：「兄弟身受重傷之後，被人送到這座石室中療治，說起來慚愧得很，這座石室，正是那位朱姑娘的臥室。」

陶玉道：「她能把楊兄放在她臥室之中療傷，友情定非泛泛……」突然，他目光觸到木榻一角，放著一個精巧的石盒，心中一動，暗道：那精巧石盒內，定然放的異常珍貴之物，怎麼想個法子，取到手中，打開看看？也許正是我來此尋求之物。

他心中雖在轉著念頭，目光卻迅速移開那精巧石盒，生怕引起夢寰注意。

楊夢寰被陶玉說得臉上泛起紅暈，嘆口氣道：「她對我的確恩重如山……」

陶玉格格一笑，接道：「情深似海，可是最難消受美人恩，不知楊兄在朱姑娘和令師妹間，作何取捨？」

楊夢寰聽得一怔，暗道：這倒不錯，我這段時日之內，一直未想過這個問題……

他一時想不出適當措辭回答，沉吟了半晌，忽然想起童淑貞來，立時反問道：「陶兄，我童師姊哪裡去了？」

陶玉似是早就想到他會有此一問，不慌不忙地答道：「她就在白雲峽外一處隱密的山谷中，極希望能見你一面……」他忽地黯然一嘆道：「不過，她這願望是無法達到了。」

楊夢寰一皺眉頭道：「這等事，還會有什麼為難不成？陶兄如果願我見她，咱們現在就去。」

陶玉道：「兄弟冒著重重危險，到這石洞中來，固然大半是為探看楊兄傷勢情形，但另一半原因，也是爲她而來，她甚望能和楊兄再見最後一面。」

楊夢寰驚道：「最後一面，怎麼？難道她不想活了。」

陶玉嘆息一聲，道：「不錯，不是兄弟提防得法，她恐怕早已死去多時了。」

楊夢寰想到同門之誼，不禁默然神傷，沉默良久，才抬頭望著陶玉說道：「童師姊生性十分賢淑，兄弟甚望陶兄能好好待她。」

陶玉微微一笑道：「我縱然能善爲待她，只怕也不能挽回她必死之心。」

楊夢寰道：「她爲你冒武林大忌，背師欺祖，叛離師門，如非用情極深，決不會私逃下山……」

陶玉道：「正因爲她叛離師門，私逃下山，犯了武林大忌，心中才惶惶難安。你們崑崙派號稱九大武林主派之一，門規森嚴，對叛離師門弟子，決不肯輕輕放過，假如楊兄已奉得掌門之命，著擒你童師姊回山治罪，只怕咱們在川西相遇之時，你也不會放過我們了。」

楊夢寰聽得一呆，暗自忖道：不錯，假如我已奉得掌門師叔令諭，再見她時，就不能放過她……

陶玉見夢寰沉忖不語，又道：「楊兄難道不去見你師姊一面？想必對此事感到十分爲難，既不忍和她動手，又不能違背師門令諭……」

楊夢寰道：「唉！武林之中，最重師道，兄弟膽子再大，也不敢違抗師門令渝，不過，到目前爲止，兄弟尚未接到師門搜擒童師姊的令諭，就算兄弟還不知此事，陶兄早些帶她走吧。」

陶玉道：「這麼說來，你是不願再見她一面了？」

楊夢寰苦笑道：「就請陶兄代我致意，說我實有爲難之處，不便再和她相見了。」

陶玉道：「楊兄這等決絕，兄弟自也不便勉強，我就去轉達楊兄之言，讓她死了這條心吧……」

他話還未完，沈霞琳手捧飯菜推門而入，很仔細地把碗筷擺在夢寰面前，笑道：「這些飯菜都是黛姊姊親手做的，她要我告訴你不許吃得太多，等一下你餓了，再做給你吃。」

忽聽陶玉輕輕一嘆道：「你師妹說得不錯，你在重傷之後，腸胃效能尚未盡復，不宜吃得太多。」

沈霞琳轉臉望陶玉嫣然一笑道：「黛姊姊對我說，你是個很壞的人，不要我理你，但你對寰哥哥這樣好，我要不理你，心裡又很難過。」

陶玉微微一笑，道：「你黛姊姊講的話，也許不錯，我陶玉也不願被人說成好人。」

楊夢寰聽得一皺眉頭，暗自忖道：只看你帶我童師姊叛離師門一事，還會是什麼好人。但轉念又想至陶玉對自己諸般好處，又不禁暗自責道：他雖不是好人，但對我一直視若知己，童師姊叛師離山一事，也許是出於她自己之願，未明真相之前，豈可加人以罪，縱然陶玉確屬寡情之人，我楊夢寰豈能和他一般不義。

心念一轉，陪笑說道：「我師妹素無心機，說話不知輕重，陶兄不要和她一般見識，開罪之處，兄弟代爲賠禮了。」說完，起身深深一個長揖。

陶玉急急還了一禮，說道：「兄弟一向很少和人論交，但和楊兄卻一見如故，唉！想不到……」

只聽沈霞琳長長嘆息一聲，打斷了陶玉之言，顰起雙眉接道：「寰哥哥，我說錯了，他是

你很要好的朋友，我怎麼能得罪他呢？」

陶玉目睹沈霞琳對夢寰諸般遷就深情，忽生妒念，暗裡咬牙忖道：我如不把你們攪個天翻地覆，誓不罷休。

楊夢寰微微一笑，道：「陶兄乃大量之人，決不會怪你……」

陶玉格格一笑，接道：「沈姑娘但請放心，別說你是無心之言，就是有心辱罵兄弟，衝著我和你師兄一番交情，我也不會放在心上。」

沈霞琳展顏一笑，道：「你不生我的氣，我就放心啦！要不然，寰哥哥會責怪我不會說話，得罪了他的朋友。」說完話，端起夢寰吃剩的飯菜，退出石室。

陶玉目睹霞琳去遠，低聲問道：「楊兄是決定不見她了？」

楊夢寰霍然躍起，答道：「童師姊既然希望見我，兄弟就和陶兄走一趟吧。」

陶玉故作一聲輕嘆，緩緩站起身子道：「楊兄既然願意見她，那是再好沒有，兄弟先走一步，通知她一聲，好讓她梳妝一下。唉！不瞞楊兄，這半月來，她不知為了什麼，每日不言不笑，頭也不梳，臉也不洗，兄弟雖然想盡方法逗她歡心，均歸無用……」

楊夢寰心地忠厚，聽說童淑貞落得那般模樣，陡增懷念之情，急急截住陶玉的話，道：「急不如快，咱們現在就去吧！」

陶玉道：「你們有同門之誼，即是看她披頭散髮，量也不致恥笑於她。」

楊夢寰急道：「哪裡，哪裡，兄弟怎敢恥笑師姊！」

陶玉裝出黯然神色，緩步出了石室，楊夢寰緊隨在陶玉身後，他心中急於會見童淑貞，恨

不得放腿急奔，但陶玉卻不慌不忙毫無匆急樣子。

兩人一前一後，大約走了十幾步，陶玉突然一摸口袋，低聲說道：「楊兄請在此稍候一刻，兄弟一塊手帕，遺落在石室中了。」

楊夢寰還未及答話，陶玉已縱身躍返石室，楊夢寰一怔神間，陶玉已復出石室，手中果然拿著一塊白絹手帕，含笑躍回夢寰身側，道：「咱們走快一點，別讓她等得心急。」

他雖然覺得陶玉這一行動，太過突然，但一時間，卻無法想出原因，心中疑念未息，人已被陶玉拉著向前跑去。

正奔行間，突聽沈霞琳嬌脆的聲音，在身後響起道：「寰哥哥，你要到哪裡去，我也去好不好？」

楊夢寰停步回頭，搖著手，道：「我和陶兄出去看一個人，馬上就要回來，你在這裡等我，不要去啦！」

但聞颯颯風聲響動，沈霞琳已躍落夢寰面前，目光中愛憐橫溢，無限深情說道：「你的傷勢剛好，要是跑得累著了，怎麼辦呢？我和你一起去，可以扶著你跑，那你就不會累著了。」

陶玉微微一笑接道：「不要緊，有我和他走在一起，決不會使他累著了。」

沈霞琳一顰秀眉，似要說話，可是她幾次啓動櫻唇，始終未說出口。

楊夢寰素知她胸無城府，想到什麼，非說不可，此刻情景，大異往常，不禁心頭一疑，問道：「你有話怎麼不說呢？」

沈霞琳嘆道：「我想想還是不說的好，唉！要是說出來，怕要惹你生氣。」

陶玉一拉夢寰，笑道：「咱們快去早回，免得讓她掛念不安。」

楊夢寰一心惦念童淑貞，也無暇推想沈霞琳大異往昔神情的原因，低聲對霞琳笑道：「我知道，你有很多話要對我說，但現在我要和陶兄出去有事，等一下回來，再聽你說吧。」

沈霞琳微微一笑，道：「不管你說什麼，我總是要依你的。」

夢寰暗裡嘆息一聲，不再答話，轉身向前奔去。

兩人出了谷口奔行到一個轉角之處，忽見三手羅剎彭秀葦，由路側一塊大山石後，躍落路中，陶玉和楊夢寰並肩奔行，一見彭秀葦躍擋去路，倏然搶前一步，左掌橫擊，右拳直攻，兩招一齊出手，口中還故意喝道：「什麼人，竟敢這般撒野……」

此時陶玉的武功，已非昔年可比，出手一擊，不但迅快絕倫，而且手法奇奧難測，彭秀葦吃他左掌右拳橫擊直打的攻勢，迫得仰身倒翻而退，陶玉正待欺身而進，再下毒手，忽聽楊夢寰大聲叫道：「陶兄快請住手，這位姑娘是自己人。」

他在峨嵋山臥虎嶺石室之中，曾經醒過一次，目睹彭秀葦和霞琳聯手拒擋強敵，那時，他神智雖已不很清醒，但因彭秀葦形貌特殊，是以留在心中印象很深，故而在一見彭秀葦後，立時辨認出是自己人。

陶玉本想以迅速的手法，把彭秀葦傷在手下，但聞夢寰一叫，不得不停手，就這一緩之間，彭秀葦右手已套上鹿皮手套，探囊扣了一把沙，目光盯注陶玉，口中卻對夢寰說道：「楊相公，大傷初癒，快請回石室養息，這人邀你出去，決不會存著好心。」

楊夢寰一皺眉頭，還未來得及開口，三手羅剎似已預知他要說什麼，微微一笑，道：「楊相公不要多疑，婢子是奉朱姑娘之命而來，在此守候多時了。」

陶玉倏然一上步，冷笑道：「我和楊兄交情甚深，你縱然存心挑撥，只怕也未必能……」

彭秀葦已得朱若蘭指示，知他武功怪異，出手毒辣無比，剛才讓他一招攻勢，已知不虛，見他向前，立時退後兩步，一揚手中毒沙，接道：「你如再敢逼進一步，就嘗一下我的七步追魂沙的味道如何？」

陶玉已從她剛才閃避自己一擊的身法之中，看出這外貌醜陋的女人，武功亦非泛泛庸手，眼下兩人相距甚近，她手中毒沙，一發就是千百碎粒，讓避十分不易，倒也不敢再向前逼近，回頭望了夢寰一眼，道：「楊兄請回石洞去吧！兄弟要先走一步，只怕她已等得焦慮難耐了。」

楊夢寰搶前兩步，和陶玉並肩而立，話還未說出口，忽見彭秀葦又向後疾退三步，搶先說道：「楊相公請向左側移動幾步，有什麼事，再吩咐婢子就是。」

陶玉看彭秀葦處處謹慎，心知今日遇上了勁敵，自己籌思之計，只怕無法騙得過她，當下冷笑一聲，不再說話。

原來三手羅刹怕陶玉借和楊夢寰說話機會，使自己無法打出毒沙，趁勢施展，故而先發制人，點破對方鬼計。

楊夢寰已意會到彭秀葦話中含意，依言向左邊橫跨兩步，說道：「這位陶兄，和在下相交甚深，望姑娘看在我的份上，能予讓路放行？」

彭秀葦微一沉吟，道：「非是婢子故意和相公爲難，只因朱姑娘令諭森嚴，婢子未得姑娘允准之前，實不敢自作主張放行，這個，得請相公原諒。」

楊夢寰聽得微微一怔，暗道：朱若蘭作事，一向持重，如無風吹草動，決不會派人攔路，

想來這中間，只怕真有……

他念頭還未轉完，忽聽陶玉冷笑一聲，道：「楊兄，此刻寸陰千金，豈是用口舌解釋之時，再說，你縱然不惜口舌，只怕也無結果，咱們先闖過去，回頭你再對你們朱姑娘解說不遲……」

話還未完，左手已扣住夢寰右腕，縱身向前衝去。

彭秀葦手中雖扣一把絕毒無比的七步追魂沙，但怕連帶傷了夢寰，不敢打出，只得一揮左掌向陶玉擊去。

陶玉冷哼了一聲，右手一招「揮麈清談」，向彭秀葦左臂掃去。

彭秀葦被陶玉一招以攻制攻的反擊，失去先機，迫得向後躍退七尺，叫道：「楊相公快請站開，免得婢子無法……」

陶玉哪還容她緩過手腳，左手扣拿夢寰手腕微一加力，欺身直上，倏忽間踢出四腿，劈了三掌。

這七招快攻，迅厲絕倫，彭秀葦根本就無法還手，被迫退到路側，陶玉卻借勢用力一帶，和夢寰一齊縱躍衝過，攔手向前疾奔而去。

彭秀葦心頭大急，正要放腿追趕，忽聽朱若蘭的聲音，在身後響起，道：「不要追他們吧，快些回去。目前，咱們這白雲峽周圍已隱伏了不少強敵，靈鶴玄玉已被人打傷，無法再巡空監視敵蹤，趙姑娘和沈姑娘，均是毫無江湖閱歷之人，陳葆，松芸，又被我遣派出去，石洞中已無幹練之人，那姓陶的武功極高，你就是追上，也不是敵手，我要暗中追蹤，看看他究竟在搗什麼鬼？」說完，也不待彭秀葦回答，微微一挫柳腰，香風拂動，人已到四、五丈外。

彭秀葦目睹朱若蘭奇快身法，心中又增幾分敬服，把手中毒沙收回囊中，轉身返回石室。

且說陶玉左手扣夢寰右腕，一口氣跑了四、五里，才鬆手笑道：「楊兄請恕兄弟莽撞，如不硬闖過去，只怕現在還與那醜怪女人作口舌之辯呢。」

楊夢寰已覺出陶玉武功，和一年前初度會面之時，增加何止一倍，心中甚感驚異，但一時間，不便詢問，點點頭答道：「這事也怪不得陶兄焦急，就是兄弟，也急欲早些會見師姊。」

陶玉遙指前面一座滿生蒼松的山峰，笑道：「她就在前面那山峰後一道幽谷中隱身，咱們快一點趕路，大概不要一頓飯工夫，就可以見到她了。」

當下兩人一齊施展輕功，向前奔去。

楊夢寰重傷初癒，身體虛弱未復，奔行一陣，身上已現汗水。

陶玉停步笑道：「楊兄身體尚未恢復，兄弟扶你趕路如何？」

楊夢寰喘息一陣，抬頭望著前面一片翠綠的山峰笑道：「咱們已趕過一半路程，兄弟還可支撐得住。」

陶玉也不勉強，微微一笑，又繼續向前奔去。

兩人又奔行一盞熱茶工夫，陶玉突然又停止腳步，轉臉向左側山崖邊一片亂草叢中望去。

只見那草叢旁邊，伏臥著一個身著勁裝的大漢，身邊數尺處，放著一把單刀。

陶玉一望之下，已看出是天龍幫中弟子，縱身一躍直搶過去，右腳微一用力，把那伏臥大漢翻轉過來，伸手一摸，鼻息早絕，原來已死去多時。

楊夢寰看著那大漢，全身不見傷痕，耳鼻口目中，亦無溢血現象，既非兵刃拳掌所傷，亦

非被內力震死，不知被人用什麼手法擊斃，橫屍這亂草叢邊。

陶玉查看過死者之後，右腳一抬，把屍體挑拋入草叢深處，回頭對夢寰笑道：「這死去大漢，是被人用一種極高內家功夫，綿掌之類所傷，是以，外面毫無傷痕，耳目鼻中亦無溢血現象。」

楊夢寰道：「兄弟聽家師講過，綿掌為武當派絕技。有不少門派，都有近乎綿掌之類的陰柔功夫，像崆峒派的陰風掌，華山派的竹葉手，都是擊人無痕，專傷體內脈穴的陰毒功夫。」說完話，又放腿向前奔去。

兩人緊走一陣，已到那滿山蒼松的峰下，陶玉正要舉步攀登，忽然冷哼了一聲，停步不進。

楊夢寰重傷初癒，耳目不如平時靈敏，聞聲望去，只見峰前兩株巨松之上，分吊兩個屍體，懸空飄來蕩去。

陶玉忽地一振雙臂，躍飛起兩丈多高，左手一探，抱著右面巨松上被吊之人腰際，右手掌緣橫向繩上一削，吊繩應手而斷，陶玉右手卻借勢抓住繩索，左臂一甩，把屍體向夢寰投去，口中叫道：「楊兄接著，別讓他摔得血肉模糊。」

楊夢寰依言張開雙臂，接住陶玉投來屍體一看，但見舌吐眼暴，極似自縊而死。

陶玉在拋出屍體的同時，人也隨著飛落夢寰身側，望了那屍體一眼，道：「他是先被人點了穴道，然後吊在樹上，再解他被點穴道，看上去似和自縊而死一般，哼！這點鬼虺伎倆，豈能瞞得過人。」

楊夢寰沉忖片刻，道：「陶兄所見極是，只是這死去之人，都似是江湖道上人物，而且死去時間不久……」

陶玉冷笑一聲，接道：「不錯，這白雲峽中，恐即將掀起一場慘烈絕倫的搏鬥，也許在我們四周，正有著無數強敵暗伺。」

說完，忽然從夢寰手中搶過屍體，雙臂一振拋到數丈外，一片濃密的林木之中，又道：「走！快去看你童師姊去。」

楊夢寰默然無言，跟在陶玉身後，向上攀登，但暗中已凝神戒備。

這座山峰，並不很高，只見蒼松蔽天，穿行林木深處，不見一點日光，地上寸草未生。

陶玉躬身抓起一把紅土，在鼻上嗅了嗅，一語不發，又繼續向前奔去。

又走了數刻之久，到了一處深澗旁邊，陶玉側臉望了夢寰一眼，笑道：「越過這道深澗就到了，楊兄體力未復，讓兄弟扶你一把如何？」

楊夢寰看溪澗只不過一丈多寬，但卻深不見底，隱隱由下面傳上來水流奔騰之聲，他估計自己縱然體力未復，也不致連這丈餘寬的澗溪也躍它不過，當下笑道：「陶兄請先躍渡，兄弟尚可躍得過去。」

陶玉探頭向澗底一看，笑道：「你先運氣試試，不可勉強，這溪澗深不見底，摔下去可不是鬧著玩的，縱然是你自己摔入澗中，但你沈師妹眼看著我們一起出來，自然會懷疑兄弟有意加害的。」

陶玉說完神秘一笑，便縱身躍過。

楊夢寰暗中試行運氣，只覺各脈暢通，立時心頭一寬，雙臂一抖，一鶴沖天，先把身子拔起來一丈多高，然後變式飛燕掠波，直著向對岸落去。

他身子正在深澗上面之時，隱聞嗤嗤兩聲輕微破空之聲，緊接著呼地一聲輕響，似是兩個極小之物相撞一起。

忽聽陶玉大聲喝道：「什麼人敢施暗算？」

楊夢寰腳落實地，陶玉又縱身躍回深澗對岸，搜尋一陣，才重返回，臉上微現驚愕之色，低聲對夢寰道：「咱們現已是強敵監視之下，快走。」也不容夢寰答話，拉著他向前疾奔，他心中雖在籌思毒計，但臉上微笑，卻愈是平和好看，毫無忿怒之色。

轉了幾個山腳，景物忽然一變，只見滿地綠茵，稚草山花，兩道山壁，夾持著一道幽谷。

陶玉帶夢寰深入谷中百丈左右，在一個大岩石旁停下，回頭望一陣，縱身躍飛那突岩之後。

楊夢寰略一猶豫，緊隨著躍到突岩後面，但陶玉早已躍跡杳然。

這突岩之後，是一道光滑如削的山壁，除了緊接地面，有一座三尺高低，尺許寬窄的山洞之外，左右百丈之內，都可一目了然，既無可以隱身的山石樹林，那削壁又無凹陷之處，陶玉身法再快上一倍，也不可能在剎那間飛躍奔出百丈以外，唯一的可能，就是隱入那山洞之中。

他微一沉忖，隨手撿起兩塊山石，低頭向洞中尋去。

原來，他隨陶玉離開白雲峽時，走得慌急，連護身兵刃都沒有帶。

山洞之中，異常黑暗，而且高低不平，走起來十分不便，好在他一年來，經歷不少驚險之事，也長了不少見識，知這深山之中，有很多天然石洞，深達數里，常常橫穿山腹而過，是以，他試行一段之後，逐漸加快速度，約走有二里左右，忽見前面現出天光，果然，這條石洞

是橫穿山腹，通到另一條山谷之中，心頭一喜，腳下更快，片刻間已出洞。

只見陶玉手執著金環劍，站在一座山石砌成的房子前面發呆，雙眉聳動，似正在用心思解什麼難題一般。

楊夢寰仔細打量了眼前景物，心中暗自叫絕，忖道：好一處隱密所在，如再把那入口封堵起來，倒是一處最好的避難之地。

原來石洞這端，並非山谷，而是四面峭壁，環圍四、五丈方圓一塊平地，而且愈向上愈小，露天之處，只不過井口大小一個圓洞，直似由人工鑄成的一口石井。此時正值麗日中天，陽光由上面洞口直射而下，是以，洞中十分明亮。

楊夢寰看清楚四周景物，立時一個箭步，躍到陶玉身側，問道：「陶兄，我童師姊可在那石屋裡嗎？」

陶玉淡淡一笑，道：「我把她送到這裡之後，就去找你，約定在這裡見面……」

楊夢寰只聽得心頭一震，接道：「怎麼，她現在不在了？」

陶玉道：「也許她等得不耐煩，先自走了。」

楊夢寰心頭大急，縱身躍入石室，但見徒空四壁，哪裡還有童淑貞的影兒。

細看石室，大約有兩間房子大小，靠石壁一角，生著一片柔細的茅草，地下也似經過打掃，異常乾淨，茅草上痕跡宛然，似有人睡過……

只聽陶玉在室外叫道：「她也許等得肚子餓了，出洞去尋食用之物，咱們出去在附近找找再說！」

楊夢寰想到一路上所見的三具屍體，心中忽生寒意，暗道：莫不是她遇上什麼壞人，遭了

毒手？心裡在想，人卻翻身躍出石室。

只見陶玉滿臉笑容還劍入鞘，說道：「她等候一日夜之久，仍不見我們到來，自難免心裡焦急，如不是出洞去尋食用之物，就是到白雲峽去找我們了。」

楊夢寰一皺眉頭，道：「但願如此，希望她不要遇上麻煩。」

陶玉道：「楊兄但請放心，她一身武功不算很弱，縱然遇上了武林中一流高手，也該有搏鬥痕跡可尋，但兄弟已仔細看過四周，絲毫看不出可疑之處。」

楊夢寰心中突然一動，笑道：「兄弟有幾句不當之言，說出口來，望陶兄不要多心！」

陶玉先是一呆，繼而微微一笑，道：「楊兄有什麼話，但請直說不妨，兄弟洗耳恭聽。」

楊夢寰輕輕嘆息一聲，道：「我童師姊一向受我三師叔器重，不知為什麼，竟不惜身犯武林首戒，叛離師門，私逃下山？陶兄和她結伴同行，定然甚得我師姊傾心，想必把隱私告訴陶兄了吧。兄弟自知這幾句話問得有些唐突，但卻無一點指責陶兄之意，我只是想知道其中原因為何……」

陶玉聽得心頭一震，但臉上卻毫無愧疚之色，格格一笑，接道：「楊兄這等探究根底，是不是懷疑兄弟勾引她叛離師門？」

楊夢寰道：「唉！別說兄弟沒有這等想法，就算是我確有此念，但兄弟亦無絲毫責怪陶兄之心，因為她從小就在崑崙門下長大，對我們崑崙派門規戒律，自應熟記心中，這叛離師門之舉，實是大不應該，只是……」

陶玉雙眉一揚，目光中殺機閃動，接道：「這麼說來，楊兄對令師姊私逃下山一事，也是懷恨很深了？」

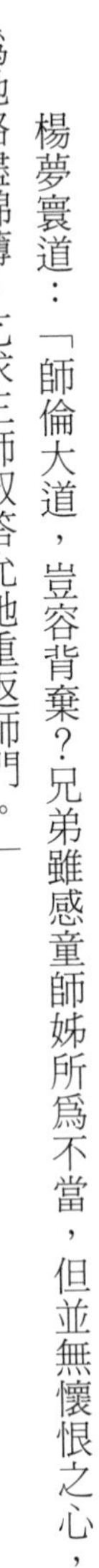


楊夢寰道：「師倫大道，豈容背棄？兄弟雖感童師姊所爲不當，但並無懷恨之心，只望能爲她略盡綿薄，乞求三師叔答允她重返師門。」

陶玉仰臉冷笑一陣，道：「楊兄用心，可算良苦，只是兄弟十分懷疑，楊兄有無那份情面？」

楊夢寰道：「不錯，這等重大之事，兄弟縱然不惜身代受責，只怕也無能爲力，但我想懇請朱姑娘代向三師叔說項，或有可爲。」

陶玉道：「這件事兄弟很難作主，只有楊兄自己去對她說了，如果她肯聽楊兄之言，願意重返師門，兄弟自是代她慶幸，如她不肯應允，那也是你崑崙派中之事，別人也無權干涉。」

楊夢寰看他言詞之間，對童淑貞毫無關懷之情，不禁心生疑竇，暗自忖道：看他輕鬆神態，似對我童師姊毫無關愛之情，看來此事，多半是童師姊自己之意，半點也怪不得別人了。

心念一轉，忽生歉疚，嘆道：「兄弟適才之言，想來有些過份，陶兄不要放在心上才好。」

陶玉淡淡一笑，道：「我和她結伴同行，實有不對之處，也難怪楊兄多心。」

楊夢寰本想再問陶玉何以會追蹤到白雲峽來，但因盤究童淑貞叛離師門一事，弄得十分尷尬，不便再多詢究，微微一笑，道：「咱們出洞去找我童師……」姊字尚未出口，突聞石道中傳來一陣步履之聲。

陶玉一拉夢寰，低聲說道：「快些躲入石室。」說著話用力一帶，和夢寰聯袂躍入石室。

兩人不過剛才隱起身子，來人已然進了洞口，白鬚過胸，背插長劍，五旬左右的中年道人。

只聽聞公泰大笑說道：「道兄來得正好，兄弟已和雪山派掌門人談過，並已得滕兄允諾，如果道兄再一答應，咱們眼下實力就超過天龍幫了，不管那《歸元秘笈》出世的傳言是真是假，倒不妨借此機會，先把天龍幫派遣來此的人，一鼓殲滅。」

那中年道人微微一笑，道：「聞兄高見，貧道十分贊同，近幾年來，天龍幫大肆擴展勢力，到處設立分舵，看樣子大有橫掃武林各派，獨霸江湖的用心。據聞李滄瀾準備柬邀武林九大門派，在黔北天龍幫總壇比劍，貧道已二十年未履江湖，想不到短短二十年中，武林形勢有這樣大的變化。」

聞公泰笑道：「天龍幫柬邀咱們九大門派比劍之事，兄弟是親耳聽得，李滄瀾手下的五旗壇主，更是到處大放厥詞，此事早已盛傳大江南北，只要是武林道上人物，大概是沒有一個人不知道了。」

兩人談笑之間，直對著石室走來，但聞步履之聲愈來愈近，剎那間已到石室門外。

楊夢寰四顧石室，無一處可以隱藏身子，轉臉向陶玉望去，只見他已然運氣蓄勢，準備施襲。

處此情形之下，楊夢寰也只得凝神運氣，以備迎擊來人相犯。

但聞步履之聲，倏然停住，八臂神翁聞公泰突然大聲喝道：「什麼人……」三個字剛說出口，已聞得長笑之聲傳來，倏忽之間，已到了石室外面。

只聽聞公泰打了兩個哈哈，道：「滕兄來得巧極，我替你引見一位難得一晤的朋友！」

這時，楊夢寰和陶玉全都是背貼石壁，屏息而立，自無法看得室外幾人相貌，但憑一雙耳

朵，由幾人談話之中分辨來人身分。

只聽後來一人乾笑了兩聲，道：「這位道兄，不知是不是點蒼三雁之首，人稱翻天雁的馬道長？」

那中年人笑道：「不敢不敢，貧道俗名馬家宏，承武林朋友們抬愛，送一個翻天雁的綽號。兄台可是雪山派掌門人，人稱白衣神君的滕雷兄嗎？」

滕雷又是兩聲乾笑，道：「彼此彼此，都是武林朋友們抬愛，算不得什麼！」

聞公泰哈哈大笑，道：「兩位不必這等謙讓了，馬兄自接掌門戶之後，就很少在江湖上走動過，滕兄也很少步履江南，這次能不期而遇，實在難得，只可惜這深山大澤，無法替兩位大設筵席，慶賀一番。」

翻天雁馬家宏微微一笑，道：「聞兄盛情，貧道心領了。這次貧道趕來浙東，只想一睹傳言武林數百年的奇書《歸無秘笈》，究竟上面記載的什麼武功，能引得武林朋友們如瘋如狂，順便再訪晤海天一叟李滄瀾，替我兩位師弟討還一筆債務。」

聞公泰笑道：「不是兄弟有意長天龍幫的威風，馬兄縱然身負絕世武功，只怕也沒法一個人深入天龍幫。它門下弟子無數，單那紅、黃、藍、黑、白五旗壇主，哪一個人都是久負盛名的江湖怪傑，雙拳不敵四手，獨木難撐大廈，馬兄如果單人往訪，正不啻陷身龍潭虎穴。天龍幫數十年處心積慮，處處想法子對付我們九大門派中人，馬兄一人涉險，豈不正合他們心意，萬一受了他們暗算，不但馬兄不值，而他日論劍之時，天龍幫也可減少個勁敵了，不知馬兄對兄弟這幾句無諱之言，是否感覺到有些道理？」

白衣神君滕雷乾咳了一聲，道：「聞兄高論，在下十分佩服。」

翻天雁馬家宏側臉望了滕雷一眼，笑道：「那以聞兄之見，貧道又當該如何？」

聞公泰拂髯笑道：「天龍幫處處和咱們九大門派為難，而且方法極盡陰毒，挑撥離間，無所不用，咱們縱然想和他們講江湖上規矩、信義，也講不通……」話至此處，故意咳嗽一聲，住口不說。

翻天雁馬家宏微微一笑，道：「聞兄想必已胸有成竹，貧道願聆高見。」

聞公泰呵呵兩聲大笑，道：「兄弟已和滕兄商量過這件事情，覺著對付天龍幫大可不必講什麼仁義道德，借此機會下手，把他們派來括蒼山中的人，一舉殲滅。」他乃一派宗師身分，幾句話出口之後，不禁臉上一紅。

馬家宏轉臉望著白衣神君，問道：「不知滕兄對此事看法如何?貧道亦願聞高論。」

滕雷一咧大嘴巴，乾笑一聲，暗裡罵道：好小子，真是個又奸又猾，硬要迫我親口承認。他心裡在罵，口裡卻笑著答道：「兄弟久居絕峰，很少涉足中原，聞兄經常在大江南北走動，對天龍幫惡跡，想必已瞭如指掌，是以，兄弟以聞兄之言，毫無成見，不知馬道兄高見如何？」

馬家宏笑道：「貧道已二十幾年未離開括蒼山一步，對近年江湖上一切人事變化，均甚隔閡，二位如覺著可行，貧道自當追隨二位之後，略效微勞，二位如覺著此法不妥，不妨再從長計議。」

要知這三人，都是武林一派宗師地位，誰也不願擔上一個暗算別人的罪名，儘管滕雷、馬家宏贊同聞公泰的意見，但卻不願明白地表示出來。

八臂神翁何等老辣，聽兩人言詞之間，雖然故意推諉，但心中卻無反對意思，心中在暗罵

兩人可惡，口裡卻哈哈大笑道：「滕兄和馬道兄，既然都不知近年江湖形勢變化，天龍幫諸般惡跡，那就是信任兄弟之言了。」

馬家宏笑道：「聞兄名重武林，一言九鼎，貧道素所仰慕，哪有懷疑的道理？」

滕雷連著幾聲乾笑，道：「馬道兄說得不錯，兄弟也深信不疑。」

聞公泰道：「既然是如此，兩位同意兄弟對付天龍幫的拙見了？」

滕雷、馬家宏相視一笑，道：「但請聞兄吩咐，我等無不遵從。」

聞公泰拂髯沉吟一陣，道：「據兄弟觀察所得，天龍幫早在兩天之前，已在這白雲峽四周，布上暗樁，但遲遲不見行動，想必是李滄瀾等一級首腦人物未到之故，不願打草驚蛇，不瞞兩位，兄弟行蹤，已被天龍幫幾處暗樁發現，兄弟不得不先下手掃除了他們幾處暗樁。」

滕雷接道：「天龍幫弟子眾多，殺幾個於事何補？」

聞公泰道：「咱們所以處處落在下風，著著被天龍幫搶去先機，就是因為他們人多勢眾，耳目銳敏，要想勝得他們一籌，必得先把耳目毀去，兄弟想盡半日一夜之力，先把天龍幫這附近的暗樁，全部掃除，這一來咱們就算搶先一步，待天龍幫幾個首腦到來，定要省事不少。」

馬家宏笑道：「此乃兩全其美之策，高明！高明！」

聞公泰淡淡一笑，道：「掃除天龍幫暗樁之後，咱們再集中三派之力，圍殲天龍幫中首腦人物……」

白衣神君滕雷一咧大嘴巴，接道：「聞兄之見，雖然不錯，但天龍幫幾個首腦，武功非凡，機智亦不在咱們之下，必需想出一個妥善辦法，先分散他們實力，然後再個別圍殲，始能收效。」

聞公泰大笑道：「滕兄見地，和兄弟看法相同，如讓他們幾個首腦人物合在一起，不但不易得手，而且勢必有一番慘烈拚搏。」他略一沉吟，又道：「不過兄弟已想得一個辦法，只不知能否適用？」

馬家宏道：「聞兄籌思之策，定然極具卓見，快請說出來，一開貧道茅塞！」

聞公泰手拂長髯，笑道：「過獎，過獎，兄弟雖然想出一個誘分天龍幫首腦人物的辦法，但還得仰仗馬道兄大力，始能收效。」

馬家宏道：「如有需用貧道之處，自當全力以赴。」

聞公泰笑道：「兩位先看看咱們現在停身之處如何？」

滕雷目光轉動，打量了四周一陣，道：「形勢險惡，隱密極佳。」

聞公泰道：「兄弟想集中咱們三派實力，預伏在那石室之中，然後再故布疑陣，把天龍幫幾個首腦人物分散，由馬道兄和兄弟故意互爭《歸元秘笈》，讓天龍幫人物看到……」

馬家宏笑道：「辦法實在不錯，天龍幫幾個首腦人物，在看見《歸元秘笈》之後，必然緊追不捨，咱們再邊打邊走，使他們沒有時間知會同黨，只是……」

聞公泰探手入懷，摸出一個精巧玉盒，道：「馬道兄，可是擔心沒有誘敵的《歸元秘笈》嗎？」說著話，打開了那精巧玉盒。

只見那玉盒之中，放著幾本冊子，端端正正的楷書，寫著《歸元秘笈》四字。

白衣神君滕雷、翻天雁馬家宏，雖明知聞公泰即使真有《歸元秘笈》，也不會當著兩人之面取出，但在驟見這武林奇書之時，亦不禁有些激動，雖然明知是僞仿之本，但仍雙雙向聞公泰逼近一步。

滕雷微一躬身，正想撿起放在地上的玉盒，但瞥見馬家宏站在兩步之外，臉色肅穆，虎視眈眈，不禁心頭一驚，趕忙收回探出的右臂。

翻天雁馬家宏和白衣神君滕雷，四隻眼睛，都盯在那《歸元秘笈》之上，但卻也不敢探臂撿取。

要知兩人相距，只不過數步遠近，伸手之間，就可擊中對方，何況都知對方武功了得，出手一擊，非同小可，在這數步之隔的距離下，閃避極是不易，是故，兩人誰都想取得玉盒的《歸元秘笈》，但誰也不敢冒險撿取。

但見聞公泰微微一笑，道：「滕兄先請過目，貧道晚一步再瞧也不遲。」

白衣神君皮笑肉不笑一咧嘴，道：「客氣！客氣！還是滕道兄先看吧。」

翻天雁馬家宏冷笑兩聲，仍然站著不動。

聞公泰細看兩人，都已暗中運集了功力，蓄勢待發，不管哪一人探臂去撿取玉盒中《歸元秘笈》，另一個即將以排山倒海的威勢擊向對方，心中暗自忖道：此刻如非需要兩人合力對付天龍幫，我只要稍作撩撥，便不難使兩人拚個你死我活，可惜呀！可惜！他心中雖在暗叫可惜，臉上卻堆滿笑容說道：「年前兄弟曾在這括蒼山中，親眼看過崑崙派一陽子道兄的僞仿《歸元秘笈》，回到華山之後，就依照所見，製成這部假書，滕兄和馬道兄如果不信，待兄弟打開給兩位瞧瞧。」

滕雷、馬家宏同時側望著聞公泰淡然一笑，未發一言。

八臂神翁怕自己探手翻書之際，遭兩人襲擊，便一伸手中青竹杖，挑開《歸元秘笈》。

聞公泰指著第一面太極圖說：「這僞仿《歸元秘笈》雖是贗品，但上面記載武功，倒非故

弄玄虛，如被一般江湖上朋友得到，對練氣技擊，不無小補，但如在馬道兄、滕兄眼中看來，只怕要笑掉大牙了。」一面說話，一面不停用手中青竹杖翻動玉盒中《歸元秘笈》。

兩人看了數眼之後，已證實聞公泰所言非虛，上面記載，果然是一般的拳掌練氣方法，馬家宏首先散去凝聚的功力，退後兩步笑道：「聞兄這僞仿奇書，如果流傳江湖，若干年後，恐亦將成爲武林中另一部秘笈了。」

滕雷乾笑兩聲接道：「馬道兄說得不錯，聞兄對這部僞書，當真是下了不少工夫。」

聞公泰撿起玉盒笑道：「隨手揮毫塗鴉一通，兩位見笑了。」

滕雷道：「這麼看來，聞兄是早有用心了，此本固然可以假亂真，但……」略一沉吟，又道：「只怕天龍幫中發現這一部僞書之後，一面緊追，一面設法招呼同黨，合力趕來，咱們勢必得在山腹密洞之內，和他們有一場慘烈的拚搏，勝負之數，且不說它，但如這次傳言屬實，那真本《歸元秘笈》，確在此山之中，豈不留人以可乘之機！」

馬家宏道：「滕兄之言甚是，貧道亦有同感，咱們在山腹之內，和天龍幫中幾人首腦人物拚命，卻留別人搶得真本《歸元秘笈》的機會，實是太不合算。」

聞公泰道：「這一點，兄弟也曾想過，但必需馬道兄和滕兄能和兄弟合作無間才行。試問當今武林各門各派，哪一派能夠獨擋咱們三派聯手的實力，除了天龍幫盡出幫中首腦精銳或可抗拒之外，恐再也找不出第二個天龍幫來，別說此傳言未必是真，就是那本《歸元秘笈》果在此山之中，被別人坐收漁利，憑咱們三派聯合實力，不難追蹤奪回。只要咱們能把天龍幫首腦傷他幾個，先去強敵，放眼當今江湖，誰還是咱們三聯合的敵手？」

滕雷接道：「百密難免一疏，萬一聞兄算計有失，天龍幫首腦合力追入這山中，這一仗

打下來，只怕難保慘重傷亡，在咱們元氣大損之際，再追蹤搶奪那《歸元秘笈》，實難穩操勝券！」

聞公泰拂髯一陣哈哈大笑道：「滕兄但請放心，兄弟早已籌謀及此，如果天龍幫幾個首腦人物，分散追入山腹，咱們不妨以多為勝，個別圍殲，如果他們追來人多勢眾，難以力拚，那就不妨動點心機，借重火攻，把他們全數燒死在山腹之中。」

馬家宏抬眼望望洞口，問道：「聞兄可是要利用那上面洞口，投下燃燒的枯枝、火把……」

聞公泰大笑接道：「佩服，佩服，兄弟費時一日之久籌想之策，卻被馬道兄一言道破。」

馬家宏道：「如非聞兄提及火攻，貧道哪能想得出這等絕妙之策。」

聞公泰微微一笑道：「此事看來雖易，但如真的做起來，也確有不少困難，最為重要的是，時間要配合得恰到好處，在我們撤出之時，動作必需靈活迅快，即使他們看出情勢不對，也無法應變得及……」

躲在石室中的楊夢寰、陶玉聽到此處，忽覺對方聲音低沉下去，以後幾人說些什麼，再也無法聽得。

大約過有一刻工夫，突聽聞公泰大聲笑道：「好！咱們就這樣決定，只是太辛苦滕兄了。」

只聽滕雷一聲乾笑，道：「好說，好說，馬道兄和聞兄這等抬愛兄弟，兄弟覺得榮幸至極。」

但聞步履之聲，混合著三人大笑之聲由近而遠，瞬息消失。

陶玉貼壁移到石門旁邊，探頭向外一看，幾人早已身影俱杳，立時一個翻身躍出石室，楊夢寰緊隨著一個飛鳥出林，跟蹤躍出。

四隻眼睛先向四外搜望了一陣，楊夢寰才皺皺眉頭，問道：「陶兄，貴幫……」

陶玉格格一笑，截住了夢寰的話，道：「怎麼？楊兄懷疑兄弟是臥底的嗎？」

楊夢寰道：「兄弟不敢存此用心，但貴幫在這白雲峽四周滿布伏樁暗卡，想來總是事實了？」

陶玉笑道：「聽幾人之言，大概不會虛假。」

楊夢寰道：「這麼說來，陶兄是不知道這件事了？」

陶玉道：「兄弟千里趕來此處，只是爲探望楊兄傷勢。」

楊夢寰雖是聰明之人，但其心地忠厚，不願以小人之心，猜疑他人，當下笑道：「陶兄盛情，兄弟十分感激，只不知陶兄何以會知道兄弟行蹤？」

陶玉淡淡一笑，道：「我們天龍幫分舵耳目，遍及大江南北，別說楊兄行蹤了，就是當今武林九大門派的一舉一動，都難逃我們天龍幫耳目監視。」

他這麼故作坦然的幾句話，反而把楊夢寰心中存在的一些疑竇，消除很多，微微一笑，道：「貴幫耳目確是銳敏……」話至此處，忽覺失言，倏然住口。

陶玉心中一動，道：「剛才三人，都是武林中一派宗師之尊，想來定不會隨口胡說，既然說起本幫在這白雲峽四周都安上暗樁，那自然是假不了，兄弟身爲天龍幫中香主，自不能坐視不管，楊兄請先走一步，免得招惹上無謂的麻煩。」

楊夢寰沉思一陣，十分爲難地說道：「陶兄爲兄弟不惜奔波數千里，跋山涉水，遠赴祁連山中，此等情意，是何等深重，如今陶兄有事，兄弟如何能坐視不管？只是貴幫這次謀圖之人，是兄弟……」

陶玉格格一笑接道：「是你的幾位紅粉知己，因而使你十分爲難？」

楊夢寰嘆道：「朱姑娘對兄弟，有數度救命之恩……」

陶玉忽然一整臉色，截住了夢寰的話，說道：「楊兄不必爲難，兄弟決無請楊兄助拳之心，但有一件疑難之事，想請問楊兄一句，不知楊兄是否願意告訴兄弟？」

楊夢寰道：「陶兄但請吩咐，兄弟知無不言。」

陶玉道：「適才聞公泰等三人一番對答之言，楊兄是親耳聽到的了？」

楊夢寰點點頭。

陶玉不待楊夢寰開口，又搶先說道：「他們計議對付我們天龍幫的手段，可算得十分陰歹毒辣，是也不是？」

楊夢寰又點點頭。

陶玉忽然嘆息一聲，道：「如非兄弟無意聽得聞公泰等陰謀，只怕我們天龍幫在這一戰之中，要損傷大部精英，這場即將掀起的江湖風波，都是爲《歸元秘笈》而起，但那《歸元秘笈》是否在這白雲峽中？還很難說，這部傳言在江湖數百年的奇書，不知道害過多少人爲它濺血送命……」

他微微一頓，接道：「兄弟只想請楊兄告訴我一件事，就是那《歸元秘笈》是否真的在白雲峽中？」

楊夢寰聽得一呆，良久之後，才苦笑一下，說道：「不敢相欺陶兄，兄弟倒是看到過那《歸元秘笈》一次，至於是真是假，放置何處？兄弟就不清楚了。」

陶玉格格一笑，道：「此事想來不會有錯，以聞公泰等一派掌門之尊的身分肯移駕這括蒼山來，定然是得到了確實消息……」他微微一頓，又道：「楊兄暫請回白雲峽去吧，你大傷初癒，體力未復，實不宜為兄弟涉這趟渾水。」

楊夢寰也覺著應該早些把自己所見所聞，告訴朱若蘭，免得臨時措手不及，因為眼下敵人，都是當前武林中一流高手，個個身懷絕學，實不容再拖延時間，略一沉忖，拱手對陶玉說道：「既是如此，兄弟就先走一步了。」不待陶玉還禮，轉身向外奔去。

金環二郎望著夢寰背影，心中突然一動，暗道：那山腹甬道之內，黑暗異常，我如緊隨在身後，出其不意，一掌把他擊斃，然後再把他屍體投入石洞外萬丈深壑之內，豈不是了無痕跡，而且眼下強敵雲集殺機瀰漫，沈霞琳縱是相疑，我也可藉口推諉。

念頭一轉，立即施展上乘輕功，一語不發，疾向楊夢寰身後追去，哪知楊夢寰奔行到山腹甬道入口之處，忽然想起一件事來，陡然停步，轉過身子。

這時，陶玉已到楊夢寰身後數尺之處，楊夢寰出其不意地一個轉身，幾乎和陶玉撞個滿懷。

這大出意外的變化，使陶玉暗下毒手的陰謀落空，但他究竟是心思異常機敏之人，身軀一側，從夢寰身旁疾掠而過，口中叫道：「兄弟要趕緊先走一步，以求能早些通知本幫弟子……」話還未完，人已進了山腹甬道之內。

楊夢寰本有事要問陶玉，但見他匆急行色，實不便再出言相喚，何況又知他此刻時間，異

常寶貴，多上片刻，就可以多救下幾個天龍幫中弟子性命。

他想到白雲峽雲集的強敵，不禁心中也急了起來，一提氣，向前疾奔而去。待他走出山腹甬道，早已不見陶玉蹤跡。

仰臉看天色，只不過午時剛過，略一辨認方向，急向來路奔去。

他急於要把剛才的見聞，通知朱若蘭，以便籌謀對策，是以不顧大傷初癒之身，用盡全身氣力，拚命急趕，不到半個時辰，已到了白雲峽口，但他人已累得滿身大汗，只得停下來準備略一喘息再走。他剛剛站好身子，忽覺一陣香風拂面，由身後伸過來一方雪白絹帕，替他擦拭臉上汗水，耳際也同時響起了朱若蘭柔和嬌脆的聲音，說道：「你身體還未復元，這等急奔，如何使得，跑累了也該休息，你呀！一點也不愛惜自己！」

楊夢寰轉臉望去，只見朱若蘭身著玄裝，髮挽宮髻，輕顰黛眉，皓腕輕揮，拂拭著他滿頭大汗，那一雙又大又圓的眼睛中，已不是威嚴逼人的湛湛神光，而是無限的溫柔惜愛，楊夢寰第一次覺出這旁立身側高不可攀的玉人，是這般的溫婉柔順，不禁微微一笑。

朱若蘭微聳秀眉，輕輕地哼了一聲，道：「你笑什麼？差一點就丟了小命，人家提心得不得了，自己還在瞎高興呢。」

楊夢寰聽得一怔，道：「我幾時遇上了危險，怎麼我自己一點也不知道？」

朱若蘭道：「你自己要是知道了，人家也不用替你擔心了。」

楊夢寰聽得越發糊塗，暗自沉忖道：我一直就和陶玉在一起，再未和別人照面，難道她說的會是陶玉不成？正待開口追問，忽聽一陣嬌呼之聲，說道：「在這裡啦！在這裡……」但聞衣袂飄風之聲，四個白衣裸腿美婢，倏然間一齊湧到，分守四個方向，把楊夢寰和朱若蘭圍在中間。

朱若蘭看四人一個個蓄勢待發，不由心頭火起，臉色一沉怒道：「你們要幹什麼？」

其中一個年齡較長的美婢躬身答道：「婢子們奉小姊之命，找這個壞男人找了很久！不想竟和姑娘走在一起……」

朱若蘭知這四婢，都是從小在深山大谷之中長大，人雖聰敏，但心地都很純潔，決不會編造謊言，臉色稍見緩和，但聲音仍甚冷漠地問道：「你們小姊找人幹什麼？她人呢？」

適才答話的白衣小婢，伸手指著夢寰說道：「這壞男人偷了我們小姊的《歸元秘笈》。」

楊夢寰急道：「什麼？我幾時偷了你們小姊的《歸元秘笈》？」

四個白衣小婢，同時冷哼一聲，輕蔑地望了夢寰一眼，滿臉不屑之色。

楊夢寰正待爭辯，朱若蘭已搶先說道：「你們小姊在哪裡？快帶我去見她。」

站在正北方位的一婢，搖搖頭，道：「我們小姊傳了我們破他『五行迷蹤步』的手法之後，就一個人出去找他去了。」

朱若蘭略一揚黛眉，怒道：「我要你們分頭去找你們小姊回來，聽到沒有？」

四婢相互望了幾眼，一齊答道：「小姊已吩咐過我們，如要見著偷竊《歸元秘笈》的人，就把他捉住捆起來，然後再去找她。」

朱若蘭看四婢不肯遵從自己吩咐，不禁火了，臉色一變，即待發作，忽聽夢寰嘆息一聲，說道：「姊姊暫請息怒，這件事不怪她們，既是那位姑娘吩咐下來，她們如何能作得主。」

四婢聽楊夢寰反替自己辯護，不禁相顧微笑。

要知道四人都是在深山絕壑之中長大，對人世間一切事物，均不甚了然，毫無心機城府，心中的快樂、痛苦全都形露在神色之間。

朱若蘭微一沉忖，道：「趙家妹子似對你成見甚深，我雖知道你決不致取她《歸元秘笈》，但她亦不致編造謊言，這種神奇的武學秘笈，是天下所有武林中人，夢寐以求之物，不管落在什麼人手中，都很難原璧歸趙，她既然對你動了疑心，在未尋到那《歸元秘笈》之前，只怕難釋心中誤會……」

楊夢寰道：「我們不去見她，自然更不易消除她心中疑念……」他略一停頓，接道：「姊姊，剛才我和陶玉在距十幾里外，一處隱密的山腹洞穴之中，暗地聽得消息，江湖上各路高手，已經雲集浙東，而且已到了白雲峽外，只怕我們這附近數里的要道峰壑之內，都早已被人家安上伏樁。這次所來之人，大都是各門各派掌門宗師，姊姊要早謀對策才好。」

朱若蘭道：「我亦想到武林中九大門派，和天龍幫在近日內都將傾盡高手，來我白雲峽搗亂，只是想不到他們發動的這樣迅速。趙家妹子，在東上途中遇劫時，《歸元秘笈》的秘密，早已洩露，她那時還不知自己身負武學，世無匹敵，也沒有想到那幾本薄薄的冊子，會引得武林中人物如瘋如狂，攪了三百年，仍未平息。是以，她不知好好的保管，致被綠林中人物發現，她隨身帶這四婢，武功雖都不錯，但都是毫無江湖經驗閱歷之人，只要人家略動心機，就不難使她們跌入謀算，如非師父及時出手，只怕那《歸元秘笈》早就被人偷盜去了……」

只聽四婢女齊聲催道：「你這人講的話究竟是算也不算？既然你講過自己去見我家小姊，現在怎麼還不肯走？」

朱若蘭輕啓櫻唇，道：「走！我陪你去好了。」

楊夢寰搖搖頭，道：「眼下強敵環伺，殺機四伏，姊姊雖然武功絕世，但來人都非泛泛弱手。我們人單勢孤，而且除姊姊之外，餘人武功大都非人敵手，勢難和人力拚，姊姊也該在遇敵之先準備一下才好。」

朱若蘭還未接口，楊夢寰又搶先說道：「我知道，姊姊要和我一起去，是怕那位趙姑娘出手傷我，但這一來，反而會加重了她對我的疑心，以她武功而論，要傷我易如反掌，她只要有傷我之心，舉手投足之間就可以置我於死地，今天當姊姊之面，她也許不會出手把我擊傷，但姊姊總不能一輩子都跟著我？我自問未偷竊她的《歸元秘笈》，大可不必擔憂她傷我。目前白雲峽已陷入武林高手環圍之下，形勢瞬息萬變，姊姊不宜多浪費時間，必須早作安排才好。」

環繞兩人周圍的四婢，似已等得不耐，雖未出言催迫夢寰快走，但眉宇之間，已顯露焦急之色。

朱若蘭輕輕嘆息一聲，道：「你說得不錯，她要真存傷你之心，自然是防不勝防，她雖然肯聽我話，只不過是遵從翠姨遺命，如果真的講起武功，我決不是她的對手……」

楊夢寰淡淡一笑，道：「那姊姊就不必再多浪費寶貴時間，還是讓我一個人去見她的好！」

朱若蘭道：「她對你早已心存成見，你在見她之時，不防忍讓一些。」

楊夢寰點頭微笑道：「她對我有過救命之恩，只要不太羞辱於我，我自然會讓她幾分！」

朱若蘭臉色微微一變，道：「就是她有羞辱你的地方，亦望你不要計較。」

楊夢寰忽地一揚雙眉，道：「大丈夫可殺不可辱，生死之事，也不算什麼！忍辱偷生，倒不如濺血埋骨。」

一向堅強的朱若蘭，忽然間變得十分怯弱，顧不得身側有人，滿腹憂苦，柔聲說道：「你縱然不為自己，難道就不肯為琳妹妹受點委屈？自你受傷以來，她比誰都著急，你一旦死了，想想看，她還能活嗎？」

楊夢寰微微一笑，道：「姊姊也不必太為我擔心，想那趙姑娘還不致在未問明事情經過之前，就出手把我置於死地。再說，她總還得替姊姊留點情面，我只要言行小心一些，不觸怒她，諒也不致真的出事。」

朱若蘭輕輕一嘆，道：「你能自知愛惜，我就放心了。趙家妹子，雖然對你心存成見，但她生性十分善良，又是極明事理之人，決不致出手傷你。最擔心的，就是你那種固執冷傲的脾氣，要知道她心對你早存誤會，一兩句不當之言，就可能引起她的殺機……」

她微微一頓後，又低聲說道：「你這次身受重傷，二十多天均在暈迷之中度過，琳妹妹日夜坐守在你的病榻之旁，如癡如呆，既很少吃飯，也很少言笑，整日夜想著你死後之事，唉！其用情之深，惜愛之重，實足以……」

只聽一聲淒厲的慘叫，遙遙傳來，音迴空谷，經久不絕，打斷了朱若蘭未完之言。

楊夢寰急道：「強敵恐已來到白雲峽外，姊姊也該早些調整幫派人手，準備一下，免得臨時措手不及！」

朱若蘭點點頭，道：「你見著趙姑娘時，請她盡快回來。」話未完，人已到了數丈之外。

楊夢寰望著朱若蘭背影，長長吁一口氣，對四婢一拱手，笑道：「趙姑娘現在何處？有勞四位帶路了。」

四婢相互使了一個眼色，分成兩前兩後，把夢寰夾在中間，向左面一峰攀去。

## 三四　幫主嬌女

翻過山峰後面，是一處半畝大小，長滿青草的小盆地，中間並生著兩株古松。

只見趙小蝶身穿白衣，肩披藍紗，懷抱玉琵琶，倚松而坐，正抬頭望著天上彩雲變化，神態似很入神。

趙小蝶似是聞得了步履之聲，轉臉望了夢寰和四婢一眼，微微一聳秀眉，又轉臉旁顧。四婢帶著夢寰，在距她三、四尺處停下，左首年齡稍長的一婢，躬身說道：「他自願和我們一起來見小姊，所以，沒有捆他。」

趙小蝶慢慢轉過臉來，眉宇間微帶怒意，輕蔑地望了夢寰一眼道：「哼！我早就知道你不是好人，現在證明我想的不錯了。」

楊夢寰垂首閉目，淡淡一笑，答道：「姑娘對我有救命之恩，楊夢寰不敢以惡言相加，但請說出我所犯過失，以便負荊請罪。」

趙小蝶冷笑一聲，道：「你偷了我《歸元秘笈》，難道還不算過失嗎？」

楊夢寰道：「除了在岷江舟中，我無意間看到過姑娘的《歸元秘笈》一次之外，就未見第二次，再說那偷竊之事，我楊夢寰也不屑為得。」

趙小蝶怒道：「我蘭姊姊閨房之中，只有我們三個，不是你，難道是我說謊？」

楊夢寰心中一動，忽然想起陶玉在離開朱若蘭臥房之時，借故又回石室之事，略一沉思，問道：「請問姑娘，那《歸元秘笈》可是放在姑娘替我療傷的石室之內嗎？」

趙小蝶聽他提起療傷二字，嫩臉上登時泛起一片紅暈，陡帶羞怯之態，點點頭，輕輕地嗯了一聲。

楊夢寰右手握拳，用力在左掌上一擊，自言自語地說道：「如此看來，倒是有八成是他了！」

趙小蝶道：「是誰？你是不是說我蘭姊姊？」

楊夢寰正想說出陶玉，忽的心念一轉，忖道：眼下是否是陶玉，還難確定？我豈可在未完全弄清真相之前，加罪於人。

這一轉念，立時把欲待出口之言，重又嚥回，但一時又想不出適當答覆之言。

趙小蝶看他呆呆地坐在那裡，不答自己問話，冷哼一聲，道：「我蘭姊姊出身尊貴無比，豈會偷竊我《歸元秘笈》，你這人的心最壞了，我蘭姊姊對你那樣好，你還會懷疑她，哼，要不是為了蘭姊姊，我才不會管你死活，我知道你是想挑撥我和蘭姊姊大鬧一場，自己好置身事外，我才不會那麼傻上你的當。」

楊夢寰一皺眉頭，道：「我心中雖然想到了可能偷竊你《歸元秘笈》之人，但在事情未證實之前，我不願妄加以罪，如果姑娘信得過我，請給予我三日時間，在三天之內，我一定替你查出偷竊之人。」

趙小蝶冷冷地答道：「哼！你不要妄想在我面前搗鬼，我給你三天時間，你可從容地逃走，找處人跡罕至的地方一住，研究那《歸元秘笈》，世界這等遼闊，我們到哪裡找你？」

楊夢寰道：「這麼說，姑娘已認定那《歸元秘笈》是我偷的了？」

趙小蝶道：「那自然不錯，我蘭姊姊不會偷，我又不會故意說謊，那石室之中又只有我們三人，《歸元秘笈》就放在我蘭姊姊臥榻之上，待我想起來回去找時，已經不見，那時間你到哪裡去了？」

楊夢寰正待回答，趙小蝶又搶先接道：「定是看那房中沒有人，偷了我《歸元秘笈》，跑出石室，找一處隱密所在，藏了起來……」

那最小一婢女，忽然插嘴接道：「我們見他之時，他正和那位朱姑娘站在一起談話。」

趙小蝶瞪了那小婢一眼，說道：「蘭姊姊現在還不知道他是個很壞的人，等她知道了，就不會再理他了。」

楊夢寰苦笑一下，道：「姑娘一口咬定是我偷竊，實使人百口莫辯，在下這條命既是經姑娘救治，說不定只好再還給姑娘了。」

趙小蝶臉色肅穆，望著楊夢寰緩緩說道：「你雖然不是好人，但因你是我蘭姊姊的朋友，看在她的情面上，我不願要你的命……」

她忽然嘆息一聲，接道：「不過那部《歸元秘笈》，是我娘遺傳之物，上面記載的武功，又都是極爲深奧博大之學，要是被一個好人取去，那也罷了，但如落在像你這樣的壞人手中，定然要引出不少是非，遺害人世，所以我非要追回不可。」

楊夢寰淡淡一笑，道：「你既認定是我偷竊了你的《歸元秘笈》，又怕我學會上面記載的武學，爲害武林，實使人難於解說，我倒代你想出了一個辦法。」

趙小蝶奇道：「你代我想出一個辦法？」

楊夢寰道：「以你武功而論，舉手之間，就可以要我性命，假如你把我殺掉，不就可消去你心中疑慮了嗎？」

趙小蝶嘆道：「這法子我也想過，但我怕殺你之後，蘭姊姊會生我的氣。」

楊夢寰微聳肩，暗自忖道：眼下她對我懷疑之深，已非口舌所能辯說清楚，看來她不在我身上追出《歸元秘笈》，決然不會放過我，如果讓她一個女流羞辱、折磨，倒不如早自了斷的好……

心念一轉，黯然一笑道：「姑娘既然怕受朱姑娘的責備，所以不願動手，只有我自求了斷，以明心跡。」

說罷，轉過身子，緩緩向前走去，四個白衣小婢不待主人吩咐，忽地散開，環隨在夢寰四周，防他逃走。

楊夢寰走到上十步外，停住身子，雙目轉動，望了緊隨身側的四婢一眼，笑道：「四位姑娘請站遠一些，免得身上濺著血跡。」

忽然間他身後響起了一聲幽幽嘆息，緊接著又響起一個嬌婉的聲音，說道：「什麼事要尋自盡？」

楊夢寰聽聲音十分熟悉，但一時間卻想不起是什麼人，轉臉望去，只見無影女李瑤紅頭包白絹，身著白緞子緊身勁裝，足登白繡鞋，身披白斗篷，全身如雪，從頭上白到腳下。

他微微皺一下眉頭，暗道：不知她死了什麼人，穿這樣一身重孝？這時，沈霞琳也趕到此處，瞥眼看到了李瑤紅竟站在夢寰身後，立時搶前兩步，拉住了李瑤紅一隻手腕，叫道：「紅姊姊，你幾時到括蒼山來的？唉！咱們有很多天沒有見面啦！」

李瑤紅緊緊地反握著霞琳雙手，問道：「他爲了什麼事，竟要自碎天靈要穴以求一死……」說話之間，目光環掃了四周一眼。

沈霞琳搖頭，道：「爲什麼事，我也不清楚，好像是那位趙家妹妹，說是寰哥哥偷了她的東西……」她目光凝注在趙小蝶的臉上，發現她眉宇間隱隱現出怒意，但她並未發作，反而站起身子緩步而去。

那環守在萝寰身側的四婢，雖然看到了小姊轉身而去，但因未聞召喚之命，不敢撤走。

但見趙小蝶身披藍紗，被山風吹飄起來，緩步輕舉，似走得很慢，事實卻走得異常迅快，轉眼之間，已隱入一道轉彎的山腳不見。

四婢望著小蝶隱失的山腳，臉上微現焦急之色，因爲趙小蝶在離去之時，未吩咐四婢如何對付萝寰而有所舉動，只得分守四周，擋住萝寰去路。

忽然間，連續五聲清脆的弦音，飄拂而來，四婢在聞得那弦聲之後，一齊轉身，向趙小蝶隱失的山腳所在追去。那最小一婢，臨去之時，對萝寰笑道：「我們小姊說，看在沈姑娘情面上，答應你三日限期，現在你可以隨便走動了……」說到最後一句，人已到兩、三丈遠。

四婢去勢快極，清脆餘音未絕，人影已隱去不見，楊萝寰只覺這四個婢女身法，似和初見之時，又快很多，心中大感奇怪，不知何以在這短短的幾月時間之內，竟有若干精進。他哪裡知道，趙海萍在給愛女服用萬年火龜內丹之時，讓四婢分食了火龜的肉湯，這等千載難遇神物，對輕身飛躍之術，助益極大。而且趙小蝶在精研《歸元秘笈》之後，又指點四婢不少武功竅訣。本來四婢所學武功，都是《歸元秘笈》上記載之學，無論拳、掌、輕功、攻拒身法，都是經過千錘百練的上乘武功，大異一般武學傳授常規，只要一入門徑，初學即入大乘。

他想得入神，忘記了身邊還站著兩人。

忽聞一陣嘶嘶之聲起自身後，回頭望去，只見李瑤紅已取下包頭白絹，扯得片片碎裂，丟在地上。

沈霞琳看得奇怪，忍不住問道：「紅姊姊，你這是幹什麼？」

李瑤紅幽怨地一笑，道：「我在替人戴孝，可是他卻仍然好好地活在世上，這孝自然不用再戴了。」

沈霞琳茫然一笑，未再追問，楊夢寰卻聽得心中一凜，峨嵋山那一場慘烈的搏鬥經過，陡然間湧上心頭。

驀然問，一陣格格的大笑聲，破空而下，勁風颯然，直襲幾人，楊夢寰伸手抓住霞琳，疾退三步。

定神望去，只見陶玉由身旁巨松之上，電射而下，楊夢寰不過剛剛站穩身子，陶玉已腳踏實地，原來他早已隱身在那兩株並生的古松上。

李瑤紅已拔出背上長劍，蓄勢戒備，待她看清來人是陶玉之後，還劍入鞘，說道：「原來是你，嚇了人家一大跳。這些時日，你跑到哪裡去了，害得爹爹傳下龍頭令牌，令諭各處分舵找你下落？」

陶玉淡淡一笑，道：「年來經歷，一言難盡，待會兒再談不遲，師父身體好吧？」

李瑤紅道：「爹爹的身體很好……」她自在祁連山和陶玉分手之後，一直就沒有再見，當時陶玉被朱若蘭暗用透骨打脈手法，傷了體內經脈，臥病在一處山岩之內，幸得一陽子替他推穴活血，但陶玉在醒轉之後，連一句感謝的話也不話，跨上寶駒而去……屈指算來，已快一年

時光。在李瑤紅的心中認爲，他早已傷逝在祁連山中，想不到會在括蒼山陡然相逢，心想說幾句慰藉之言，但當著夢寰之面，卻又感說不出口，只答得一句爹爹很好，就倏然住口。

陶玉微微一笑，道：「咱們天龍幫黔北總舵，可發生了什麼變故嗎？」

李瑤紅道：「祁連山大覺寺幾個和尙，曾到黔北總舵，鬧了一陣，雖然鬧得很兇，但他們並未占得便宜……」

陶玉截住了李瑤紅的話，笑道：「我是問師母老人家可好？」

李瑤紅道：「媽媽依然如故，每日吟佛洗心庵，不見外人。唉！現在連我也不准擅入庵中一步了！」

陶玉道：「師父、師母既都無恙，不知師妹爲哪個穿了這身重孝？」

李瑤紅呆了呆，道：「誰說我是穿孝？」

陶玉格格一笑，不再和李瑤紅爭辯，轉顧夢寰，說道：「楊兄未免太輕看自己性命，剛才你那一掌，如果真的自碎了天靈要穴，死得實在太不值了！」

楊夢寰道：「那位姑娘深疑兄弟偷竊了她的《歸元秘笈》，我如不自求了斷，她也決不會放過我的。」

陶玉冷笑一聲，道：「這麼說來，那《歸元秘笈》，真是楊兄偷竊的了？」

楊夢寰本想問陶玉是否見到《歸元秘笈》，但被陶玉搶先一問，反而無言可對，不禁一呆。

金環二郎雖然能蒙騙夢寰、霞琳，但卻無法騙得過在一起長大的師妹。

但見李瑤紅眼珠兒轉了幾轉，接道：「楊相公爲人誠實，他說沒有偷竊《歸元秘笈》，那

定是不會說謊。」

陶玉冷笑了一聲，道：「他不會說謊，趙姑娘不會誣陷，難道那《歸元秘笈》是我偷的不成？」

李瑤紅幽幽一嘆，道：「我想師兄也不會偷。」

陶玉一揚雙眉，對夢寰笑道：「楊兄，眼下雲集在白雲峽外的高人很多，想其間定不乏偷竊能手，那位趙姑娘武功雖高，但據兄弟看來，她似是毫無江湖閱歷之人，自難免粗心大意，也許被別人偷去了。」

楊夢寰正待反問，突聞一陣雜亂的步履之聲傳來，幾人循聲轉眼望去。

只見兩個疾服勁裝大漢，肩抬兩根長竹特製的轎子，急奔而來，行動迅快，一望即知是有著極好的武功。

李瑤紅輕輕啊了一聲，道：「莫叔叔也來啦？」話剛住口，轎子已到幾人身側停下。楊夢寰看那長竹軟藤椅上，坐著身材瘦小、身披藍衫的缺腿斷臂老人，稀疏疏的幾根黃白混雜的頭髮，鬆鬆地在頭上挽個道髻，面黃如鼠，眼窩深陷，但兩眼中的神光，卻是湛湛逼人。

李瑤紅和金環二郎陶玉，對來人執禮甚恭，一齊以幫中之禮，躬身叩見。

只聽那缺腿斷臂老人，乾咳一聲打了兩個哈哈，道：「你們兩個娃兒都先到了，不知是否已探得這白雲峽四周敵勢？」

陶玉答道：「晚輩在無意之中聽得消息，華山和雪山、點蒼三派，已聯手對付本幫，而且已經發動，要在半日一夜之內，掃除本幫派守在白雲峽四周的暗樁。」

那殘缺老人，冷冷地哼了一聲，道：「九大門派的人，是越鬧越不像話了，我今天既然趕到，非得給他們一點顏色看看不可……」言詞托大，口氣冷傲至極，楊夢寰只聽得臉上微微變色。

陶玉卻望著那殘缺老人，笑道：「華山、點蒼山、雪山三派聯手，實力甚是強大，莫老壇主一人之力，只怕不易擋拒得住，不知我恩師他老人家來了沒有？」

那殘缺老人忽然裂嘴一陣梟鳴般的大笑道：「自老夫加盟天龍幫後，廿年來一直隱居在絕壑石岩之中，也許當今武林中人，早已把老夫忘去了……」話至此處，陡然住口，目光凝注在數丈外一座大岩石上，厲聲喝道：「什麼人鬼鬼祟祟，再不現身，可不要怪老夫出手了！」

只聽那大岩之後，響起了一聲長笑，颯然風動，躍出來八臂翁聞公泰。

只見八臂神翁聞公泰，手握青竹杖，站在那大岩石上，目光盯在殘缺老人臉上，笑聲忽歛，神色逐漸凝重起來。忽見那殘缺老人右手一拂，人已凌空而起，虛飄飄的左袖，隨風飄蕩。楊夢寰目睹那老人虛漾的左袖，心中忽生憐憫之感，暗道：這老人已是殘缺之人，怎麼性子還是這等火爆，聞公泰功力何等深厚，如果出手，只怕這殘缺老人要吃大虧……。他心念還未轉完，那老人已落在聞公泰停身的大岩石上，兩人相距，只不過三四尺遠近。

聞公泰未出手，已出了楊夢寰意料之外，更出意外的是八臂神翁忽然由那停身的大岩石之上，飛躍而起，向後退了三丈多遠。

但聞那殘缺老人乾咳般的一陣大笑，道：「聞公泰，你還認識老夫麼？」楊夢寰聽他一開口直呼聞公泰的名字，不由微微一怔，暗道：「聞公泰乃一派宗師身分，江湖之上對他極是尊崇，雖是敵對之人，亦得叫他一聲聞兄，這老人是何身分，竟然這等狂妄。

只聽八臂神翁說道：「別說莫兄斬斷了一腿一臂，就是你火化成灰，我也一樣看得出是

你。」

那殘缺老人陰惻惻的一笑，道：「老夫雖然斷去一腿一臂，但自信還不致輸在你聞公泰的手下，……」話還未完，突然單腿一躍，搶前丈餘，一揚獨臂輕輕一掌，直對八臂神翁劈去。

楊夢寰看那劈出掌勢，毫無力道，虛飄飄的拍擊而出，不禁一皺眉頭，心道：這一掌如非暗會陰勁，定然有什麼詭異的變化。

他這年來時間，連經大變，迭遇強敵，經驗閱歷大增，一聽那殘缺老人口氣，已知他不是平掌人物，這一掌看似平淡無奇，但其中必然暗藏殺手。

果然聞公泰不肯硬接那殘缺老人一擊，橫裏一躍，閃開五尺，拂髯笑道：「咱們已經廿幾年不見，見面就打，不覺得太煞風景麼？」

但聞殘缺老人嘿嘿一陣冷笑，道：「老夫這次重履江湖，就是想見識見識你們九大門派的高人，……」話出招發，雙肩一晃，已搶至聞公泰身側。

雖只有一腿一臂，但動作卻是迅快無比，但見虛袖飄飄，不論他用的什麼身法，絲毫不見作勢縱躍，人已如流矢離弦，凌空而起，獨臂揮動之間，連續拍出三掌。

不知何故，聞公泰總是不肯接他攻擊，長笑聲中，人又躍退了兩丈多遠，一拂長髯說道：「莫兄雖然身成殘缺，但武功卻又似精進不少，不過兄弟不願和你動手，恕我失陪了！」說完，轉身疾奔而去。

那殘缺老人只是望著聞公泰的背影，連聲冷笑不停，直待八臂神翁身影完全消失，他才緩緩轉過身子，單腿一躍，落到了夢寰和霞琳面前，目光之中滿含殺機，冷冷的問道：「你們這兩個娃兒，是什麼人的門下？」

楊夢寰一上步，擋在霞琳面前，暗中運集功力戒備，正待答話，忽覺微風飄動，李瑤紅已躍擋在夢寰身前，兩臂一張，說道：「莫叔叔，你不能傷他們，他們都是我的朋友。」

那殘缺老人微微一笑道：「好！既是你的朋友，莫叔叔就饒他們這一遭吧。」說罷，獨臂一揮，呼的一聲從三人頭上掠過，落在那軟轎之旁。

他生性雖然暴急冷怪，但對李瑤紅卻十分和藹，臨去之際，又對李瑤紅道：「我還有事，要先走一步，眼下強敵甚多，你行動可要小心一些。」

李瑤紅笑道：「莫叔叔但請放心，如果我真的遇上強敵，就施放流火炮，向叔叔求援！」

殘缺老人微微一笑，右手一拂，人已躍上竹轎。

陶玉突然一個飛躍，攔住竹轎，說道：「莫老壇主，暫請留步，晚輩還有幾句話說……」他微微一頓，接道：「聞公泰雖是一派掌門宗師之尊，但他爲人卻是陰險無比，剛才不戰即退，定然有什麼陰謀。以晚輩推斷，他可能是去邀集點蒼和雪山兩派中高手，準備合力對付莫老壇主！晚輩斗膽相求，和莫老壇主同行，以便稍助微力。」

殘缺老人忽地一聳雙肩，冷冷笑道：「老夫生平做事，從未借重別人助力，陶香主盛情，老夫只有心領了。」

要知陶玉乃直屬天龍幫主轄下香主，地位超然，和紅、黃、藍、白、黑五旗壇主，並無直接隸屬關係，是以那殘缺老人，雖然不悅陶玉之言，但在詞色之間，還替他稍留餘地。

只見金環二郎微微一笑，道：「非是晚輩多口，實因那聞公泰人太狡猾，眼下本幫中各旗壇主，均未到達，一切均得仗莫老壇主主持，晚輩日來奔走，已大略探得敵勢虛實，如得同行也可隨時提供愚見。」

那殘缺老人聽他說得入理，臉色大見緩和道：「既是如此，老夫也不便再拒陶香主的好意了。」說罷，一揮手，兩個勁裝大漢，立時抬起竹轎，疾奔而去。

陶玉回頭對夢寰笑道：「楊兄請和我師妹談談，兄弟如能找得那偷竊《歸元秘笈》之人，自當私下通知楊兄一聲。」餘音未落，忽的一躍而起，一掠之勢，就是三丈遠近。

楊夢寰目睹陶玉身法快速絕倫，正在忖思之間，忽聽李瑤紅啊了一聲，說道：「只有年餘不見，他武功怎的如此精進？」

楊夢寰嘆息一聲，接道：「令師兄懷技自秘，藏刃斂鋒，看來他武功還不止此……」

李瑤紅急道：「我和他從小在一起長大，一同學習武功，他功力如何，我自然清楚得很，不知何以年餘不見，他能這等精進，其中定有緣故。」

楊夢寰淡淡一笑，轉臉望著李瑤紅道：「貴幫中人，已到了不少，李姑娘想必亦有要事待辦，我們師兄妹不打擾了！」說完拉著霞琳轉身就走。

李瑤紅看他仍然是一副冷冰冰的神情，不禁大感傷心，只覺鼻孔一酸，熱淚奪眶而出，急忿交加，頓忘利害，一跺腳叫道：「你還想不想要《歸元秘笈》？」

這一句話，立即發生了無比的效力，楊夢寰果然停住腳步，回頭說道：「那《歸元秘笈》不但關係著我楊某人的生死，而且還牽連了很多的人，事非小可，李姑娘千萬不可當玩笑說？」

李瑤紅道：「誰給你當玩笑說，我說的一字一句，都是千真萬確。」

楊夢寰看她神情鄭重，面色肅穆，不由信了五成，鬆開了霞琳玉腕，緩步走近李瑤紅問道：「不知那《歸元秘笈》現在何處，望姑娘賜示一二。」

李瑤紅冷笑一聲，道：「哼！你在用到我時，儘管說得動人好聽，可是事情一過，立即就變得冷若冰霜。」

楊夢寰淡淡一笑，道：「自信沒有對不起姑娘之處，但那男女之嫌，總不得不顧。江湖之上，原本就多是非。姑娘令尊，一代豪雄，聲威所播，無不敬服，姑娘亦是名噪武林的女英雄，在下出身的崑崙派，又有重重戒律限制，如有什麼蜚短流長，不但在下難見容師門，而且對姑娘的清譽，只怕也有損謗……」

李瑤紅忽然嗤地一笑，接道：「原來你是怕別人講你閒話……」她陡然放低聲音，道：「你和你師妹那樣親密，難道就不怕蜚短流長？」

楊夢寰似是未想她會有此一問，呆了一呆，道：「我們同列崑崙門下，情如手足，那自然又當別論。」

李瑤紅輕哼了一聲，道：「那位朱姑娘既非你同門，亦非你師姊師妹，可是你跑到人家白雲峽來幹什麼？」

楊夢寰道：「朱姑娘對我有救命之恩……」

李瑤紅悽惋一笑，道：「這事以後再說吧！我現在得趕緊去替你找取《歸元秘笈》，再晚了，就沒法子找到啦。」說完轉身向陶玉和那殘缺老人消失的方向追去。

楊夢寰看她爲自己之事，這等熱心奔走，不覺暗生愧疚，奮力一躍，人如弓箭離弦一般，攔住李瑤紅問道：「你要到哪裡去找，我陪你走一趟如何？」

李瑤紅道：「又不是去和別人打架，你陪我一起去有什麼作爲？」她沉吟一陣又道：「實不相瞞，我父親飛傳龍令牌，調集我們天龍幫高手，會集這白雲峽，目的也在那《歸元秘

笈》。眼下我們天龍幫雖然到了一部分人，但幾個一流高手，都還未到。我父親和紅、黃、白、黑四旗壇主，大概在今天晚上，可以趕到……」她忽然輕輕地唉了一聲，接道：「我們天龍幫五旗壇主，個個都負有絕世武功，黃、藍兩壇，更是難測高深，你若遇上他們時，最好不要和他們動手。」

楊夢寰道：「剛才那斷臂缺腿的老人，不知是貴幫中什麼人？」

李瑤紅道：「他就是我們天龍幫中藍旗壇的壇主，別看他身有殘缺，但武功卻是高得出奇，他什麼時候加盟入我們天龍幫中，除了我爹爹之外，知道的人，恐怕不多，在我記事的十幾年來，藍旗壇壇主之位，一直是形同虛懸。不少武林高人，求謀此位，但均被我爹爹婉言謝絕，誰也沒想到，藍旗壇壇主早已有人。江湖之上，不明底細的，都認為我們天龍幫行令香主，就是執掌壇的壇主，其實也只不過是代行其事而已。直到兩年前，我爹爹令召五旗壇主及幫中幾位武功高絕的香主議事，那殘缺老人忽然出現在議事堂內，當時我也隨在爹爹身旁，聽爹爹介紹他和幾位壇主見面，才知道他在天龍幫開創之時，已加盟入幫。只因受人暗算，身受重傷，在自行運功療復之際，又被人驚擾走火入魔，才自斷一臂一腿，隱居在我們天龍幫總壇後面幽谷之中，自行療息，一住二十年之久。這件事只有我爹爹一人知道，所以江湖之上，毫無傳聞。我看席間，幾位壇主，都對他十分尊敬，想他武功定然不弱，後來暗中一問父親，果然不錯，而且他身具武功，都是陰歹無比之學，你千萬不可和他動手。」

楊夢寰一沉忖，笑道：「承蒙告誡，盛情心領，如再遇他時，自當加倍小心……」

李瑤紅嫣然一笑，接道：「你肯聽我的話，我心裡就很高興，你們師兄妹先請回去吧！今夜二更，咱們仍在此地見面……」說罷，轉身疾奔而去。

楊夢寰一直待李瑤紅背影消失，才黯然一聲長嘆，拉著霞琳道：「走吧！咱們也該回去了。」

沈霞琳柔婉一笑，任夢寰拉著她向前奔走，翻過山嶺，已到白雲峽口。

只見一個灰袍大漢，正站在谷口張望。楊夢寰從他身材上辨認出，那大漢正是在饒州郊外和自己動手之人，這時，他已去了蒙面青紗，右頰之上有一道數寸長短的疤痕。他所以面罩青紗，大概就是爲了要遮掩臉上疤痕。

他見到夢寰之後，立時急奔過來，笑道：「小老兒奉了主人之命迎接兩位，眼下這白雲峽強敵四伏，兩位不宜再觀賞景物，還是跟我回去吧。」

楊夢寰聽他口氣，已知朱若蘭告訴他其中原因，當下也就含含糊糊地答道：「晚輩們也正要回去。」

這灰袍大漢便是趙海萍由宮內侍衛中，捉來扶助朱若蘭的神鷹陳葆。他到白雲峽後，連得趙海萍和朱若蘭指點，武功已精進很多，如以他武功而論，不但一般江湖武師難以望其項背，就是當今江湖中一流高手相比，也是相差有限。

陳葆帶兩人回到聳雲岩後面的石洞之內，這一座天機真人昔年的修練石室，本來沒有名字，但朱若蘭爲著方便起見，命名「天機石府」，以示悼念三百年前威震武林的天機真人。

三人剛到洞口，三手羅刹彭秀葦忽地由洞口旁側大石後躍出，笑道：「小主人正和那位趙姑娘在洞中商議對付強敵之策，三位快請進去吧。」

楊夢寰看她右手戴著鹿皮手套，緊握一把毒沙，左手卻握著一柄二尺多長的緬鐵軟刀，暗

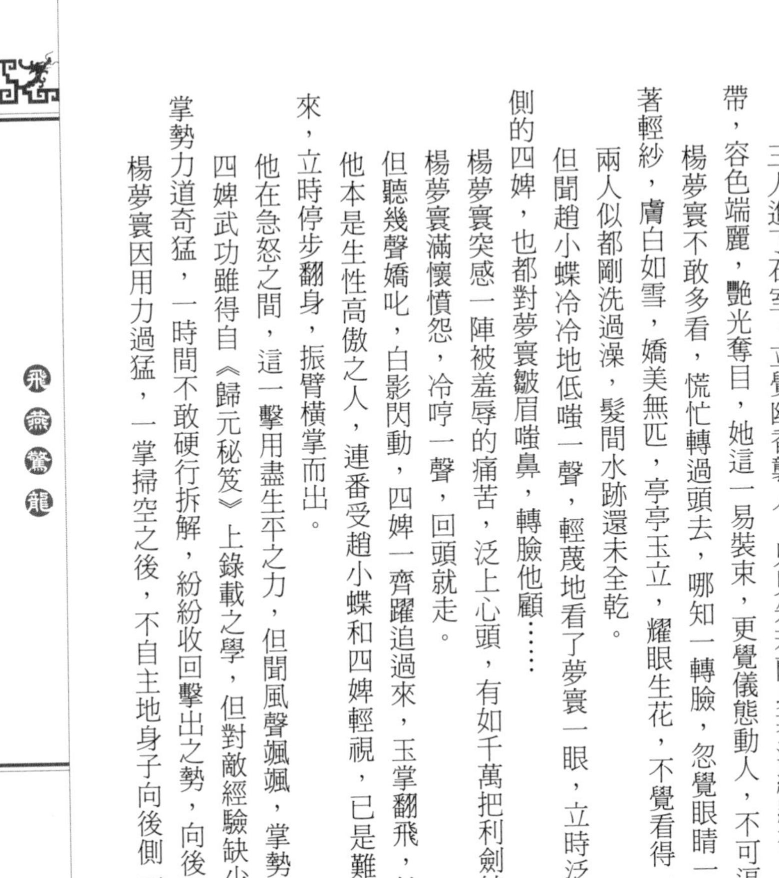

道：她隱在大石之後，除非是由聳雲岩上面下來，否則極不易看出石後隱藏有人，如果出其不意打出一把毒沙，縱是當今武林高手也無法逃得厄運……抬頭望去，但見峭立千尋，猶如刀削一般，想從峰頂下來，實在大不易爲。

三人進了石室，立覺幽香襲人，只見朱若蘭身著淡綠羅衫，淡綠長褲，髮垂玉肩，腰束白帶，容色端麗，艷光奪目，她這一易裝束，更覺儀態動人，不可逼視。

楊夢寰不敢多看，慌忙轉過頭去，哪知一轉臉，忽覺眼睛一亮，但見趙小蝶髮挽宮髻，身著輕紗，膚白如雪，嬌美無匹，亭亭玉立，耀眼生花，不覺看得一呆。

兩人似都剛洗過澡，髮間水跡還未全乾。

但聞趙小蝶冷冷地低嗤一聲，輕蔑地看了夢寰一眼，立時泛現出滿臉不屑之色，環繞她身側的四婢，也都對夢寰皺眉嗤鼻，轉臉他顧……

楊夢寰突感一陣被羞辱的痛苦，泛上心頭，有如千萬把利劍絞心穿腹。

楊夢寰滿懷憤怨，冷哼一聲，回頭就走。

但聽幾聲嬌叱，白影閃動，四婢一齊躍追過來，玉掌翻飛，拍擊向楊夢寰後背。

他本是生性高傲之人，連番受趙小蝶和四婢輕視，已是難再忍耐，聞得衣袂飄風之聲襲來，立時停步翻身，振臂橫掌而出。

他在急怒之間，這一擊用盡生平之力，但聞風聲颯颯，掌勢勁道迫人。

四婢武功雖得自《歸元秘笈》上錄載之學，但對敵經驗缺少，應變機智不夠，看夢寰掃出掌勢力道奇猛，一時間不敢硬行拆解，紛紛收回擊出之勢，向後躍退。

楊夢寰因用力過猛，一掌掃空之後，不自主地身子向後側一傾，就這一緩之勢，四婢也由他兩側掠過，擋住了石洞出口。

沈霞琳初見四婢出手之時，一時間茫然失措，不知如何才好，直待四婢躍擋住石洞出口，她才轉臉問夢寰道：「寰哥哥，我們可是要衝出去嗎？」

楊夢寰還未來得及答話，朱若蘭搶先說道：「蝶妹妹，你這般難爲於他，究係何意，難道那《歸元秘笈》當真是他偷竊的不成？」

趙小蝶道：「他雖未直接說出偷了我《歸元秘笈》，但他已答應在三日之內替我找回。我看在姊姊和那位沈姊姊的份上，就答允了他，如果此刻放他走去，只怕他借機溜走，不再回白雲峽來，我就沒有辦法再找到他了。」

朱若蘭輕顰黛眉，緩步走近夢寰身側，柔聲問道：「你既然未拿《歸元秘笈》，如何能承諾三日內替人找回？」

楊夢寰道：「趙姑娘一心認定是我偷了她《歸元秘笈》，迫我交出，但她對我又有救命之恩，我既不能交出《歸元秘笈》，又不便和她動手，逼得我作難萬端，在形勢迫逼之下，我只有此一途，不想我沈師妹及時趕到了……」

朱若蘭嘆道：「你既然真的未拿，盡可據理爭辯，豈可輕作承諾？」

楊夢寰道：「我說三日內替她找回《歸元秘笈》，亦非完全是空言。趙姑娘既然堅持《歸元秘笈》遺忘姊姊閨房之內，那麼，近日來能出入姑娘閨房之中的，除了姊姊和我之外，還有一人可疑。」

朱若蘭道：「你說的可是陶玉嗎？」

楊夢寰道：「我只是懷疑到他，但眼下並無憑證。」

朱若蘭微揚雙眉，十分堅決地說道：「不錯，是他，一定是他！我們現在就去找他。」

楊夢寰道：「今宵二更，李瑤紅約我在白雲峽見面，她答應我送還《歸元秘笈》。」

朱若蘭輕輕地哼了一聲，道：「鬼丫頭機靈無比，決不會安有什麼好心。」

楊夢寰長嘆一聲，默然不答。

趙小蝶目睹朱若蘭對夢寰諸般柔情，玉掌輕召，喚回四婢，悄然起身，帶著四婢回到後面。

楊夢寰望著趙小蝶背影，嘆道：「她對我誤會極深，實非言語所能解說得了。只得尋還她《歸元秘笈》之後，我就和沈妹妹返回崑崙……」

朱若蘭接道：「現下白雲峽四周，伏滿強敵，你如何能走得了。唉！趙家妹妹雖對你有所誤會，但我想只要再相處一段時日，必可冰釋。今晚上我陪你去見李瑤紅一趟，看看她是否真還給你《歸元秘笈》？你傷癒不久，連經奔走，想已有些睏倦，我已替你打掃好西側石室，快去休息一陣。」說來深情款款，臉上情愛橫溢。

楊夢寰看一眼，不敢和朱若蘭目光接觸，急向西側石室奔去。

朱若蘭拉起霞琳右手，笑道：「你恐怕也跑累了，走！到姊姊房中休息去。」

沈霞琳長嘆一聲，問道：「那位姑娘爲什麼要恨寰哥哥呢？」

朱若蘭笑道：「她受母親偏激遺訓影響，認爲天下男人沒有一個好的。再加上諸般事情巧合，造成她對你寰哥哥的誤會，不過有一天，這誤會將會煙消雲散，眼下時機未熟，解說無益……」

沈霞琳似懂非懂地點點頭，嗯了一聲，道：「黛姊姊想的事，一定不會錯。」

朱若蘭低聲笑道：「你放心好啦，有我在，決不會讓他太受委屈……」話至此處，突然回頭對站在洞口的神鷹陳葆說道：「你去招呼松芸和彭秀葦回來，協力同守洞口，只要敵人不攻我們天機石府，就不要管他們的閒事，以我推想，他們勢必先自相殘殺一陣，才會找上我們。」

陳葆答應一聲，自去招回松芸和三手羅剎，協力守住洞口。

二更時分，楊夢寰勁裝佩劍而出，他經過大半天的養息，精神十分飽滿。彭秀葦等早已得朱若蘭指示，立時讓到一側，放他出洞。

這晚上陰雲密布，掩遮了星月之光，松濤陣陣，一片黑黑夜色，他四外張望了一陣，並未見朱若蘭隨同而來，立時凝神提氣，施展輕功，疾向和李瑤紅約會之所奔去。

他一心惦記那《歸元秘笈》下落，盡力趕路，不到頓飯工夫，已到了白晝和李瑤紅約會之處。

夜暗如漆，數尺外難辨景物，他目光雖然異於常人，但也只不過可及一丈之內光景，他凝神尋望了四周一陣，哪裡有李瑤紅的影子，不禁暗中著急起來，忖道：莫非她是騙我不成？忽然間，黑暗中亮起一道閃光，緊接著，一聲響徹山谷的巨雷，就在那閃光剛逝，雷聲未絕之際，一聲清脆的嬌喊之聲，起自數丈外並生巨松之後，道：「我想不到你真的會來！」聲音嬌柔，充滿喜悅。

但聞那嬌脆之聲，劃空而來，瞬息之間，已到身側。

楊夢寰不需再看，已由那嬌喊聲中分辨出來人是誰，微一鎮定心神，冷冷地說道：「李姑

娘可已尋得《歸元秘笈》嗎？」

此際，兩人相距不過數尺距離，雖然夜暗如漆，但兩人均有超異常人的目力，是以對方的神態舉動，均能一目了然。

只聽李瑤紅幽幽一嘆道：「我今天雖然未能尋得，但明天定可到手，無論如何不會誤了你三天限期。」

楊夢寰淡淡一笑，道：「在下對姑娘之約原也未抱什麼希望，但對姑娘一番相助盛意，仍然十分感激。眼下天氣，即將大變，這等荒山之中，不宜久留，而且姑娘位列天龍幫中香主之尊，想必有很多要事待辦，楊某人不便多打擾，就此告別了。」說完話，深深一揖，回身就走。

李瑤紅目睹楊夢寰冷漠之情，不禁羞忿交加，縱身躍起，探臂直向楊夢寰右肩抓下。這一變化倉促，大出了夢寰意外，待他驚覺有變，已為李瑤紅五指抓住右肩「雲門」、「肩井」兩穴。

楊夢寰暗中運氣，行功右肩，冷笑一聲，道：「李姑娘可是逼迫在下出手嗎？」

李瑤紅心頭一涼，倏然鬆開夢寰肩頭，嬌軀輕轉，攔在夢寰面前，說道：「哼！我有什麼下賤之處？你這般看不起我。」

楊夢寰笑道：「不知我哪裡看不起你？你且說個明白。」

李瑤紅被問得怔了一怔，暗道：他對我雖然不好，但並無什麼不是之處，要我舉例說明，倒是難以說出個所以然來。

但聞楊夢寰輕輕嘆息一聲，道：「眼下貴幫實力強大無比，和武林中九大門派已成水火之勢。我們雖無恩怨，但因大勢所迫，勢難兼顧私情，姑娘蕙質蘭心，想必能了解我楊某人話中含意！至於姑娘對我數番相助恩義，我定當銘刻肺腑，如果我還能活得下去，異日或有一報。」

李瑤紅忽然流下來兩行淚水，說道：「你已在川西救過了我的性命，別說我對你沒什麼恩義，縱然是有，也早還報過了。我明白你說的話，唉！一點也怪不得你，只怪我自作多情……」忽然她抹去臉上淚痕，吟道：「春蠶到死絲方盡，蠟炬成灰淚始乾……」吟完兩句，仰臉狂笑起來，笑聲尖銳刺耳，直似巫峽猿啼。

忽的又是一道閃光亮起，楊夢寰借機望去，只見她玉頰上淚痕縱橫，那狂笑之聲亦早變成痛哭之聲，倏的雷聲震耳，李瑤紅忽然轉身狂奔，但聞哭聲劃空而去，逐漸消失耳際。

楊夢寰呆呆地站著，望著李瑤紅奔走而去的方向出神，其實李瑤紅去勢如電，早已跑到了數里之外……

這時，山風陡轉強勁，呼嘯而過，石走沙飛，閃光迭起，雷聲密如連珠……

忽然間幾聲喝叱，夾在雷聲和呼嘯山風中傳來，緊接著大笑聲、怒罵聲，不斷傳入耳際，距離也愈來愈近。

驀地一道強烈閃光閃起，楊夢寰借著閃光望去，只見那獨臂單腿的殘廢老人，坐在兩人抬著的竹轎上，聞公泰和一個身材矮小，身穿白麻衫，腰束紅色絲帶，留著花白山羊鬍子的人走在一起，兩人並肩而立，擋住那殘缺老人去路。

這白衣人正是雪山派掌門人白衣神君滕雷，楊夢寰那天和陶玉躲在山腹石室之中，聽到華

山、雪山、點蒼三派掌門人，商議對付天龍幫的人物，但那日因他躲在石室，未見幾人面貌，是以，他仍然不認識白衣神君滕雷。

那閃光雖然光芒耀目，照徹群峰，但因一閃即逝，剎那之間又復黑暗，楊夢寰除了看清楚三人之外，目光所及，似乎周圍都已站滿了……

忽聽轟然一聲巨雷，只震得四山回鳴不絕，就在那雷聲初動之際，忽然伸來一雙柔軟的玉手，輕扣在夢寰手腕之上，耳邊同時響起了朱若蘭嬌甜的聲音，說道：「不要出聲，隨我一起躲藏起來，現在不知有多少武林高手集中此地，咱們藏起來看熱鬧吧！」

# 三五　殺機四伏

朱若蘭內功精湛，黑夜觀物如同白晝一般，拉著夢寰繞過擋在途中的敵人，到了那並生巨松之下，一提真氣，右手用力一帶夢寰，躍上松樹，兩人選擇一處枝葉密茂的所在坐下。

只聽幾聲狂笑和雜亂的呼喝之聲，交織一起，緊接著又響起了幾聲淒厲的慘叫，顯然是有人受了重傷。

兩人在松樹上聽到傳來陶玉的聲音，說道：「兩位才來嗎？千萬出聲不得，不管是哪方面的人，發覺我們隱身在這松樹之上，這個熱鬧，咱們就看不成了。」

朱若蘭正待答話，忽聞八臂神翁哈哈一陣大笑，道：「莫老兒，你今夜已經身陷重圍，要想活著退出去，只怕比登天還難，兄弟念你在江湖上的地位身分，成全你一個全屍，快些自己了斷吧。」

只聽那殘缺老人連聲冷笑，半晌才說道：「你認爲你那點陰謀伎倆，能驚駭老夫嗎？哈哈，我只怕你在今夜之中，無法再闖出這一片幽谷了！」

忽地一聲悶哼和一聲淒厲的慘叫連續響起，但那慘叫餘音卻被隆隆雷聲所掩沒。

朱若蘭借那隆隆雷聲掩護，嬌軀一側，左手呼地一掌，直向陶玉隱身之處劈去，掌風所至，一片落葉斷枝，紛紛墜下。

哪知事情卻大出了朱若蘭意料之外，那劈出一掌，竟是毫無反應，既不見陶玉躍身躲過，亦無迎擊力道。

她微微一呆之後，隨即一聲冷笑，道：「任憑你鬼計多端，今夜中不交出《歸元秘笈》，你就別想活命。」

只聽陶玉在右側輕聲接道：「眼下這片小小盆地四周，不知群集了天下多少一流高手，號稱武林九大門派的掌門宗師，不少都將親自到場出手，眼下幾方都正在遣兵調將，這場千載難逢的好戲，即將開演，姑娘最好別太衝動，靜坐這巨松之上，觀看這一場龍爭虎鬥……」

朱若蘭雖已發覺他停身之處，但因中間隔了個楊夢寰，出手極是不便，何況他說的話，也確然不錯，目前情勢複雜異常，究竟如何演變，誰也沒法預料，各人用心，都在那《歸元秘笈》，如果利害有了衝突，瞬息間即將敵友互易，要是自己再向陶玉出手，在目前這種混亂局勢之下，極可能造成眾矢之的。

她本是極端聰慧之人，略一思索，立時按下胸中怒火，冷冷地接道：「不管眼下的情勢如何複雜，但你別妄想借機逃走。」

陶玉笑道：「但請放心，你就是讓我走，眼下我也不走。」

原來金環二郎在那慘叫聲起，朱若蘭心神微分之際，借機施出「仙猿移枝」的輕功身法，躍到楊夢寰的右側一枝松幹之上，朱若蘭停身在夢寰左側，這一移動位置，正好把楊夢寰隔在兩人中間，就是朱若蘭定要出手，但因顧及傷了夢寰，亦不敢出手。

兩人在樹上對答之言，被那不絕雷聲和急嘯山風掩沒，所以數丈外雖停有不少高人，也未發覺三人隱藏在巨松之上。

忽的閃光滿天，霹靂大作，風威狂發，松嘯刺耳，黃豆般大小的雨點，傾盆而下。三人雖有濃密的松葉遮蔽，但因雨勢太大，片刻之間，全身已然如水浸一般。

朱若蘭輕伸玉掌，握住夢寰一隻手腕，附在他耳邊，低聲說道：「你大傷初癒，元氣未復，恐怕難擋這等強風猛雨的吹打，快些摒棄雜念，運氣調息，我幫助你。」

楊夢寰還未及答話，突覺朱若蘭手掌之內湧出絲絲熱氣，循臂而上，緩緩向內腑攻去，知她已潛運本身真氣助自己運氣行功，趕忙摒棄雜念，掃清靈台，凝神運功。

這一陣如注豪雨，足足下了半個時辰，使這四面環山的小盆地內，積水數寸之深。

不知是豪雨影響了群雄搏鬥之興，還是雙方都在爭取時間調遣人手，在半個時辰之內，未聞打鬥呼喝之聲……

忽的雨住雲散，勁風勢減，當空藍天，乍現一輪明月，清輝似水，朗徹群山。楊夢寰也剛好調息完畢，因有朱若蘭運氣相助，他這次調息時間不但比往日快了一倍，而且行氣遍及全身奇經脈穴，運氣已畢，立覺精神大增。

定神望去，只見四周已站滿了人群，就是自己隱身的巨松之下也分布著七、八個手握兵刃的人。原來，雙方都在那豪雨如注之時，分遣追隨身側的門下弟子，召集人手。

朱若蘭看他調息過後，雙目中神光閃閃，知他這一次及時調息，十分恰當，不但可抵禦這一陣強風豪雨的吹打，而且對他正在復元的身體，亦有很大助益，心中大感歡愉。

但聽八臂神翁哈哈一陣大笑，道：「莫老兒，剛才那陣豪雨，正是天助你逃走的機會，想不到你卻白白地放過了大好時機。眼下風住雨收，雲散月現，只怕你那點鬼魅伎倆不足以衛保自身了。」說完，忽的一擺手中青竹杖，又道：「滕兄，這缺臂斷腿的老兒，就是昔年名震

江湖的五毒叟莫倫。二十幾年前，被兄弟和少林派高僧大智上人，武當派名宿，合力圍殲，雖已把他打成重傷，但仍被他狂發蠍尾針，衝出重圍逃走，這二十幾年來，就未曾在江湖出現，想他可能早已傷發死去，誰知他竟不惜自斷一臂一腿，留住性命，這老兒一身都是又歹又毒的暗器，尤以蠍尾針，更是絕毒無比，不但體積細小，而且他能一發數十百支，咱們和他動手之時，不可不防。」

五毒叟莫倫陰惻惻一聲冷笑，截住了八臂神翁之言，接道：「蠍尾針何足誇耀，今夜讓你試試老夫隱修二十年的五毒神掌。」

聞公泰側目望了滕雷一眼，道：「想不到這老兒竟也會投效在天龍幫中，今夜如不合力把他除去，將留下異日無窮後患。」

白衣神君滕雷無聲無息地咧嘴一笑，道：「兄弟在邊陲雪嶺之時，已聽得人說五毒叟莫倫其人，今日幸會，實在難得，聞兄請先出手，兄弟接擋第二陣如何？」

聞公泰道：「對付滿身奇毒的莫老兒，大可不必和他講什麼江湖規矩……」

只聞五毒叟莫倫一聲怒喝，單腿一挺，忽地由特製竹轎上飛躍而下，右手直向聞公泰劈去。

八臂神翁猛地大喝一聲，手中青竹杖一招「橫掃五嶽」，猛擊過去。

莫倫冷笑一聲，單腿忽地一收，身子倏然上升數尺，讓過八臂神翁的一杖橫擊，直向聞公泰身側欺入。

聞公泰怒喝一聲，右掌平胸疾推而出。

隨掌而出一股凌厲無匹的力道，直向莫倫撞擊過去。

五毒叟身子還未著地，右掌已疾翻起來，迎著聞公泰左掌劈出的內家罡力，輕輕地一劃一引，單腿已落在實地。

聞公泰忽覺自己劈出的內家罡力，被一股陰柔之力吸引向一側，不覺大吃一驚，猛一沉丹田之氣，穩住前傾的身子，疾向左側移去三步。

莫倫陰森森一笑，道：「聞公泰，再接老夫一掌如何？」右手一探，輕飄飄一掌直劈過去。

白衣神君滕雷，目睹聞公泰處處讓避敵勢，正自暗笑之間，忽見聞公泰揮動手中青竹杖，倏忽間杖影如山，幻化出一片光幕，不禁又暗自喝彩，一掃輕視之心，奸笑一聲，道：「聞兄的伏魔杖法，果不虛傳，兄弟要助拳來了。」呼地一掌，直向莫倫背心劈去。

他這一掌乃蓄勢而發，威勢非同小可，但聞呼呼掌風，有如怒浪擊岩一般。

聞公泰目睹滕雷出手，心中大喜，右臂一振，那流動杖影倏然合而爲一，猛向莫倫前胸點去。

莫倫腹背受敵，他又是單腿獨臂之人，無法分手拒接前後合擊攻勢，就這一刹那間，莫倫已貼地倒飛出一丈開外，挺身躍起。

聞公泰心頭一凜，暗道：這老兒雖只餘一臂一腿，但身手靈活不減當年，今宵之戰，勢必得小心一些，莫上了他的當。

心念一轉，左手探懷取出一把金丸，扣在掌內。

白衣神君收回擊出力道，本要縱身直襲莫倫，瞥見聞公泰站著不動，心中一動，暗道：江湖上久傳聞公泰生性機詐，心狠手辣，不要中了他借刀殺人之計。我和那五毒叟拚得你死我

活，他卻袖手觀火，坐收漁人之利。

聞公泰是何等人物，一望滕雷臉色，立時猜透他心中疑慮，當下呵呵一笑，叫道：「滕兄不要躁進，當心他蠍尾毒針厲害……」

一語未畢，驀聞莫倫梟鳴般的一聲怪笑，忽的一揚獨臂，一股腥臭掌風，直向八臂神翁擊去。

忽然間冷芒電奔，一道白光，直向莫倫飛去，丈餘外暗影處響起一個宏亮的聲音：「聞兄、滕兄，快請後退，不可硬接他五毒掌力。」

聞公泰冷哼一聲，猛一提丹田真氣，雙臂一抖，凌空而起，直飛起三丈多高，才懸空一個轉身，化作蒼鷹護燕身法，左手揮動，先打出掌中一把金丸，人也隨著猛向莫倫撲去。

五毒叟掌勢劈出，那電奔寒芒已快近身，哪知他竟不慌不忙地回手一抄，已把急襲而來的一柄短劍接在手中，手法巧妙至極。

他剛剛接住短劍，聞公泰打出的滿天金丸已破空罩下。

但聞莫倫陰惻惻一笑，振腕先把手中接得的一柄短劍，迎向聞公泰打去，接著雙肩一晃，倏然間閃出九尺多遠，獨臂一拂，施出鐵袖神力，用內家罡氣，把幾粒近身的金丸擊落，但大部分金丸都落在莫倫身邊二尺之內。

聞公泰一把金丸落空，施襲突然三變，猛一吸丹田真氣，半空中忽然一展身，下落之勢倏然之間又向前飛去，掠著莫倫身側而過。

這等懸空轉身，全憑丹田一口真氣運轉，非有上乘的輕功和深厚的內功決難辦到。

隱在那濃密松葉之中的楊夢寰，目睹幾人幾招施襲、閃擊身法，心中大力讚嘆，不覺轉臉望了朱若蘭一眼。

朱若蘭綻唇一笑，附在耳邊說道：「這幾人身手，確都不凡，耐心點看下去，還有熱鬧好瞧哩。」

忽聞一陣大笑之聲，劃破夜空而來，倏忽之間笑聲已到數丈之內，楊夢寰輕分松枝，凝神望去，月光下只見幾條人影，流矢一般奔來，那人影在兩丈左右處停下來，正是天龍幫主李滄瀾，和紅旗壇主百步飛鈸齊元同、白旗壇主子母神膽勝一清，三人身子剛剛站好，川中四醜也緊隨著趕到，並肩站在李滄瀾身後。

這時，白衣神君滕雷和八臂神翁聞公泰目睹天龍幫大隊趕到，強弱之勢，瞬間互易，彼此互望了一眼，圍殲莫倫之念，立時改變，滕雷雙肩微晃，人已向左躍開了一丈四、五，和聞公泰並肩而立。

只見李滄瀾一拂長髯，大笑道：「兩位雅興不淺，不知敝幫和你們華山、雪山兩派的緣份深厚呢？還是兩位存心和敝幫作對？咱們怎生這般趕巧，處處碰頭？」

聞公泰呵呵一笑，道：「這才叫冤家路窄。」

李滄瀾道：「好一個冤家路窄，這麼說來，聞兄、滕兄是有意和敝幫過不去了？」他微微一頓，又說：「也好，借機會彼此觀摩觀摩各家各門的絕學，但聞兄和滕兄似乎專和敝幫作對一般，處處和我們為難，看來咱們倒得提前一步，在今夜做個了斷！」

滕雷咧嘴一笑，還未答話，忽聞一個宏亮的聲音接道：「貧道久聞李幫主的大名，心慕甚久！在貧道想像之中，李幫主定是磊落君子，可是想不到竟使貧道大感失望，哈！哈！你想倚多為勝嗎？只怕未必能如願以償！」

李滄瀾抬頭望去，只見一個中年道人緩步由暗影中走出，背插長劍，道袍飄飄，黑髯垂胸，氣定神閒，不禁一皺眉頭，一時間想不起來人是誰？正想喝問對方法號，子母神膽勝一清已看出幫主不識對方，立時接道：「江湖傳聞馬道長閉關點蒼山，精修內功，已二十年未履江湖，想不到今日竟在此幸會。」

馬家宏微微一笑，道：「勝兄乃武林中夙負勝名的高人，不知為何竟也投身在天龍幫中，甘心依人翼下，貧道實代勝兄的隆譽惋惜。」

幾句話說來不徐不疾，臉上始終帶著笑容，卻聽得子母神膽臉上一陣陣熱辣辣的難受，暗中罵道：牛鼻子少在嘴上刻薄，等下動手時，非要你嘗試一下我子母膽的味道不可。

他心裡雖在暗罵，嘴裡卻笑道：「馬道長言重了。江湖之上，都是你們號稱武林九大主派的天下，像兄弟們這等江湖草莽，如再不知結幫相助，哈哈，只有早晚都得被你們九大門派中高人消滅。」

馬家宏冷笑一聲，道：「這麼說來，勝兄是甘願臣伏在別人翼護之下了？」

這兩句話異常尖酸刻薄，只激得勝一清熱血沸騰，頂門冒火，正待反唇相激，馬家宏已轉顧李滄瀾道：「李幫主治人手段，實使貧道佩服，天龍幫濟濟群雄，都甘心俯首聽命……」

李滄瀾冷冷地接道：「馬道長少逞口舌之利，既然相遇，總算有緣，老朽素對點蒼武學敬仰，今夜正好借機領教。」

翻天雁馬家宏抬頭望了望聞公泰和滕雷，道：「李幫主如肯賜招，貧道極為歡迎，咱們先得立下一點規矩，如果貧道敗在李幫主的龍頭拐下，立時就離開括倉山……」

李滄瀾仰臉長笑一聲，接道：「如果老夫敗在馬道長劍下，就此解散天龍幫，退隱深山，

馬道長一日不死，老朽就一日不涉江湖。」

翻天雁馬家宏翻腕抽出背上長劍，道：「就這樣一言爲定，李幫主請發招吧。」

海天一叟正待揮拐出手，忽聽齊元同大聲喝道：「幫主且慢！」

李滄瀾回頭問道：「你有什麼事說！」

齊元同道：「幫主乃一幫之尊，如何能輕易臨場？本壇主願代幫主出戰。」

海天一叟被齊元同兩句話提醒，暗道：我等此行旨在《歸元秘笈》，馬家宏乃一派宗師身分，武功自然不弱，我縱有致勝把握，只怕也非短時間可分出勝負，豈不要耽誤正事？心念一轉，親自出戰之心登時改變，目光移注在五毒叟莫倫身上。

莫倫單腿一躍，飛落李滄瀾身側，說道：「幫主請按預定計劃行事，有我和齊壇主兩人足可拒敵。」

百步飛鈸齊元同雙手一舉，摘下背上青銅日月雙鈸，雙肩微晃，直欺馬家宏身側，說道：「在下代本幫幫主領教馬道長絕學。」

馬家宏冷笑一聲，道：「我怕你接不下貧道三劍！」

齊元同雙鈸一分，左上右下，護住身子，笑道：「馬道長請先出手。」

馬家宏道：「貧道讓你一著先機，你輸了，也可以落個心服口服。」

齊元同微微一笑，道：「馬道長乃出家之人，怎的口舌這等輕薄，一旦傳出江湖，不怕被人恥笑嗎？」他哈哈一陣大笑之後，又道：「如果馬道長有興對耗，咱們就面對面站上個十天、八天也好。」

要知雙方都是故意拖延時間，以便能審清敵勢，重新變更布署。

這時，李滄瀾已帶著子母神膽勝一清、川中四醜離開了現場，走得無影無蹤。

五毒叟莫倫橫身擋住了聞公泰和白衣神君滕雷去路，潛運功力，蓄勢待發，但卻並未出手。

八臂神翁和滕雷心中另有打算，是以，也未出手搶攻。

海天一叟李滄瀾去後大約有一刻工夫之久，聞公泰忽然轉眼四周，打量周圍情勢，但見不少疾服勁裝大漢，一個個手握兵刃，圍布在四周，當下冷笑一聲，道：「莫老兒，你要還不撤去四周的人，兄弟今天可要大開殺戒了。」

五毒叟莫倫陰森森一聲冷笑，道：「聞公泰！你再看這四周情形，你還能走得了嗎？」

八臂神翁仰臉一聲長嘯，道：「別說你們天龍幫這點埋伏，就是銅牆鐵壁，何足以困我聞某！」躍起一杖，直劈過去。

莫倫單腿一跳，讓開聞公泰一杖猛劈，獨臂忽地平胸推出。

聞公泰早已存心硬接莫倫一掌，是以，在青竹杖劈出一招之後，立即不再搶攻，左掌潛運功力，蓄勢以待，一見莫倫揮掌攻來，忽然大喝一聲，左掌猛地迎擊而出。

這一掌是他數十年修爲的內家功力所聚，威勢非同小可，隨掌擊出一股強猛無比的潛力，排山倒海般衝撞而出。

五毒叟莫倫嘿嘿冷笑一聲，道：「來得好！」平推出的獨臂忽地一收，緊接著又疾吐而出。

就這一收一攻之勢，力道又加強一倍。

兩股潛力懸空一接，聞公泰立時覺出不對，只感自己擊出那裂碑碎石的掌力，有如擊在一

團棉絮之上，力道難以用實，不禁大吃一驚。

忽聽白衣神君滕雷大喝一聲，揮動右臂，打出一股拳風，直向兩人之間撞擊過去。

這一拳發得恰是時機，莫倫雖然功力卓絕，但也難擋雪山、華山兩派掌門人合力一擊，只覺身子一震，飄然疾退了二丈開外。

原來莫倫修習的武功，純走的旁門邪徑，和一般武功，大不相同。掌勢看上去虛飄飄的，似甚平淡，其實他那擊出掌勢之中，卻含著了一種陰柔勁道。在擊中人身之後，立時彈震出來，即是功力和他相若之人，及時運氣反擊，也要吃虧。如是功力比他稍差之人，更是要吃大虧了，因爲他那種陰柔內力，縱令你運氣反擊，自己也無法覺出優勝劣敗之勢，只有莫倫本身，才能感覺到你是否勝他一籌。是以，聞公泰以全身真力一擊，因無法覺出優劣之勢，立時收回擊出力道，卻給了五毒叟莫倫以可乘之機，趁勢運用五毒神掌，反擊過去……

白衣神君滕雷及時發出一掌，和聞公泰因自保而重行反擊而出的內家力道，合在一起，威勢何等強猛，莫倫立時感到自己擊出的陰柔力道，無法拒擋這兩人合一的內家罡力，才收回發出的五毒掌力，飄身而退。

只見莫倫在飄身躍退之後，閉上雙目，似是在暗中運氣調息，滕雷知他在擋受自己和聞公泰合力一擊之後，被震傷了內腑，一時之間，不致於再發動施襲，當下緩步走到聞公泰身側低聲說道：「聞兄，這老兒武功的確是有點邪門，不如乘他受傷之際，合咱們兩人之力，先把他除去再說。」

八臂神翁點頭笑道：「滕兄之見，正合兄弟心意。」忽地振臂躍起，大聲喝道：「莫老兒，拿命來吧！」青竹杖一招「挾山超海」直擊過去。

但聽莫倫冷笑一聲，忽地睜開雙目，獨臂一揮，疾向青竹杖上拂去。

聞公泰冷笑道：「好狂妄的莫老兒，要找死嗎？」青竹杖突然加力，迎著莫倫獨臂擊去。

哪知五毒叟這一招，卻是用來誘敵之計，就在聞公泰青竹杖和他手臂要觸未觸之際，單腿忽地一旋，快速無比地閃到了聞公泰身後，一掌向他背心擊去。

白衣神君騰雷早已蓄勢待發，一見八臂神翁失機，立時舉手一拳擊出。

一股呼呼掌風，直向莫倫背後撞去，緊隨著他人猛撲過去。

從聞公泰失機，到滕雷發拳，只不過眨眼之間，五毒叟莫倫雖知滕雷功力深厚，那擊出拳風，恐有千斤之力，決難硬接，但他又似不願放過擊傷聞公泰的機會，人卻向右側橫跨了三步，讓避開滕雷擊向後背的拳風正鋒。

但聞公泰豈是好欺的，在一杖落空之後，已知被人虛招所惑，但因他擊出杖勢用力過猛，一時間收勢不住，全身向前一傾，就這一傾之間，五毒叟莫倫已旋步閃到身後，一掌擊出，聞公泰雖然武功卓絕，也無法在這失機的剎那之間，讓避開這一著迅如電光石火的快攻，但他究竟是久經大敵之人，臨危不亂，一面運氣護背，準備擋受莫倫一擊，同時雙足一頓，借著身子前傾之勢，凌空向前飛去。

他這應變機智，雖夠迅快，但如不是滕雷適時打出一股掌風，逼得莫倫橫躍避讓，聞公泰也難逃過一掌之危。雖是如此，八臂神翁仍覺著後背上被一股掌風擊中，幾乎栽倒地上。

但莫倫也被白衣神君滕雷的拳風激起的潛力，震得雙肩晃動，馬步不穩。

這不過是一轉眼間工夫，滕雷已捷如飛禽般撲到，聞公泰也穩住了馬步轉過身子，連人帶杖，疾向莫倫攻去。

五毒叟莫倫力敵兩人，本有些支持不住，全憑怪異拳路，和飄忽的身法，以及那綿幻不絕的陰柔之力，化解聞公泰和滕雷強猛的攻勢，但因他修習的功夫怪異，陰柔之力，又大異於陽剛之勁，外人極不易看得出來，是以，他雖已有些不支，但聞公泰和滕雷卻是絲毫看不出來。

他正感難再勉強撐鬥下去，忽覺壓力大減，白衣神君已縱身躍退。

莫倫力戰兩人之時，無暇運集五毒神掌功力，及見滕雷自動躍退，不禁心頭大喜，正待運集五毒神掌，先把八臂神翁傷在絕毒的五毒神功之下，忽見聞公泰手中杖法一變，倏忽間杖影滾滾，有如怒濤洶湧而來，竟自無法施出功力運集真氣。

忽聽白衣神君滕雷大喝一聲，雙手握拳當胸，直向莫倫撲去。

聞公泰心知滕雷一撲之勢之中，必有奇詭難測的變化，忽然一收杖勢，那滿天流動著的青光杖影，陡然不見，拔身而起，懸空一個觔斗，倒翻出兩丈以外，瞥眼間劍光耀目，鈸影縱橫，翻天雁馬家宏和百步飛鈸齊元同也已打入緊張關頭……

五毒叟莫倫昔年闖走江湖之時，身經無數大戰，會盡中原武林高人，先聞滕雷大喝之聲，已有發覺，再見聞公泰忽然間收杖躍退，立時借機提取一口丹田真氣，倏地轉過身子。

這等高手相搏，出手迅如電奔，莫倫剛剛轉過身子，滕雷已經攻到身側。

莫倫冷哼一聲，當胸雙拳疾伸擊出，這一拳威勢奇大無比，一股凌厲絕倫的拳風，真似山崩海嘯般，突然而至。

莫倫像斷線風箏一般，直飛出五丈開外，才足落實地。

聞公泰一側觀戰，只看得心花怒放。因爲他已看出兩人這相互一擊中，都是各盡全力施爲，以兩人功力之深，這一招內家真氣的硬接硬打，勢必兩敗俱傷不可。他本是機詐百出之

人，儘管心中歡喜，但卻絲毫不動聲色，雙目神光炯炯，側觀兩人形色，只見滕雷雙目微閉，左手捧腹，右手按胸，靜靜地站著不動。

莫倫卻直垂獨臂，圓睜著兩隻怪眼，身上長衫不停波動，顯然，兩人都在運功調息。

聞公泰縱身躍到滕雷身側，問道：「滕兄！可是受了傷嗎？要不要做兄弟的助你一臂之力？」

滕雷微一睜動閉著的雙目，望了聞公泰一眼，緩緩地搖搖頭，很快又閉上眼睛。

聞公泰暗暗嘆道：可惜！可惜！如果我這時是站在和他敵對地位，只要一掌，便可把他擊斃掌下，不但異日論劍時少一強敵，說不定因滕雷這一死，會使雪山派今後在江湖上一蹶不振。

忽然間心頭一凜，想起來眼下形勢，天龍幫露面的高手，已然難於對付，而未曾露面之人，正不知還有多少，這必需要借重雪山和點蒼兩派之力量，聯手拒敵。

聞公泰想到這裡，便對白衣神君說道：「滕兄安心運氣調息，我先殺了莫老兒，替你出一口氣再說！」說罷縱身躍起，直對莫倫撲去，青竹杖一招「直叩天門」，直向五毒叟莫倫「天靈」穴上擊去。

但聞莫倫一聲陰惻惻的冷笑，右臂忽地一揚，十餘縷細若游絲的白光，迎面打來。

聞公泰心頭一震，疾收青竹杖下擊之勢，雙臂一抖，猛提丹田真氣，疾墜的身子，倏忽間向上升高七尺，那十餘縷無聲無息的白光，擦著他雙足而過。

這當兒，圍守在四周的天龍幫中的人，已看出形勢不對，五、六個彪形大漢，各仗兵刃，疾奔而來。

八臂神翁讓過莫倫一把蠍尾毒針之後，暗忖道：好險！幾乎忘了莫老兒這一手霸道無倫的暗器。

瞥眼見幾條人影疾奔而來，心頭忽動殺機，探手入懷，取出一把金丸，連彈五指，電射而出。但聞金丸挾著破空輕嘯，迎向疾奔而來的人影打去。

要知聞公泰這彈指金丸之技，被稱爲武林一絕，不但出手勁道奇大迅快，而且能連續發射，綿綿不絕，縱是武林一流高手，也難破解。只聽幾聲連續的慘叫，那疾奔而來的幾條人影，紛紛栽倒途中。

莫倫目睹聞公泰連發金丸傷人，不禁大怒，顧不得元氣未復，猛提丹田真氣，單腿一躍，直向八臂神翁撲去，獨臂揚處，又是十餘縷細若游絲的蠍尾毒針出手。

聞公泰揚手打擊一把金丸，人跟著疾向旁側躍退。

金丸帶著破空尖風，擊落了一部分蠍尾毒針，另有三粒力道特別勁急的金丸，品字形直取莫倫天庭和雙目要害。

莫倫冷哼一聲，疾沉丹田真氣，硬把向前猛衝之勢收住，右手袍袖一拂，把急襲而來的三粒金丸打落。

他剛和白衣神君滕雷互拚內力震傷內腑，尚未調息復元，袍袖一拂之勢，不自覺又打出內家真力，牽動內腑傷勢，落地之後，不停喘息。

聞公泰斜躍兩丈多遠，剛避開未被金丸擊落的蠍尾毒針，驀聞急嘯一聲，一輪銅鈸，割空疾轉而來。

齊元同銅鈸不過剛剛脫手，馬家宏長劍已到前胸，這一劍刺得迅快至極，齊元同招架全來

不及，只得仰身向後臥去。

馬家宏右腕一沉，長劍緊隨而下，齊元同背脊將要著地之時，驀地向右翻去，左手青鋼輪隨勢一掃，橫砸長劍。

他應變雖然迅快，但仍然遲了一步，待他鋼鈸觸及長劍之時，馬家宏劍尖已刺入他前胸，雖被震開，但已被劍尖劃了一道三寸多長，半寸深淺的傷口，鮮血泉湧而出。

他顧不得傷勢劇痛，一咬牙翻身躍起，借那翻滾之勢，右手已取過交到左手的鋼輪，雙鈸疾展，猛攻八招。

馬家宏冷笑一聲，雙足扎樁，不再避讓他八輪疾攻，長劍左封右架，硬把齊元同八招猛攻擋開。

聞公泰暗讚一聲揚名天下的飛鈸絕技，果不虛傳。左手指中二指齊彈，兩粒金丸破空迎去，但聞鏘鏘兩聲，正擊在飛鈸之上。

聞公泰剛剛對付完飛鈸，天龍幫中弟子，已由四面八方向場中奔來，月光下兵刃閃閃，耀目生光。

八臂神翁仰臉大笑一陣道：「天龍幫當真人多，不怕死的只管來吧！」餘音未落，金丸連續彈出，但聞慘叫悶哼之聲，此起彼落，轉眼間已有十餘人受傷倒下。

陶玉眼看幫中弟子傷亡累累，再也忍耐不住，回頭對夢寰說道：「楊兄，假如我們天龍幫一旦被華山、點蒼、雪山派聯手擊敗，不知他們會不會聯手對付你們！」

朱若蘭冷笑一聲，接道：「你不要妄想施展什麼鬼計，天龍幫如果真被三派擊敗，對我們有益無害……」

陶玉笑道：「這次趕來括蒼的武林高人，兄弟敢武斷地下句定語，都是志在那《歸元秘笈》……」

朱若蘭道：「什麼兄弟兄弟的，你就不覺著有一些害臊嗎？」

陶玉突然格格一笑，道：「只要我幾句挑撥之言，包管他們會倒轉過來對付你們幾位。」

雖然明月在天，但因陶玉藏身之處，松枝十分密茂，中間又隔著夢寰，朱若蘭雖具夜鑑毫髮的超人眼力，也無法看得陶玉神情。

但楊夢寰已熟知陶玉性格，知他愈是笑得好聽，心頭怒火愈大，怕他陡然下手施襲，趕忙凝神戒備，但一時間又不便出聲招呼朱若蘭戒備，心頭一急，突伸左手，抓住了朱若蘭一隻玉腕。

在他心意，是想示意朱若蘭提防陶玉暗襲，哪知這伸手一抓，只覺柔軟膩滑如握溫玉，不禁心頭一跳。

但覺甜香襲面，朱若蘭已附在他耳邊低聲嬌笑道：「原來你也是不老實的，抓住我手腕幹什麼？當心我回去告訴琳妹妹。」

楊夢寰心頭一凜，慌忙鬆開左手，哪知卻被朱若蘭反手一把抓住了左腕，柔細清音，重又響道：「你當真這樣怕琳妹妹嗎？」

只聽陶玉尖冷的聲音，說道：「請兩位仔細地想想我剛才說過的幾句話，這一次到括蒼山來的人，誰不知那《歸元秘笈》在那位身披藍紗的姑娘手中，我只要費上一番唇舌，不難說動三派人物。」

朱若蘭暗自忖道：他這幾句話，倒是不錯，如果真被他說動華山、雪山、點蒼三派，和天

龍幫聯起手來，的確不易對付，何況《歸元秘笈》還在他手中，這人狡猾無比，如今夜不能迫他交出奇書，只怕日後難再收回。

心念一轉，冷冷答道：「你有什麼話不妨明說，這等吞吞吐吐的鬧什麼鬼？」

陶玉道：「我要出手爲我們天龍幫人助拳，希望兩位不要出面干涉。」

朱若蘭道：「你不要我干涉可以，但必須先拿出《歸元秘笈》，要不然你就別想活過今夜。」

陶玉心中一動，暗道：我如不承認偷竊《歸元秘笈》，只怕也不會讓我出手，不如先拿話穩住她，相助齊、莫兩位壇主，擊敗聞公泰之後，再聯合莫倫、齊元同兩人之力對付她，她武功再高，也難擋我們三人。當下笑道：「我哪裡見到什麼《歸元秘笈》，只不過在姑娘閨房之中，撿得一個精巧玉盒，你如硬逼我交出《歸元秘發》，那也是無可奈何之事。」

楊夢寰冷笑一聲，道：「這麼說來，陶兄不是去探望兄弟的傷勢，而是借機行竊了！」忽然想到陶玉對自己數番援手之情，不禁一聲長嘆。

朱若蘭暗罵一聲，真個狡猾之徒，道：「就是那只玉盒，你拿出來吧。」

陶玉笑道：「早知那玉盒中放的是《歸元秘笈》，我也不會把它交給敝幫中弟子了。」

朱若蘭冷嗤一聲，道：「連篇鬼話。」

陶玉道：「兩位如果不信，楊兄儘管過來搜搜兄弟身上，是否帶有那只玉盒……」他微微一頓，又道：「楊兄如果信得過兄弟，先讓我解了眼下敝幫中人危難，兄弟定當尋得那攜帶玉盒之人，原璧歸還就是。」

楊夢寰道：「陶兄一言九鼎，可不能說了不算！」

陶玉笑道：「大丈夫一言既出，豈有反悔之理。」

朱若蘭聽萼寰答應下來，不忍使他難看，當下冷冷接道：「任你鬼計多端，今晚不交出《歸元秘笈》，你就別想逃得性命。」

陶玉不再回答朱若蘭的話，長嘯一聲，躍下古松，反腕抽出背上金環劍，一連三個起落，已躍七、八丈外，左手揚處，一把毒針疾奔聞公泰，右手金環劍一招「分雪捧月」，封開了馬家宏的長劍。

齊元同正值險象環生之際，忽覺那繞身劍光一斂，壓力驟化，耳際響起了陶玉尖銳聲音道：「齊壇主暫請退後休息，這牛鼻子交給晚輩對付。」口中說著話，手中金環劍並未停止，左刺右擊，連攻四招。

這四劍都是三音神尼拳譜上所載武學，招招詭異難測，四劍連攻，竟把馬家宏迫退了三步。翻天雁本已把齊元同逼得無力招架，只要再加緊追攻幾劍，就可把名震江湖百步飛鈸齊元同斬斃劍下，哪知突然殺出來這麼個奇裝異服的年輕後生，劍招怪異，一出手就把自己迫退，不禁呆了一呆。

陶玉看三音神尼拳譜上記載劍招，這等精妙，心頭大感歡愉，膽氣一壯，冷冷說道：「一派掌門宗師，也不過如此而已，要不要再接我幾劍試試？」

這時，聞公泰已把陶玉打出的一把毒針擊落，緩步走到馬家宏身側，低聲說道：「這娃兒出手幾招，的確是有點邪門，馬道兄不可大意！」

馬家宏本來被陶玉先聲奪人的四劍快攻震住，但聽得聞公泰幾句話後，激起怒火，當下冷笑一聲，道：「聞兄別太長他人志氣，諒他這毛頭孩子，還能有多大成就……」說話之間，揮

劍還攻兩招。

這兩劍都是天干風雷劍法中極凌厲的招術，出手威勢甚大。可是陶玉已大非昔比，他已從三音神尼的拳譜上，悟得不少上乘武功和攻拒閃避的身法，但見他雙肩微一晃動，人已脫出馬家宏長劍幻化的劍圈。

聞公泰雙目炯炯，盯往陶玉，但仍未看清楚他用的什麼身法閃避開那兩劍急襲，不禁心頭一震，暗道：這娃兒身法這等奇奧，只怕非是好對付之人，看來今宵圍殲莫老兒和齊元同的希望，又要落空了。

轉眼四顧，身外丈餘處，已圍滿了天龍幫中弟子，各舉兵刃，虎視眈眈，只待一聲令下，立時將由四面八方圍攻上來。

對於環圍四週的群敵，聞公泰絲毫也未放在心上，他擔心的是陶玉一身奇異難測的武學，和齊元同連環飛鈸的絕技，如讓他騰出雙手，施放飛鈸，那可是不易對付，當下探手入懷又取出一把金丸。

再看滕雷和莫倫時，仍都在閉目靜站調息，數十個天龍幫中弟子，把白衣神君重重包圍中間，月光下兵刃閃閃，有如一片槍林刀山。

他不知滕雷是否已調息復元，但他神情卻十分鎮靜，臉上一片冷漠，對周圍群敵視若無物。

只聽金環二郎格格一陣大笑，道：「幾位在山腹那番密議之策，只怕無能實現了。哈哈！看來今宵只有各憑真功實學，打個勝負出來……」餘音未絕，突然一抖金環劍，疾向翻天雁馬家宏刺去。

這時，馬家宏已知道對面的黃衣少年，身負著絕世武功，哪裡還敢大意，一見金環劍點胸刺到，擔心對方有什麼詭異變化，不敢舉劍對架，猛提真氣，全身突然離地寸餘，飄退四尺。

聞公泰看得雙目圓睜，大聲叫道：「馬道兄好精深的內功，兄弟今天又開了一次眼界。」

馬家宏微微一笑，道：「好說！好說！聞兄過獎了。」

他口中雖然說得輕鬆，但心裡卻十分沉重緊張，兩道目光一直盯在陶玉臉上，凝神握劍，蓄勢待敵。

陶玉回頭望了齊元同一眼，只見他已裹好傷勢，收了雙輪，左右手各控一面銅鈸。

忽然間長嘯劃空，月光下兩條人影流星般疾射而來，瞬息之間，已到了幾人身側。

聞公泰定神一看，不禁暗暗叫苦，來人正是天龍幫黃旗壇壇主王寒湘和黑旗壇壇主，開碑手崔文奇。

這兩人一現身，天龍幫的五旗壇主，已經到齊，除了白旗壇壇主勝一清和李滄瀾同行而去之外，紅、黃、藍、黑四旗壇主，都在場中。

王寒湘兩道冷電般的目光，環掃了一周之後，冷笑一聲對聞公泰道：「聞兄久違了，還認得昔年舊識嗎？」

聞公泰心中雖覺事態嚴重，但外形仍然十分輕鬆，一拂長髯，笑道：「王兄別來無恙，咱們總有十幾年沒見面了。」

王寒湘仰天長笑一聲，道：「兄弟久聞傳言，聞兄的彈指金丸絕技，乃獨步武林之學，看來傳言果然不錯……」他微微一頓後，突然沉下臉色，道：「敝幫傷亡很重，可都是聞兄的金丸傑作嗎？」

聞公泰衡量形勢，不宜動手硬拚，何況他已知王寒湘之能，眼下敵眾我寡，如果形成群毆局面，定要吃虧，當下仰天哈哈大笑，道：「王兄！可是想以眾凌寡，倚多為勝嗎？」

王寒湘冷冷一笑，道：「聞兄如果害怕群戰，那就由兄弟單獨和聞兄決戰如何？」

聞公泰冷笑道：「王壇主掌上功夫造詣極高，兄弟恭敬不如從命了！」呼地一杖，當頭劈去。

王寒湘肩頭晃動，人已向左閃開數尺，左右雙掌齊出，疾攻八臂神翁側背。

聞公泰微一側身，王寒湘雙掌一齊落空，右手一帶青竹杖，橫掃過去。

王寒湘長嘯一聲，疾退八尺，緊接著又縱身而上，不容聞公泰再收杖擊出，左右雙掌各攻三招。

這幾掌不但迅如電火，而且搶盡先機，聞公泰青竹杖被六掌快速絕倫的急攻封拒門外，一時無法收回，只得揮動左臂還擊兩拳，人被逼退三步。

一側觀戰的馬家宏，只看得暗暗讚道：無怪天龍幫能在短短的二十幾年中，勢力遍及全國，原來確有不少身懷奇能絕學之人。

只聽聞公泰厲聲喝道：「王壇主盛名果不虛傳，好掌法！」青竹杖一緊，施展開八十一招伏魔杖法，全力搶攻，但聞勁風呼呼，杖影點點，由四面八方湧上，迅猛奇奧，凌厲無匹。

兩人對拆五十招，仍然是個不勝不敗之局，但聞公泰的八十一招伏魔杖已快用完，只餘最後九招最為精奇之學，能否克敵致勝，盡在這最後九招之內，當下凝神運功，忽地躍退三尺。

王寒湘冷笑一聲，正待欺身搶攻，忽然聞公泰大喝一聲，青竹杖驟然振臂點出，這一擊甚是怪異，若點若劈，使人難測來勢，而且出手杖勢輕飄飄地毫無力道，和剛才威猛迅快的攻

勢，大相逕庭，王寒湘雖然身負絕學，但在一時之間，也無法測透對方一擊妙用，不禁微微一怔。

直等聞公泰青竹杖快近前胸之時，王寒湘才陡然側身，右手忽地疾伸而出，硬向青竹杖上抓去，快如電光。

哪知八臂神翁正是要他如此，右腕猛然一沉，青竹杖疾落一尺，猛點小腹，由緩慢之勢，倏忽間迅如電奔。

王寒湘心頭一震，隨著側轉之勢，突然加力，身形疾轉半周，剛剛把一杖點擊之勢讓開。

# 三六　脣槍舌戰

聞公泰青竹杖突然左打右擊，快迅攻出三杖，點點杖影，有似冰雹驟落。

這一招正是八十一式伏魔杖法中的三絕之一：飛蝗蔽日，妙在敵人避讓攻擊之時，忽然以極快的手法，數招連續擊出，幻化一片點點杖影，洶湧取敵。

王寒湘身子剛轉半周，尚未站穩腳步，想讓開這繽紛落英般的杖影，無論如何也來不及。

但他確有非常的本領和機敏的應變機智，他已知這一著失機，被人搶去主動，縱然能避開那急攻的竹杖，聞公泰必然另有更厲害的殺手，趁勢猛襲，自己後背受敵，先輸一著，對方決不允許自己有再轉身的機會。

心念一轉，不再躍避那後背襲來的杖勢，身子向前一傾，讓過要害，左臂回掃，反向青竹杖上迎去，右手卻橫拍一掌，還擊過去。

但聞砰然一聲，青竹杖正擊在王寒湘左臂之上，但因他反臂迎杖之勢，用力十分突然，大出了聞公泰意料之外，力道沒有用足，是以，王寒湘雖然中了一杖，但臂上並不嚴重，而他急快一掌還攻，也拍中了聞公泰的右胯。

只聽兩人同時一聲冷哼，雙雙躍退數尺，這一杖一掌，幾乎是同時擊中。

聞公泰一收竹杖，忍著右胯傷痛，笑道：「王壇主左臂先被兄弟擊中一杖，不知是否算輸

在兄弟手下？」

王寒湘冷冷答道：「在下雖中聞兄一杖，但聞兄亦受在下一掌，只能算是個扯平之局，嘿嘿！想要在下認輸嗎？只怕還得再打個幾十個照面。」

聞公泰怒道：「王壇主在武林中可是極負盛譽之人，這等出爾反爾，就不怕天下英雄恥笑嗎？」

金環二郎陶玉在兩人相約動手之時，一直站在旁側觀戰，他素知王寒湘之能，爲天龍幫有數高人之一，聞公泰亦是譽重江湖的一派掌門宗師，兩人在攻防之間定有很神妙的招術，是故，看得十分用心。當下插口接道：「一杖換一掌，彼此平分秋色，自難論斷勝敗，何況赤手對兵刃，在聲勢上講，敝幫王壇主已先吃了虧，以我看法，不作勝敗之論，你還算沾光不少了。」

聞公泰正待反言相譏，忽聽白衣神君滕雷大聲喝道：「聞兄何必和這般幫匪之徒大費口舌，咱們已中調虎離山之計，此時再要不走，只怕後悔莫及了！」餘音未絕，雙拳已先後劈出，但聞應聲慘叫，兩個攔在他前面的天龍幫弟子，雙雙口噴鮮血栽倒塵埃。

翻天雁馬家宏一擺手中長劍，接道：「滕兄之言不錯，咱們在這裡和人打鬥比武，人家早已分人去奪取《歸元秘笈》，此時還不同出重圍，正好給人以可乘之機。」說完話，揮動寶劍，當先向外闖去，他內力深厚，劍招精絕，揮舞之間，已有兩人被他刺傷。

聞公泰長嘯一聲，道：「兩位說得不錯，咱們中了人家聲東擊西之策……」隨手彈出一把金丸，縱身和馬家宏躍到一起。

但見滕雷怪笑一聲，身子凌空飛起，颯颯風聲之中，落在聞、馬兩人之間。

馬家宏一招「亂堆彩雲」，森森劍氣，把撲近身子的幾個大漢逼退，道：「貧道開路，聞兄斷後，滕兄請居中策應。」長劍一揮，瞬息連續擊出五劍，凌厲劍風，迫得天龍幫攔路弟子，紛紛向兩旁退讓。

陶玉格格一笑，縱身一躍，攔住去路，金環劍還未出手，馬家宏已搶先發動，長劍一招「笑指南天」疾攻過去，陶玉退步側身，讓過一劍，那馬家宏已領略過他奇異劍招的滋味，不容他還手，長劍忽變「漁翁撒網」，幻化一片劍幕罩下。

金環二郎冷笑一聲，舉劍向上封去，企圖硬接馬家宏的劍勢。

翻天雁馬家宏這出手兩劍，都是劍術中極普通的招式，目的就在誘敵，一見陶玉舉劍硬封，心頭大喜，一挫腕，把攻出的長劍收回，倏然間又疾攻三劍。

這三劍可是他天干風雷劍法中的絕學，只見劍影縱橫，冷芒電掣，有如波濤洶湧而至。

陶玉目睹那漫天閃動的劍影，心頭大駭，暗道：這是什麼劍招，這等奇幻，凝神運氣，金環劍劃出一圈護身銀虹。

但聞一陣金屬交鳴之聲，兩劍相觸，馬家宏內力深厚，長劍的勁道奇大，只震得陶玉右臂痲木，金環劍脫手落地，馬家宏卻趁勢一招「白雲出岫」，那滿天流動的劍影，倏忽間合而爲一，疾向陶玉前胸點去。

陶玉閃避不及，忽然觸動靈機，不退反進，微一側身，施出「游魚逆浪」身法，左手奮力一拂，拍出一股潛力，人卻從那綿密的劍光之中閃穿過去。

這等奇奧之學，舉世也沒有幾人能夠破解，馬家宏微微一怔，陶玉已到身側，右手一舉，直向翻天雁握劍右肘關節托去。

眼看陶玉右手就要觸及馬家宏右肘關節，忽地撞過來一股拳風，擊在陶玉左肩之上。

但聞金環二郎一聲悶哼，全身被拳風震飛起來，向外摔去。

馬家宏右腕一揮，長劍追襲斬去。

忽聞一聲大喝，一柄軟索三才錘，破空點到，正擊在馬家宏長劍之上，但聽一時金鐵大震，火星迸飛，硬把馬家宏長劍震開兩尺，王寒湘借機施出八步蹬空絕學，人如掠波燕剪般穿空而來，兩臂伸縮之間，把陶玉身子接住。

這時天龍幫的人已紛紛圍攏上來，崔文奇的軟索三才錘，舞起了一丈方圓的一片光幕，擋住了敵人去路。

聞公泰彈指打出三粒金丸後，大聲叫道：「馬道長，滕兄，不要多花精力，和這般無足輕重的人硬拚，攔截李滄瀾要緊。」說話間，突然凌空而起，一掠之勢，就有兩丈七、八。

馬家宏猛吸一口丹田真氣，力貫長劍，一招「白虹貫日」，劍風颯颯，蕩開了崔文奇的軟索三才錘。衝過攔阻，滕雷呼呼打出兩股拳風，逼得崔文奇跳退三尺，緊隨著一個「飛燕穿雲」，躍飛出一丈多遠。

天龍幫圍守在四周的弟子，一見兩人衝過崔文奇攔阻，紛紛舞動兵刃，重重把兩人包圍起來。

馬家宏怒喝一聲，一抖長劍，硬向人群衝去，他在忿怒之時，出手劍勢，奇猛異常，但聞金鐵交擊，慘叫不絕，立時有四人受傷倒地。

滕雷趁勢揮動雙拳，打出兩股潛力，把兩個天龍幫弟子當場震得噴血而死。

這兩人出手的拳劍威勢，震住了天龍幫中弟子，一時間忘記出手攔阻。

但聞馬家宏長嘯一聲，長劍舞起一片銀光，直向人群中衝去。劍風指處，血肉橫飛，再加上滕雷呼呼拳風助威，天龍幫人數雖多，但如何能擋得住這兩個一流高手合力突擊。眼看著被三人衝出重圍，聯袂大笑而去。

這一戰天龍幫反吃了人手太多的虧，幫中弟子被三人劍劈杖掃，拳打腳踢，損傷了三、四十人。

金環二郎陶玉似乎受傷很重，雙目緊閉，俊俏的臉上，變成了慘白之色，眾人同時微微一皺眉頭，暗中忖道：看他今宵出手幾招，大是怪異，似非幫主所授武功，年餘不見，不知從哪裡學得這等奇奧大技……

眾人心念未息，忽聽王寒湘長長呼一口氣，霍然站起身子，對著眾人，說道：「陶香主的傷勢十分難測，看來只有請幫主親身出手，用乾元指神功救他了。」

齊元同想起剛才陶玉相救之情，不覺嘆息一聲，問道：「怎麼？他傷得很重嗎？」

王寒湘苦笑道：「他全身運行的真氣，忽而逆轉，忽而正行，使人無法測知他傷勢輕重。」

崔文奇、齊元同聽得呆了呆，道：「這倒是聞所未聞的事！」

王寒湘道：「依據常情推論，他被擊中之處，並非人身要害，至多震斷肩骨，內腑不至受到重創，縱然受傷，也不過是一時氣血的翻動，一般推宮過穴手法，足可使他傷勢恢復，可是我已推拿他十三大穴，並以本身真氣，助他行血四肢，哪知竟是毫無效用……」

他話還未完，陶玉忽然睜開眼睛，接道：「王壇主不必擔心，也用不著請我師父療傷，我自有調息之法。」說完，又緩緩閉上雙目，神態毫無痛苦之色。

原來陶玉在近年之中，因苦練三音神尼遺留拳譜上幾種上乘偏激的內功，常使本身氣血逆行，因他功力不到，又貪求太多，想在同一時間之內，並修練數種奇學，以致心神分散，進境緩慢，幸得他是絕頂聰明之人，不但把各種修為要旨法門，爛熟胸中，而且嚴謹地分配進修時間，雖然並修數種內功，尚未使內體經脈氣血運行發生衝突。

約有一頓飯工夫之久，陶玉那慘白無血的臉上，已泛出艷紅之色，又待一盞熱茶工夫，忽然一躍而起，撿起金環劍，笑道：「我剛才一時大意，致受暗算，現下已然調息復元，咱們得快些趕去接迎我師父去。想點蒼、華山、雪山三派，決不會就此甘心，三派掌門人既然親臨，存心和我們為難，必有高手隨行，如果讓他們召集了隨行高手，全力攔截幫主，只怕我師父難擋對方人多勢眾。」

王寒湘道：「不錯！恐怕除了三派之外，還有其他門派中人，要被他們結集起聯手對付幫主，幫主武功再高，也難抵敵得住。隨護幫主的川中四醜和勝壇主，雖都身負絕學，也難擋他人數派聯結的實力，陶香主傷勢既已復元，不宜再延誤時刻了。」

陶玉忽然轉臉望著那兩株並生古松一眼，道：「咱們不宜再在此久留，盡快去接迎幫主要緊。」

他話剛落口，忽聽左側一聲大岩石後，一個嬌脆冷漠的聲音接道：「現下華山、點蒼、雪山三派的人已經撤走，我們依照約言，沒有現身干涉，你偷竊的東西，也該交出來了。」

王寒湘、崔文奇等，只聽得臉色微變，不約而同轉眼向那發話之處望去。

只見那大岩石後，緩步轉出來一個玄色勁裝少女，赤手空拳，步履從容地直對幾個人停身

之處走來。

目光照射之下可見她絕世的美麗。

這紅、黃、藍、黑四旗壇主，無一不是久經大敵，譽滿江湖之人。但也爲這突然的變化而震驚，以幾人武功之高，竟不知人家何時隱藏在那大岩石後，只此一點，已使他們大覺意外，而對方那份安靜從容的神態，更使人莫測高深，只有陶玉心裡明白，是以他十分鎮靜。

崔文奇定神看去，隱隱認出正是在峨嵋山相遇之人，不禁心頭一駭。

玄衣少女走到幾人停身的數尺外，才站定腳步，星目中神光如電，在幾人臉上掃過，盯在陶玉臉上，問道：「男子漢大丈夫，說了話不算數，不知羞也不羞？」

陶玉道：「我幾時說話不算數？朱姑娘且莫要含血噴人。」

朱若蘭怒道：「你答應過華山、點蒼、雪山三派人撤走之後，交還偷竊我們的玉盒，怎麼不守信約，事後卻要借機溜走？」說話之間，又向前欺進一步。

齊元同怕陶玉內傷初癒，難擋對方一擊，橫跨一步，擋在陶玉前面。

朱若蘭秀眉一揚，喝道：「你要幹什麼？站開去。」

她聲音雖然嬌脆，但在高雅氣度之中，隱含一種懾人威勢，齊元同不自覺地退回一步，一步跨回，忽覺不對，又趕忙搶到陶玉身前。

王寒湘亦感近身少女，在至美之中，自含一種冷若冰霜的威嚴，使人動不起怒火。當下微微一笑，道：「請問姑娘貴姓，不知和敝幫陶香主訂的什麼約言，望能坦然相告，在下可代陶香主作上三分主意。」

朱若蘭暗自忖道：那《歸元秘笈》乃天下武林人物的心目中珍逾性命的奇書，我如據實說

出，這班人決不讓陶玉交出，心念一轉，說道：「他偷了我一只玉盒，說好還我，誰知他竟背棄信約，暗中一走了之。」

王寒湘回頭望著陶玉笑道：「一只玉盒能值幾何？陶香主如果撿得，快請交還給人家。」

陶玉道：「不錯，我確說過交還玉盒的約言，但這約言似非對姑娘所許。」

朱若蘭氣得冷笑一聲，道：「任你狡詐無賴，今宵不交出玉盒，就別想逃得性命。」

忽聽那大岩石後響起夢寰的聲音，接道：「這麼說來，陶兄諾言，是對兄弟所許了？」月光下但見人影閃動，楊夢寰一連幾個縱躍，落到朱若蘭身側。

陶玉忽然探手入懷，拿出一個精緻小巧的玉盒，振腕向夢寰投去，道：「楊兄快請接住，看看是否有錯？」

楊夢寰接得玉盒，仔細一看果是原物，正待說兩句慰藉之言，忽然心中一動，暗道：此人心機大多，不可不防他一著，忍下欲待出口之言，當場把手中玉盒打開。

他在開啓玉盒之際，陶玉臉色已然大變，只因朱若蘭站在夢寰身邊，使他不敢突然下手施襲。

楊夢寰啓開玉盒一看，果然盒中空無一物，不覺大怒，冷笑一聲，道：「兄弟自和陶兄相交以來，無時不存肝膽相照之心，不想陶兄卻以捉弄兄弟爲樂。」

陶玉道：「兄弟亦把楊兄視爲生平難得知己，誠心誠意結納，不知楊兄此言所指爲何？」

楊夢寰道：「這玉盒之中放的東西哪裡去了？你先把盒中存放之物取去，把一個空盒子交給兄弟，這難道還不算捉弄人嗎？」

陶玉道：「兄弟撿的就是這麼一只玉盒，至於盒中存放的什麼，兄弟確實未見。」

朱若蘭冷笑一聲，側臉望了夢寰一眼，卻未接口，她似是存心看夢寰如何處理。

楊夢寰沉吟了一陣，道：「我楊夢寰自信對陶兄十分坦誠，但陶兄這樣對待兄弟，實使人心寒。咱們雖是萍水相逢，但卻一見如故，承你援手相助，兄弟一直深植肺腑，無時無刻不存報答之心，不過，這玉盒中存放之物，牽涉太大，亦非兄弟一人生死能予解決，尚望陶兄看在一場相交情意上，賜還兄弟。」

天龍幫四旗壇主聽夢寰說得懇切，不禁動了懷疑，八隻眼睛不約而同投注在陶玉身上。

王寒湘低聲叫道：「陶香主……」

下面的話還未出口，陶玉已格格大笑道：「怎麼？難道四位壇主也不信我陶玉之言嗎？」

楊夢寰聽他矢口否認，不覺動了怒意，厲聲喝道：「交友之道，首重信義，陶兄剛剛承諾之言，就這般背棄不顧，實使兄弟寒心。」

陶玉笑道：「我答應送給你一只撿得的玉盒，並未承諾送給你盒中之物，楊兄請仔細想想，兄弟哪裡有背棄信約之處？」

楊夢寰聽得一呆，細想陶玉之言，果然不錯，他只說過交還玉盒，並未承諾連同《歸元秘笈》一併交還，心中雖然忿慨，但一時間卻想不出適當措詞回答。

陶玉微微一笑，接道：「玉盒存放的是什麼珍貴之物，楊兄這等重視，不知能否說給兄弟聽聽？」

朱若蘭轉臉望著夢寰冷冷地說道：「這就是你的好兄弟，你今天認識他了吧？」

楊夢寰嘆息一聲，目光移注在陶玉身上說道：「陶兄縱然舌翻蓮花，這事也難使兄弟相信。」

陶玉道：「如楊兄一口咬定兄弟先取了玉盒中存放之物，那兄弟又該如何？」

三人對答之言，雖然針鋒相對，但卻始終未提過《歸元秘笈》四字，只聽得四旗壇主，一個個莫名所以，他們已聽出那玉盒中定然存放有極爲珍貴之物，但卻想不出究竟是什麼珍品。

只聽陶玉格格一笑，道：「楊兄就是翻臉不認兄弟，我也不能無中生有，但楊兄如能說出玉盒存放之物，兄弟自竭盡綿薄，幫助楊兄尋找。」

楊夢寰還未來得及答話，朱若蘭已搶先接道：「哼！任你狡辯動人，我們也不會上當，今宵不交出盒中之物，定要你當場濺血！」

陶玉冷笑一聲道：「朱姑娘口中說的，不知是指的哪個？」

朱若蘭生平之中，從未受人這麼當面譏笑，只氣得粉臉一熱，殺機陡起，暗中運集功力，準備出手。

忽聽開碑手崔文奇大聲叫道：「玉盒是不是放的《歸元秘笈》？」

他在一年前，曾和李滄瀾在這括蒼山中，攔劫過一陽子所得的僞製《歸元秘笈》，那秘笈也是放在一個精巧的玉盒之中；現下目睹楊夢寰手中玉盒，忽然心有所感，不覺大叫出聲。

他只是一時感觸，衝口而出，事實上連他自己也不知那句話是問的哪個。但此語一出，全場都不禁爲之一怔，朱若蘭本已到蓄勢待發之境，聽得崔文奇大叫之言後，倏然收住攻襲陶玉的心意。

要知那《歸元秘笈》乃傳聞武林數百年的奇書，已不知好多江湖高人爲它濺血送命，好多武林奇士爲它如瘋如狂，王寒湘和莫倫雖都是生性深沉，久聞江湖的人物，但在聞得《歸元秘笈》四個字之後也不覺心頭震動。

齊元同望了夢寰手中玉盒一陣，道：「崔壇主猜得不差，年前一陽子盛裝那偽製《歸元秘笈》的玉盒，也和這玉盒一般模樣。」

莫倫忽然嘿嘿兩聲冷笑，道：「不錯，不錯，幫主令諭所示，亦曾說出那《歸元秘笈》存放在一只玉盒之中。」

王寒湘微揚雙眉，兩道炯炯眼神迫盯在陶玉臉上，但卻一語不發。

陶玉只感那兩道迫盯在臉上的眼神，有如冷電一般，直似要看穿他五腑六臟，不禁心頭一震，慌忙轉過頭去。

莫倫緩緩走近陶玉，冷冷地問道：「陶香主這只玉盒，是從哪裡撿得？不知是否已稟報過龍頭幫主？」

陶玉素知幫中戒規森嚴，刑律殘酷無比，自己雖是幫主弟子，但如觸犯戒規，一樣難逃刑律，微一沉吟答道：「晚輩尚未曾見過幫主，而且的確不知那玉盒存放何物！故而未曾談過此事。」

他這幾句話，雖然說的神態自如，若無其事，但因此事大出常情，不只是朱若蘭和楊夢寰不肯相信，就是紅、黃、藍、黑四旗壇主，也沒有一個人肯信。

只聽王寒湘冷笑一聲，目光移注在楊夢寰身上問道：「那《歸元秘笈》關係非同小可，一句隨口之言，可能會引起一場血雨腥風的武林浩劫，如果你言不由衷，那可是千古罪人。」

楊夢寰忖量眼下形勢，縱然不把《歸元秘笈》翻出，也難免一場大戰，天龍幫的四旗壇主決不會放手不管，眼看著陶玉傷損在朱若蘭的手下，但那《歸元秘笈》關係太大，又勢非討回不可，既難隱瞞，倒不如索性揭露真相。當下傲然一笑，故意不理王寒湘的問話，卻望著陶

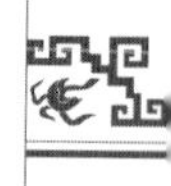



玉說道：「以陶兄在江湖上的身分，豈肯偷竊一個小小玉盒，縱然是三尺童子，也難信陶兄巧辯，今宵如不肯交還《歸元秘笈》，那可是逼著兄弟翻臉了。」

陶玉冷笑一聲，答道：「楊兄這等逼人氣勢，兄弟百口難辯，事已至此，兄弟只有敬候楊兄吩咐，捨命陪君子。」

要知陶玉此時功力、擊技，均高出夢寰甚多，他所顧忌的是朱若蘭出手，待聽得夢寰幾句責問之言，立時觸動靈機，反口幾句話，硬迫楊夢寰和他動手。

兩人數月相處，他已深知楊夢寰的生性爲人，雖然明知非敵，亦絕不肯退縮。

果然幾句話激得楊夢寰忿怒塡胸，道：「陶兄既是想和兄弟動手，楊夢寰自當奉陪。」說完，翻腕拔出背上寶劍。

陶玉自信必勝夢寰，格格一笑，一越而出，說道：「咱們相交甚深，縱然動手亦不必定要拚個你死我活，不妨點到就收，只要一分勝敗，就不必再打下去。如果兄弟敗了，自當替代楊兄尋回那《歸元秘笈》，萬一兄弟勝了，不知楊兄如何打算？」

朱若蘭一揚黛眉，嬌軀微晃，人已欺到陶玉身側，接道：「你要先勝了我，再和他動手不遲。」

陶玉臉色一變，疾退五尺，道：「我已和楊兄約好，朱姑娘就是想打，也等我和楊兄分出勝敗之後，你再動手不遲。」

楊夢寰飛身一躍，擋在朱若蘭身前，回頭說道：「朱姑娘暫請後退，他既指名和我動手，我豈能退縮避敵。」

朱若蘭幽幽一嘆，低聲說道：「此人武功詭異，似是和阿爾泰山三音神尼一脈，你……恐

怕打不過他。」

楊夢寰淡淡一笑，道：「大丈夫寧爲玉碎，不爲瓦全，我如有什麼好歹，尙望姊姊費心把我師妹送回崑崙山去，追回《歸元秘笈》，然後交還原主。」

朱若蘭看他神色堅決，心知多勸無益，一面籌思暗助他的辦法，一面囑咐道：「對敵之時，不可硬拚，且記蛇走鷹翻，魚逝兔脫，五行生剋，易強爲弱。」

楊夢寰微微一笑，轉身橫劍喝道：「我如敗在陶兄手中，就當場橫劍自絕。」

此言一出，朱若蘭不禁打了一個冷顫，陶玉卻格格笑道：「楊兄言重了，彼此切磋武學，何苦立下這等重誓。」

但聽一陣金環響動，陶玉金環劍已取到手中，緩步逼近夢寰道：「楊兄請先發招吧。」

楊夢寰不再謙讓，振腕一劍刺去。

陶玉施出移形換位身法，輕輕一閃，讓開夢寰劍勢，又道：「兄弟願先讓楊兄三劍，但請以絕招相攻便了。」

楊夢寰知他存心相戲，也不講話，翻腕連攻兩劍。

陶玉滿臉笑容地閃避開兩劍，道：「楊兄請小心點，兄弟要還攻了。」金環劍一招「倒轉陰陽」，逼開夢寰長劍。

楊夢寰心頭一震，反身疾退五尺，哪知身子還未站穩，陶玉的金環劍挾帶一片尖風攻到，出手之快，無與倫比，楊夢寰閃避不及，只得揮劍硬接一招。

但聞一聲金鐵大震，楊夢寰長劍幾乎被震脫手，陶玉卻若無其事一般，笑道：「楊兄再接兄弟三劍！」金環劍揮搖之間，連環三絕招，「海市蜃樓」、「夜半烽煙」、「天網羅雀」相

繼出手。

楊夢寰只覺四面八方盡是金環劍影，心頭大爲凜駭，不敢再硬對陶玉劍勢，施出「五行迷蹤步」法，輕靈地閃了兩閃，已脫出金環劍光圍困。

這奇奧的身法，也使陶玉大吃一驚，收劍躍退三步，問道：「楊兄用的是什麼身法？」

楊夢寰道：「區區幾步閃避之學，算不上什麼怪異武功，實難啓齒相告。」

一側冷眼旁觀的崔文奇，忽然低聲對齊元同道：「你看那姓楊的身法是不是有點邪門？只怕陶香主勝他不易。」

但聞金環二郎冷笑一聲，道：「楊兄既然不肯相告，怪不得兄弟出手狠辣了。」忽地振腕一劍，當胸點擊過去。

這一劍可是三音神尼拳譜上記載的劍術奇學，看似平淡無奇，實則那一劍攻擊之中，暗藏著三招變化，不管楊夢寰用劍封架，或是縱身躲避，都難逃出那三招變化之內。

哪知楊夢寰待劍勢近身之際忽然間一個轉身，消失不見。

陶玉一劍刺空已知要糟，趁勢挫腰縱身，向前躍進八尺。

果然楊夢寰用「五行迷蹤步」法閃到了他的身後，刺出一劍。

雙方迅速地對拆數招，陶玉驕敵之氣，完全收斂起來，凝神橫劍，不敢再冒然搶攻。

朱若蘭看那「五行迷蹤步」法，足以克制陶玉，才放下心頭一塊石頭，緊張神情爲之一鬆。

兩人都爲對方奇奧的武功震驚，都不敢冒然槍攻，對峙約一盞勢茶工夫，陶玉已難再忍耐，緩步對夢寰逼去。

這次楊夢寰不再讓他出手，驀地振腕一劍「杏花春雨」，長劍揮動，銀星四灑。

這一劍是追魂十二劍最精奧的劍招之一，陶玉果然不敢輕視，凝視運氣，施用三音神尼拳譜上所載的一招「冰封長河」，金環劍當胸劃出一圈銀虹，護住身子。

但聞幾聲金鐵交鳴，雙劍連續相震數次，陶玉那護身劍幕絲毫未被震開，楊夢寰卻被那雙劍相擊的彈震之力，震得腕口發麻。

忽聞陶玉尖喝一聲：「楊兄小心了。」護身劍幕忽然一變，一片劍影登時合而爲一，變招「神龍出岫」，直刺過去。

這一劍威猛，金環鏘鏘，劍風似輪，當胸直刺，若點若劈。

楊夢寰剛才硬接了陶玉幾招劍勢，已吃不少苦頭，知對方功力高出自己很多，不敢再用劍封架，雙肩微晃，施展「五行迷蹤步」法，閃避開陶玉襲來劍勢。

可是狡猾的金環二郎，早已留上了心，這一劍攻勢雖然凶猛，但卻可虛可實，他已料到楊夢寰會用劍架封自己攻襲劍勢，是以，在金環劍攻勢出手之時，運足兩道眼神凝望著楊夢寰，看他用的什麼身法閃避。

他雖然全神貫注，想看出一點破綻，再索想破解之法，但那「五行迷蹤步」法乃是極爲深奧之學，移步轉身無不暗含玄機，但見楊夢寰身子晃動，人已閃到一邊，竟無法看出他用的什麼身法。

陶玉微感心頭一震，不待楊夢寰運劍反擊，迅快地躍退五尺。

一股殺機，湧現眉宇，冷笑一聲，道：「想不到楊兄竟然身懷這等奇學，兄弟今天才算開了眼界……」餘音未絕，驀然欺身而進，施出三音神尼拳譜上記載的移形換位身法，但見人影

飄忽，冷芒飛繞，倏忽間刺擊六劍。

漫天劍氣，配合著他靈活難測的身法，不僅使楊夢寰驚惶失措，就是天龍幫四旗壇主也大感驚異。

楊夢寰使出追魂十二劍中一招「雲霧金光」，舞化出一片護身劍幕，勉強把陶玉六劍快迅的攻勢封開，氣聚丹田，神凝玄關，施展開「五行迷蹤步」法，只守不攻，處處避讓陶玉攻襲的劍勢。

要知那「五行迷蹤步」法，乃是極爲深奧的一種武功，步步蘊蓄玄機，比起陶玉的移形換位身法，高出很多，儘管陶玉劍勢似虹，身軀疾轉如飛，但卻始終無法傷得夢寰。

五回合之後楊夢寰逐漸地定下心來，「五行迷蹤步」法，也愈用愈覺熟練，已不必再分心推想，立時運氣行動，準備反擊。

這是一場武林中罕見的拚搏，兩人均以迅靈奇奧的身法，游走閃擊，只看得天龍幫四旗壇主，一個個目瞪口呆。

驀聞楊夢寰長嘯一聲，喝道：「陶兄留心，兄弟要還擊了？」喝聲未落，手中長劍已振腕擊出，直刺陶玉後背。

陶玉冷哼一聲，回手一劍「丹鳳撩雲」，硬砸夢寰長劍，緊隨著左臂向內一圈，身軀疾轉半周。

楊夢寰「五行迷蹤步」法，加上了五行生剋變化之理，那翻轉突襲之勢，又較他高出一籌，在出腳換步的同一剎那，身軀已隨同翻轉過去，是故，陶玉雖負一身絕學，但卻無法傷得夢寰，就在陶玉一劍橫撩出手，楊夢寰已收劍移步轉身，待他疾轉半周，已不見楊夢寰人蹤何處，不禁呆了一呆。

只聽身後一聲冷笑，森森劍氣，已到頸後，其勢逼他無法再用劍封架，只得身子向前一傾，借勢向前躍飛出一丈開外。

回頭望去，只見楊夢寰橫劍而立，臉色嚴肅，神情莊重，已不見常現嘴角的笑容。這片刻之間，他似是另換一個人一般，神威凜凜。

忽然，他垂下橫在胸前長劍，長長嘆一口氣，說道：「陶兄昔日對我楊某人加惠甚深，大丈夫爲人做事，自應恩怨分明，只要陶兄能守今宵約言，交出《歸元秘笈》，了斷兄弟一樁心願，今後咱們仍然是要好朋友。」

陶玉在和楊夢寰訂約比武之時，實未想到對方竟然身懷精奧奇技，他原想在得勝之後，再以楊夢寰的性命，迫使朱若蘭就範，然後從容離此，哪知事與願違，大出意外的是竟無法勝得夢寰。

他本是生性狡詐之人，略一沉忖，笑道：「楊兄說得不錯，咱們今後仍是要好兄弟。致於那玉盒中存放的是什麼，兄弟確實不知。不過兄弟在撿得這玉盒之後，曾交給別人保管半日，是否是她打開，目前雖還難說，但這玉盒再未經過第三人之手，只要玉盒中確放有《歸元秘笈》，那是絕對丟不了，只是有勞楊兄和兄弟一同去見她討回。」

朱若蘭冷冷地接道：「哼！又是一篇動人的鬼話！」

陶玉道：「我確實言出衷誠，朱姑娘不肯信，那有什麼辦法。」

朱若蘭道：「你交給什麼人保管半日，我和你一同去取。」

陶玉道：「此人是誰，楊兄知道，只怕她不肯和你相見。」

朱若蘭怒道：「當今之世，誰有這大膽量，我非要見她不可。」

陶玉還未及答話，忽聽莫倫冷峻的聲音搶先接道：「陶香主，那人在什麼地方？要去大家一起去。」

王寒湘忽地揚起雙手，互擊三掌，道：「好，大家一起去見識那盛傳武林三百年的奇書，究竟是什麼樣子。」

朱若蘭忽然一揚玉腕，兩粒黃豆大的銀丸，破空飛出，只聽兩聲悶哼，登時有兩人摔倒地上。

原來王寒湘目睹夢寰奇奧的身法之後，心中十分震驚，再看站在旁邊的朱若蘭，不但氣定神閒，而且在那至美之中，隱現出一種震懾人心的高華氣質，使人不敢逼視。

心中忽然一動，暗自忖道：這少女神態這等安逸，星目中神光逼人，定然是身懷絕學之人，如果真的找到了《歸元秘笈》，自難免一場生死拚搏。目前本幫紅、藍兩位壇主，又都受了傷，實力已減去不少，何況在尋得那《歸元秘笈》之後，又難免遭聞公泰、滕雷等三派人聯手劫搶，那時在強敵環攻之下，再想派人通知幫主趕來接援，只怕十分困難，不如先派人通知幫主，免得臨時措手不及，那三掌互擊，正是指使身側弟子，去向幫主聯絡的暗號。

哪知朱若蘭神目如電，天龍幫隨侍四旗壇主身側弟子剛一舉步，已被她看了出來，彈指打出兩粒牟尼珠，擊中兩人穴道，當下栽倒地上。

王寒湘抬頭望了兩名栽倒的弟子一眼，緩步走近兩人身側，仔細一看，不禁吃了一驚。

只見兩粒瑩晶透明的牟尼珠，深嵌在兩人穴道之上，連衣服也深陷肉中，無怪只聞兩聲悶哼之後，就再無一點聲息。

這等聞名江湖的米粒打穴神功，確實使王寒湘大感震驚，但他究竟是沉穩老練之人，儘管心中驚慌，但外形上卻絲毫不動聲色，暗運功力，用食中二指，在兩個弟子被擊穴道四周一按，取出兩粒牟尼珠，順勢又拍活了兩人穴道，兩人各自長長嘆一口氣，挺身站了起來。

只聽陶玉格格的大笑之聲，劃破沉寂的夜空，響徹山谷。

朱若蘭忽地一挫柳腰，快如閃光般躍到了陶玉身側，嬌聲喝道：「你笑什麼？是不是想借這長笑之聲，召你們天龍幫的人趕來援手，哼！就是李滄瀾親身來此，也是救不了你！」說話之間，左手已連續拍出三掌。

陶玉連跳帶躲，把三掌讓開，揮腕還攻一劍。

但見朱若蘭皓腕一轉一翻，不知用的什麼手法，巧妙至極地把陶玉金環劍逼封出去，借勢疾吐秀指，一縷指風，直向陶玉前胸點去。

陶玉大吃一驚，趕忙施展移形換位身法，膝不彎曲，腳不跨步，倏然間斜退八尺，讓避開朱若蘭隔空打穴的一擊。

只聽陶玉格格一笑，回頭對身旁四旗壇主說道：「那人生性僻怪，不願和生人見面，四位壇主請在此地等侯，由晚輩和那位楊兄，結伴一行……」

莫倫冷漠一笑，接道：「他既然生性冷僻，我們不見他面也就是了。」

陶玉聽得皺起眉頭，暗自忖道：如讓四人同去，朱若蘭勢必隨行，楊夢寰身懷奇學，已夠我全力對付，四旗壇主能否對付得了朱若蘭，還很難說。即使能夠和她對敵，也無法困得住她，如讓她騰出手全力搶拿《歸元秘笈》，只怕難保奇書，如果堅拒四旗壇主同行，又恐怕惹他們多心。

他雖是機謀百出之人，但一時之間，也想不出適當之言，沉吟良久，答不上話。

楊夢寰已隱隱猜到陶玉所指之人，心中千迴百轉，也在考慮著這件事情，他雖已知陶玉是不可信任之人，但他卻是重情意之人，剛才兩人一番動手，雖然測知了陶玉高強的武功，但也證明了「五行迷蹤步」法的奇異威勢，既有制勝之能，信心增強不少，是以，陶玉要他結伴同行，他心中毫無半點驚恐之感。

王寒湘見陶玉一直沉吟不語，知人實有苦衷，暗自想道：他是龍頭幫主親傳弟子，從小就被幫主扶養長大，諒他也不敢背叛本幫，當下微微一笑，道：「既然陶香主說那人生性怪僻，不肯和生人見面，想來定不會假，莫壇主似不必定要隨行不可。」

莫倫素知王寒湘思慮深遠，料事如神，他既然開口幫陶玉講話，定是別有高見，點頭笑道：「既然是那樣，那就偏勞陶香主了。」

陶玉借級下台，轉臉對夢寰道：「事不宜遲，咱們現在就走如何？」

楊夢寰道：「很好，很好，兄弟是百分之百的信任陶兄。」

朱若蘭忽的一躍攔在夢寰身前，道：「你要當心他暗中對你下手！他對你暗施算計，已不止一次了。」

楊夢寰聽得怔了怔，低聲答道：「姊姊但請放心，我留意防他一著就是。」最後一句，故意提高了嗓音，使陶玉聽到。

陶玉俊俏的臉上，閃現過一抹獰笑，但笑容一掠即逝，轉身向前奔去。

楊夢寰緊隨身後疾追，兩人奔行四、五里，到一處山崖之下，陶玉忽然停住腳步，回首問

道：「楊兄可知道我們要見的人是誰嗎？」
楊夢寰道：「如果兄弟推想的不錯，那人可能是我童師姊。」
陶玉格格一笑，道：「楊兄一猜就對，只弟佩服至極。」
楊夢寰淡淡一笑，道：「這也不是什麼難事，陶兄過獎了。」
陶玉道：「不知楊兄是否相信，那《歸元秘笈》真的存放在令師姊的身上。」
楊夢寰微微一呆，立時恢復了鎮靜神態，笑道：「兄弟已經說過，百分之百相信陶兄。」
陶玉微微一笑，轉身沿著山壁緩步向前走去，此際，天色已到四更左右，斜掛在西天的明月，仍然清輝似水，照著岩壁間交錯的泉流，反映出千萬道波動的月影，夜風吹響起輕微的松嘯，深山之夜是這樣靜美清幽。
陶玉似乎是十分睏倦，慢慢地拖著腳步，如蝸牛爬行一般。
楊夢寰忍了又忍，到最後還是忍耐不住，說道：「陶兄！現在天色已不早了……」
陶玉回頭一笑，冷冷地接道：「楊兄可是想念你那位蘭姊姊了嗎？」
楊夢寰一揚劍眉，道：「她乃高潔無比之人，陶兄最好是不要在口頭上傷損到她。」
陶玉道：「楊兄這麼一說，那是只許她口頭傷損兄弟？」
楊夢寰再不願為此引起爭執，淡然笑道：「這些事很難說清楚，不談也罷，咱們還是快些去見我童師姊去。」
陶玉不再說話，突然加快腳步，向前奔去。
他這一放腿疾奔，直似流矢劃空一般，楊夢寰用盡全力追趕，仍然無法趕得上人家，片刻工夫，已拉了四、五丈距離。

要知陶玉此時功力，比夢寰深厚很多，他一盡全力奔走，楊夢寰自難追趕得上。

但見兩人距離愈拉愈遠，陶玉人影已逐漸模糊不清，楊夢寰全面拚盡餘力急追，一面暗自想道：現下不但未尋得《歸元秘笈》，而且連童師姊的面也未見著，如果他借機走脫，如何是好，想到爲難之處，不禁心頭大急，顧不得好強之心，立時高聲叫道：「陶兄！請慢走一步，兄弟有事請教。」

他餘音尚在空谷蕩漾，陶玉已奔到一處山腳轉彎所在，身影消失不見。

但聞回聲滿山，卻不聞陶玉一句回答之言。

楊夢寰突然一提真氣，施展蜻蜓點水輕功，一連幾個飛躍，到了那山腳轉彎之處。

放眼望去，只見一根根削立石筍，和雜生石岩間的矮松荊棘，哪裡還有陶玉的人影。

正待舉步深入，陡然憶起朱若蘭相囑之言，暗道：他如隱在那嶙峋怪石，或是雜草荊棘之後，突然下手施襲，那可是極難防備。

心念一動，撥出背上寶劍，凝神行功，小心翼翼地向前搜去。

這道怪石林立的山谷，只不過有百丈左右深淺，不到頓飯工夫，已到盡處，迎面是一堵千丈高峰，攔住去路，觸手軟滑，滿生綠苔，兩側亦都是千尋削壁，滑難留足。楊夢寰看清楚四周形勢之後，心中放寬不少。暗道：這三面環繞的立壁，都有數百丈高低，而且光滑異常，陶玉輕功就是再高一些，也難越渡，我只要守在谷口，待天色大亮之後，再找他也不遲……他心中雖在打著如意算盤，但兩道眼神仍不停向四外張望。

這當兒，忽聞一聲女子的尖銳呼喝，傳入耳際，只聽得楊夢寰心頭一震。

他迅快地用目光向四外搜望，但見怪石聳立，山風搖動著荊棘，四周一片沙沙輕響，竟是

找不出一點可疑之處，那突兀的呼喝之處，直如破壁而出一般。

他靜靜地站著，希望再有第二聲呼喝……可是他失望了；足足過了有一盞熱茶工夫之久，始終再未聽到第二次呼喝之聲。

突然在距他丈餘外處山壁之間，發出一聲極輕的聲息，似是一粒極小的石子，擊在山石之上，可能是夜風吹落山峰上一塊石子，也可能是毒蛇游行時碰落了一粒砂，總之，那聲音非常細微，如果不留心，即是在這幽靜的深夜中，也不易聽得出來。

楊夢寰微一思索，縱身直躍過去，只見一塊巨大的突立石岩，緊依崖壁而立，心中忽然一動，想起了和陶玉在那個密洞中，偷聽聞公泰、滕雷等談話之事，暗道：這等深山大澤之中，到處都是突岩，隱蔽一個人，實乃極易之事……

他微一轉步，人已到突岩後面，正待舉劍挑開那大岩後的荊棘，忽聽五尺外一株矮松後，響起一陣格格大笑之聲。

楊夢寰一聞笑聲，立時分辨出那是陶玉的聲音，正待縱躍過去，突然又想起朱若蘭警告之言，立即停住，叫道：「陶兄到哪裡去了，害得兄弟一陣好找。」

只聽那格格大笑之聲，倏然而住，矮松後緩步走出來金環二郎陶玉。

這時，他已把金環劍還入鞘中，赤手空拳，直對夢寰走來，口中答道：「楊兄弟說得不錯，那玉盒之中果然放的是《歸元秘笈》，兄弟已從令師姊手中討了回來。」

楊夢寰微微一皺眉頭，道：「這道死谷，不過百丈深淺，兩丈寬窄，不知我師姊現在何處？」他忽憶起了剛才聞得那一聲女人的呼喝，擔心陶玉已對童淑貞下毒手，是以，問話神情十分緊張。

陶玉神態卻十分從容，緩步走近夢寰笑道：「兄弟在未徵得令師姊同意之前，不便冒昧地帶楊兄去見她。」

楊夢寰警覺地退了兩步，道：「她不是請陶兄找我嗎？怎麼，難道她又不願見我了？」

陶玉看夢寰戒備慎嚴，立時停住腳步道：「女人心事，最難捉摸，常常一夕數變，因此，兄弟不得不再問她一聲。」

楊夢寰想到童淑貞叛離師門之事，不覺黯然一嘆，道：「那也難怪，想她對私離師門之事，定然感到不安，難免朝思暮改！」

陶玉微微一笑，道：「但令師姊卻是極願和楊兄一晤，不知楊兄是否還願見她？」

楊夢寰忽然想到朱若蘭還在等他，如果過久不歸，定然害她擔心，而且她一人之力，是否能獨擋天龍幫中四旗壇主圍攻，還很難說，不如早攜《歸元秘笈》歸去，還了趙小蝶，完了一件大事，再同陶玉看師姊不遲。

心念一動，笑道：「我和童師姊見面之後，定然有很多話談，貴幫中四旗壇主，都在原地等待，時間急迫，不宜多留，以兄弟之見，不如先把《歸元秘笈》送去，兄弟再同陶兄一起探望我師姊。」

陶玉左手探懷，取出《歸元秘笈》笑道：「楊兄想必擔心這《歸元秘笈》，兄弟先把奇書交還就是。」

楊夢寰伸手接過一看，只見三本冊子重疊而放，上面一本果然寫道《歸元秘笈》四個娟秀字跡。

這一部引得天下武林同道如中瘋魔的奇書，一旦被他拿到手中，不覺感慨萬千，嘆息一聲，道：「這部書中不知記載的什麼武學，三百年來害得千百人爲它送命！」

陶玉微微一笑，道：「楊兄，兄弟答應歸還那玉盒中奇書，現已面交楊兄，已算履行了約言，是也不是？」

楊夢寰道：「咱們武林中人，最重信諾，兄弟對陶兄承諾之言，從未懷疑。」

陶玉道：「不過這《歸元秘笈》乃武林第一奇書，當今之世，只怕沒有人不想得到手中，楊兄要好好收藏，萬一途中被人搶走，那可不關兄弟的事。」

楊夢寰道：「《歸元秘笈》雖珍貴無比，但兄弟並未存奢望要得到它。」

陶玉突然一伸右手，閃電般搶住楊夢寰的右肘關節，左手伸縮間，又把《歸元秘笈》搶到手中，笑道：「楊兄既無意得此奇書，那就不如做個順水人情，把這《歸元秘笈》送給兄弟，兄弟對這部奇書，卻是羨慕得很。」

楊夢寰冷哼一聲，左掌一翻，施出天罡掌三絕招中的一記「赤手搏龍」，扣住了陶玉左腕脈門，正待運氣加力，迫他交還《歸元秘笈》，突聽陶玉一聲冷笑，道：「楊兄這等倔強，那可怪不得兄弟了。」托拿夢寰右肘關節的五指微一加力，楊夢寰忽覺肘間關節骨欲碎，半身發麻，全身真氣一散，勁力頓失，扣制陶玉左腕脈門的手，不自主地鬆開了。

陶玉把《歸元秘笈》放入懷中，笑道：「這次兄弟可是從楊兄手中奪過來，不知楊兄是否還會責備兄弟不守信約？」

楊夢衰只疼得頭上汗水滾滾而下，但口中仍然冷笑說道：「攻人不備，縱然能勝，也不算什麼光榮之事。」

陶玉笑道：「兄弟一生中雖然善用機詐，但卻從未有說過不算的話，咱們既是朋友，總不

能說毫無情意……」

楊夢寰怒道：「大丈夫可殺不可辱，你如存心羞辱於我，可別怪我口出不遜之言。」

陶玉冷笑一聲，道：「楊兄別太衝動，有什麼相托兄弟的事，快請說出，兄弟力能所及，定當承擔起來，如果沒有遺言，兄弟可要動手了！」

楊夢寰仰臉一陣哈哈大笑，道：「生死之事，不足掛齒，你儘管下手就是。」

陶玉道：「這麼說來，楊兄是一句遺言也沒有了？」

楊夢寰冷然答道：「我心中雖有一件不明之事，想問陶兄，但只怕你不肯據實相告，也是枉然。」

陶玉道：「但請說出，兄弟知無不言。」

楊夢寰傲然一笑，道：「是不是你誘騙我童師姊叛離師門？」

陶玉道：「不錯。」

楊夢寰道：「你先占有了她貞潔之身後，才迫她私逃下山的，是也不是？」

陶玉道：「那是她自送上門，豈能怪我？」

楊夢寰微微一笑，道：「我的話已說完，陶兄動手吧！」說罷雙目一閉，靜待陶玉出手。

陶玉探手入懷，取出一包藥粉，笑道：「楊兄請睜開眼睛，吞下這一包藥粉。」

楊夢寰霍然睜開雙目，冷傲一笑，道：「陶兄身上有劍，儘管拔出動手，就是亂劍相加，楊夢寰也不會一皺眉頭。」

陶玉微微一笑，道：「楊兄這等視死如歸的豪氣，實在使兄弟佩服。但咱們既然相交一場，豈能毫無情意，兄弟哪裡能忍心把楊兄亂劍分屍。這包藥粉，是一種極爲怪異的毒物，服

下之後，全身骨骼就開始軟化，七日後武功盡失，而且今生今世，再也不能習武……」

楊夢寰只聽得心底冒起一股冷氣，道：「陶兄對付兄弟的手段，可算得是陰毒無比了！」

陶玉仰臉一陣冷笑，道：「好說！好說！楊兄如願聞下情，兄弟極願全部奉告。」

楊夢寰冷哼了一聲，忽的一揚左掌，猛向陶玉拿藥的左手擊去。

哪知陶玉早已有了戒備，右手陡然加力，楊夢寰立感半身痲木，左掌剛剛舉起，又軟軟地垂了下去，陶玉卻借機指點肘撞，連點了楊夢寰「將台」、「期門」、「章門」、「白海」四穴。

他動作雖然迅快，但出手卻極有分寸，雖連點了楊夢寰要穴，但並未使他暈過去。

他緩緩地把楊夢寰身軀，平放大石一側，鬆了他右肘關節，笑道：「交友之道，最重坦誠，兄弟如果不把這包藥效用，詳盡說出，只怕楊兄死後也要記恨兄弟。」

楊夢寰身軀雖難掙動，但他神智仍甚清醒，耳目如常，陶玉之言字字入耳，但恨穴道受制，無能抗拒，只好強按心頭忿怒，冷冷望了陶玉幾眼。

陶玉移來一塊山石，放在夢寰頸下笑道：「這等荒山之中，也沒有被褥枕頭之物，就請楊兄委屈些吧。」臉上笑容迎人，話中情意款款，只氣得楊夢寰圓睜雙目，恨不得罵他幾句，以消胸中忿怒，但轉念又想到，此舉只不過徒自取辱，又把欲待出口之言，重又嚥了回去。

陶玉慢慢打開手中藥包，笑道：「兄弟這藥物最珍貴的原料是並蒂香蓮，生在藏邊的冰天雪地之中，和雪蓮一般同屬極爲珍貴之物，雙花並蒂，濃香深長，不管人獸，只要聞得這種香味，立時血脈加速，欲火高張，全身柔弱無力，如不能及時調和陰陽，消去慾火，極不易忍受那焚身慾火，即是虎豹之類猛獸，在聞得這種異香之後，亦難自禁，大都狂奔亂滾，不是摔下

懸崖跌死，就是觸壁碰岩而亡，實爲天下第一等淫毒藥物……」說至此處，一笑而住。

這幾句話，確使楊夢寰大感驚駭，登時現露出緊張神情。

陶玉望著夢寰，洋洋自得地接道：「不過，楊兄儘管放心，兄弟所說只是那並蒂香蓮效用，至於兄弟手中這包『化骨消元散』，效用又自不同，當今之世，只怕也沒有幾人有此藥物……」

楊夢寰驚震地啊了一聲，道：「什麼？你手中藥物，是『化骨消元……」

陶玉格格大笑一陣，接道：「不錯！看來楊兄是聽人談過這『化骨消元散』了。」

楊夢寰面如死灰，黯然一嘆，道：「除此之外，不管陶兄用什麼慘酷之法，加害於我，我都不會記恨於你，請陶兄看在咱們一場交情份上……」

陶玉截住了夢寰的話，道：「兄弟如不念咱們相交一場，也不會讓你服用這『化骨消元散』了……」他得意地冷笑了一陣，接道：「你童師姊常常罵我是天地間最壞的人，卻稱頌楊兄爲人最好，我要讓她心目中最好的人，做幾件壞事給她瞧瞧，是以，兄弟想待楊兄服用這『化骨消元散』後，就把你移放你師姊現下存身之處……」

楊夢寰冷哼一聲，道：「我師姊罵得不錯！你真是禽獸不如！」

陶玉趁夢寰說話之際，右手突然疾伸而出，緊揑夢寰牙關，左手趁勢把一包『化骨消元散』，倒在夢寰口中，拔下壺塞，用水沖入夢寰腹中，然後鬆了緊揑夢寰牙關的手，笑道：「半個時辰之後，藥力行開，楊兄就可和令師姊享受一番消魂蝕骨之樂。七日之後，藥力侵入骨髓，楊兄全身骨骼，就開始軟化。十五日後，楊兄即可忘去以往之事，渾渾噩噩地永不會再有憂慮煩惱。不過楊兄大可放心，你還有三年壽命好活，三年後全身骨骼化盡而死……」

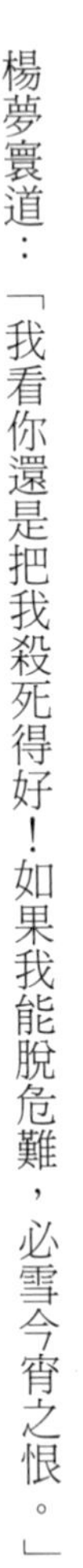

楊夢寰道：「我看你還是把我殺死得好！如果我能脫危難，必雪今宵之恨。」

陶玉道：「這個儘管請楊兄放心，縱然是那位朱姑娘此刻趕到，也一樣束手無策，哈哈！當今之世，除了我天龍幫黔北總壇，有三粒『化骨消元散』解藥之外，再也沒有人有解救藥物！我看你還是死了那雪恨報仇之心，免得死難瞑目。」

楊夢寰本聽師父談過，江湖上有一種「化骨消元散」的毒藥，十年前由二個藏僧帶入中原，毒死當時名盛天下英雄的一代劍客湯正光，兩個藏僧也喪命在湯正光的劍下，因那湯正光武功已臻超凡入聖之境，所以，在初傳中毒之事，武林中人，一大半都不相信，直待五年後在九華山發現了他的屍體，這傳言才算證實，至於湯正光如何中毒，兩個藏僧爲什麼萬里迢迢地趕來中原，毒死湯正光，卻成了一件極大的隱密，江湖上鮮有人知，但湯正光被「化骨消元散」毒死一事，卻震盪了江湖數年之久。

此後，就沒有再聽說有人被「化骨消元散」毒死的傳說，兩個藏僧究竟帶了多少「化骨消元散」，在中原亦很少有人知道，不少武林中人，爲探索其間隱密，不惜遠奔蒙藏，耗時數年，但仍未找出原因何在。

過了五年之久，這件事引起的波動，才算逐漸沉寂，但湯正光被「化骨消元散」毒死一事，也成了各門派中告誡門下弟子的一個典型事例，以示江湖上的狡詐險惡，使門下弟子藝滿出師，歷練江湖時，提高戒備之心，因爲縱然身負絕世武功，練成刀箭不入的金剛之體，有時亦會中人暗算……

楊夢寰也聽師父談起過那「化骨消元散」的厲害，只不過不像陶玉告訴他的這樣詳盡，是以，在他聞及陶玉手中藥是「化骨消元散」後，立時驚出聲來。

## 三七　奇女縱情

且說楊夢寰被陶玉強制沖服了「化骨消元散」，不僅肝膽俱裂，他雖有視死如歸的豪氣，但卻沒有承受這慢性化骨消元之苦的勇氣，他呆呆地望著天上星辰，想著陶玉告訴他的諸般痛苦折磨，忍不住湧出兩眶淚水。

但聞陶玉格格笑道：「天色已經四更過後了，在五更之前，楊兄的藥力就可發作，做兄弟的豈忍看你受晨露侵襲之苦……」他微微探臂，俯身抱起夢寰，分開大岩石後密集的荊棘，一躍而下。

原來那大岩石後，有一個數尺大小的洞口，只因那叢集荊棘很密，所以不知內情之人，很難看得出來。

楊夢寰穴道受制，手，足都難掙動，只有任陶玉擺佈。

那石洞並不很深，大約有七八尺左右，陶玉腳落實地，立時沿著夾道向前走去，夾道黑暗如漆，景物難辨。

楊夢寰幾處穴道雖然受制，但他內腑並未遭到損傷，定定神，運足目力，打量沿途景物，但見兩側石壁夾持一條甬道，向山腹彎轉延伸而去。

陶玉似是很熟悉甬道形勢，走得異常快速，片刻工夫，到了一處丈餘大小的一座石室之中。

只見石室一角，點燃著一支火燭，強烈松油氣味撲鼻襲人，但燭光卻十分幽淡，照得滿室一片昏黃。

一個長髮散亂，滿臉病容的少女，依臂仰臥，一見陶玉抱著一個人進來，立時怒聲叫道：「你還進來幹什麼？快滾出去，我死也不願看到你了……」

陶玉冷笑一聲接道：「我來給你送個陪伴之人，哈哈！你每日稱讚的楊師弟來陪你，大概你可心平氣和了吧？」說完，把夢寰放在那少女身側，又道：「你們師姊師弟好好地談談，恕兄弟不奉陪了。」

轉身向外走去。

那少女忽然兩手一按石地，似想挺身躍起，但她失敗了，上半身剛剛離地數寸，立時又摔在地上。

陶玉回頭一笑，道：「你兩腿經脈，都已被我用拂穴手法制住，不過三日內，我定會再來看你一次。」說完，轉身疾奔而去。

那少女只是雙腿難移，上半身和雙手，都可自由轉動，她側臉望了夢寰一眼，驚道：「啊！你……你真的是楊師弟嗎？」

楊夢寰嘆息一聲，道：「小弟正是楊夢寰，童師姊不是和他很要好嗎？怎麼會落得這般模樣？」

童淑貞滾下來兩行淚水，道：「我的事說來話長，你先告訴我，你怎麼被陶玉擒住？」

楊夢寰苦笑一下，正待答覆，忽覺小腹中一股氣血，直向胸口沖上，全身血脈突然加速運

行，不禁心頭一驚，急道：「師姊可會推宮過穴的手法嗎？」

昏黃的燈光之下，忽見楊夢寰雙頰泛起一層極重的桃紅之色，嬌艷欲滴，看上去十分迷人。

童淑貞只看得呆了一呆，道：「我雖學過推宮過穴手法，但現下腿部經脈受制，只怕力難從心，推不活師弟受制穴道。」

楊夢寰急道：「師姊快請推活我『將台』、『期門』、『章門』、『白海』四穴，愈快愈好。」

童淑貞看他焦急神情，不再多問，側轉上身，雙手齊出用盡全身氣力，推拿夢寰四處要穴。

所幸陶玉點制楊夢寰穴道的手法，並不很重，準備讓藥力發作後，那加速循轉的血液，能自行活開被點穴道，是以，經過童淑貞一陣推拿，再加藥力發作後催速血液運行，使全身經脈暴張，不到一盞熱茶工夫，四穴竟然一齊活開。

這時，楊夢寰已覺出心神蕩漾，欲念叢生，所幸他是定力甚強之人，神智尚未昏迷，猛然一個翻轉，挺身躍起，一用力咬破舌尖。

一陣急疼，使那迅速擴展欲火，消減不少，但他已知厲害，哪裡還敢停留，頭也不轉疾向石室外面奔去。

但聞童淑貞急促的呼喊之聲，從身後傳來，道：「楊師弟，請留步片刻，我有話要對你……說……」

楊夢寰已被「化骨消元散」藥力，引動欲念，全憑一點未泯靈智，壓制著那衝動的欲火，

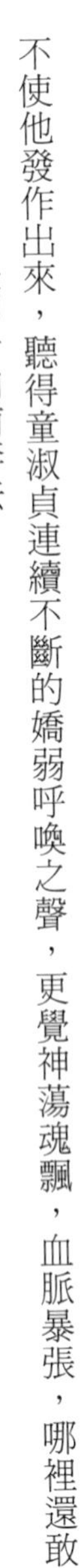

不使他發作出來，聽得童淑貞連續不斷的嬌弱呼喚之聲，更覺神蕩魂飄，血脈暴張，哪裡還敢答應，反而加快腳步向前奔去。

這條彎曲的甬道，只不過數丈長短，片刻已到出口之處，但見一片黝暗，那洞口早經封閉。

原來陶玉在出洞之後，就用山石把出口堵塞。

楊夢寰強忍那迅速擴展的焚身慾火之苦，猛吸一口丹田真氣，縱身上躍，雙手用力一推，想把那堵死出口岩石推開，一則因他雙足懸空，力道難以用實，再者因那迅速擴展的慾火，使他真力大大消減，這一推，竟未移動分毫。

只聽陶玉尖銳的大笑之聲，在洞口外面響起，說道：「楊兄果非常人，竟能在藥力推活穴道之後，暫不爲藥性所亂，佩服啊！只可惜楊兄來晚了一步，這出口已爲兄弟堵塞，哈哈！看來你們師姊師弟，早已緣注三生，這荒山密洞，就暫作兩位的花燭洞房，委屈楊兄之處，尚請原諒，恕兄弟不奉陪了，慢待，慢待！」但聞笑聲搖曳遠去，轉瞬消失。

楊夢寰已被那「化骨消元散」藥力推動的欲念，沖得頭暈腦脹，陶玉說些什麼？他根本就未聽清楚，只知洞口被堵，難再出去，當下返身又向石室奔去。

童淑貞見他去而復返，大感意外，一聲楊師弟還未說完，忽聽楊夢寰大聲叫道：「這石室是否另有出路？快說！快說！」

他已被衝動的慾火燒得神智昏亂，全仗十幾年修爲內功，和堅決的出洞信念，支持一點靈智，抗拒那慾火焚身之苦，哪裡還能保得住彬彬有禮的言行。

童淑貞傷心得湧出兩滴淚水，幽幽嘆息一聲，道：「我已是將死之人，縱然有十惡不赦大罪，也望師弟看在同門一場份上，聽我幾句遺言……」

忽聽楊夢寰大叫一聲，雙手揮動，劈劈啪啪，打了自己兩個耳括子，隨手一扯，一件黑色夜行衣，被他當胸一扯兩半。

童淑貞呆了一呆，揉揉眼睛看去，只見他桃紅的雙頰，浮現出十個宛然指痕，那兩掌，竟是打得很重。

她腦際迅速地閃過一個念頭，忖道：我師弟不知被陶玉用什麼毒手害得神經錯亂……不及再往下思索，一咬牙，挺身坐起，左手撐地，右手指著石室一角，大聲說道：「那石室一角，有一條通往外面的出路……你快些走吧。」

這幾句話，盡了她全身氣力，楊夢寰雖在神智迷亂之際，亦聽得字字入耳，縱身躍到壁角，雙手用力，猛一推那石壁，只覺全身向前一傾，跌入一條黝暗的石道之中。

他迅速地爬起來，沿著石道向前奔去，他在慾火衝動之下，全身經脈暴張，雖然跌得不輕，但卻絲毫不覺疼痛。

奔行約一刻工夫，忽覺步步登高起來，原來行到了一處向上的斜坡所在。

走上丈餘斜坡，已到盡處，上下左右都是光滑的石壁攔路，除了來時的一條甬道之外，再無可通之路。

這時楊夢寰已被那藥力催動強烈的慾火，掩沒了僅存的一點靈智，人性和智慧，都被那充塞腦際的慾念排出，他忍受著無比的痛苦，雙手用力向前推去，但前面的石壁，卻堅硬無比，絲毫推它不動……他發狂的大喝一聲，鬆開推移面前石壁的雙手，用力向頭上的石壁推去，他

已失去了鎮靜和思索的能力，用力托推頭頂石壁，只是發洩他充塞胸中的慾火，哪知頭頂石壁竟應手而起，被他無意間觸動暗門而開。

忽聽啊呀一聲清脆的女人驚叫，一點火光閃動，熊熊地燃起一個火摺子。

楊夢寰推開石門之後，人隨著縱身躍出。

他圓睜著兩隻被慾火燒紅的眼睛，向四外望了一下，模糊的神智中，似乎依稀還認得停身地方，洶湧的慾念，像江河倒瀉的洪流，使他無法冷靜下來，他在迅快掃視了四外一眼後，目光盯住了一個身著青色勁服的少女身上。

那少女在初見夢寰之時，微現驚愕之色，片刻之後逐漸生出憐惜之情，舉著手中火摺子，緩步對夢寰走去，幽怨地問道：「你是怎麼了？滿嘴都是鮮血？」

她多情地從身上摸出一塊絹帕，輕輕地擦拭著他臉上的鮮血，觸手火燙，不禁吃了一驚。

但她並沒有縮回手來，只是微一猶豫，又繼續擦拭下去。

忽聽楊夢寰大叫一聲，突然張開雙臂，把她緊緊地抱入懷中。

青衣少女驚顫地呼叫一聲，手中火摺子落地熄去，但她並沒有掙扎反抗，反而溫柔地把粉臉貼在他的胸前。

他一身夜行勁裝已被自己撕破，那少女粉臉相偎，正好和他胸前肌膚相觸，使他已經無法按捺的慾念，更加高漲起來。

火摺子熄去之後，兩人停身之處變得黝暗異常，青衣少女已無法看得楊夢寰神色表情，但覺他相觸在自己臉上的肌膚，熱氣逼人，不禁芳心鹿撞，怦怦亂跳，正待開口垂詢，忽覺兩片火熱的嘴唇，堵住了自己的櫻口。

她茫然地嚶了一聲，雙手用力推去，想把抱緊自己的夢寰推開。

哪知用力一推之後，忽覺那緊抱自己頸項纖腰的雙臂，猛然一收，雙腳離地，嬌軀盡被人抱入懷中。

她驚顫地問道：「你……你要幹什麼？快些放開我，你一向討厭我，爲什麼突然這樣對我，我李瑤紅豈是隨便任人欺侮的？」

她用力地掙脫右臂，按在楊夢寰咽喉之處，猛然運氣向前一推。

但覺撲通一聲，楊夢寰被她拿住咽喉要害，用力一推，呼吸突然受阻，閉過氣摔倒在地上。

李瑤紅腳落實地，又探手入懷摸出一個火摺子，晃燃看去，只見楊夢寰艷如朝陽，雙頰浮現著十個紅腫的指印。

她本可不顧他掉頭而去，但她卻沒有那樣決絕，反而移到夢寰身側，伸出柔嫩的右手，纖指連點了楊夢寰的「人中」、「迎香」兩穴。

只聽楊夢寰長長吁一口氣，忽然挺身坐了起來。

李瑤紅從小就在江湖行走，見識極爲廣博，細看楊夢寰艷紅似火的雙頰，立時看出他是服用了極強烈的毒藥，被藥力迷亂了本性，才有剛才那幕近乎瘋狂的舉動。

要知楊夢寰本是日夜縈繞在她心頭的情郎，雖然他對她毫無愛意，但她卻對他一往情深，適才楊夢寰那近乎狂熱瘋癲的舉動，嚴酷地傷害了她少女的尊嚴，但當她發現他是被一種極厲害藥力，迷失了本性後，又不禁頓生愛憐之心。

楊夢寰從暈迷中初醒過來，昏亂的神智暫時一清，他呆望了李瑤紅一陣，忽地驚叫一聲，

縱身而起，向外奔去。

李瑤紅不自覺地探出右手，迅快遞抓住楊夢寰的左腕，用力向懷中一帶。要知陶玉的「化骨消元散」藥性猛毒至極，在藥力發作之後，楊夢寰已無法運集真氣，李瑤紅在情急下，那一帶之勢，力量又是異常強大，楊夢寰被她硬生生地拉了回來。

也許她沒有想到，這一拉，竟然造成了無比大恨。

他暫時一清的神智，但卻是曇花一現，眨眼間又被藥性促起的狂熱慾念所淹沒。

李瑤紅似是想不到她那一拉之勢，竟把楊夢寰拖回到自己身側，摔倒地上，不禁微微一怔，一股存在心底深處的愛憐情意，使她無去冷靜地辨認眼前的危險，她伸出一隻玉臂，抱攬起摔在地上的楊夢寰，幽怨地問道：「你服了什麼毒藥？快些告訴我……」

可是，強烈藥力引燃的焚身慾火，已使楊夢寰完全迷失了本性，他根本就沒有聽到李瑤紅說的什麼，只覺一個嬌脆柔甜的聲音，在耳際繚繞蕩漾……突然，他奮力掙脫了李瑤紅的懷抱，右手抓住了李瑤紅的衣領，但聞嗤的一聲，一件緊裹她嬌軀的勁裝，立時被扯成兩半。

李瑤紅驚顫地嬌喊一聲啊喲！但並沒強烈掙扎反抗，一種愛憐和驚恐混合的情緒，占據了她的芳心……她只是呆呆地坐著。

但聞嗤嗤之聲，不絕於耳，她一身衣著，盡都被楊夢寰扯得片片碎裂。

她不再驚恐呼叫，也不再閃躲，如果她運功抗拒，被藥力迷亂的楊夢寰決不是她的敵手，她可以用寶劍把他斬成碎塊，而她殺人的動機，又能獲得天下武林同道的諒解和讚揚，縱然是崑崙三子，也無法說一句責備她的話，反將爲崑崙派教出這等弟子，而感到蒙羞武林……就是事後，能查出楊夢寰是被一種強烈的毒藥迷亂了本性，也只能獲得他人幾聲感慨的長嘆和惋惜

而已。

但李瑤紅沒有那樣做，她似是失去了主宰自己的力量，任楊夢寰扯著她全身衣服，她卻畏縮地坐著不動，用心想著那即將降臨的風暴，她無法決定那是好是壞，可悲還是可喜。

深藏在她內心的愛慕，幫忙她選擇了一個決定，雖然，她無法預知這選擇是錯是對。

腦際中千百種驚懼複雜的情緒，倏忽間一齊消失，一個清晰堅定的念頭，逐走了一切，她暗自忖道：我要犧牲自己拯救他，因爲她已發覺楊夢寰服用的是一種極強烈的春藥，如果，她冷酷地棄絕了他，也許他將被藥力促起的慾火焚毀。

這可悲的抉擇，也許是有著因果關係，陶玉在迫逼楊夢寰服用下「化骨消元散」時，作夢也想不到，這悲慘的結果，會降臨在自己的師妹身上，而她又是他深愛的人。

這時，她全身的衣服，都已被楊夢寰扯去，只餘下一個美麗絕倫的胴體，她羞怯地把身體向一處壁角移去。

楊夢寰忽地一躍，直撲過去，他早已被藥力迷失人性，欲焰狂熱高燒，已到了忘我之境，李瑤紅又存了獻身相救之心，她只是本能地微一側身，立即被楊夢寰攫擒懷中。

太過放縱的延續人類生命本能的狂熱，對一個冰清玉潔的少女，是一種極痛苦的摧殘，李瑤紅嬌婉的呻吟在那狂熱摧殘之下，羞苦得流出兩行淚水。

暴風雨過後，一切又恢復平靜，楊夢寰在藥力促起的欲火消失之後，沉沉地睡熟過去，「化骨消元散」的藥性，卻在他狂熱過後的睏倦中，趁機向他骨髓中侵蝕，他那安靜的酣睡，正是另一個危難的開始，七日後藥力即將侵入他全身骨骼每一處地方，慢性化骨之苦，將使他承受人間最悲慘的苦刑，十五日後毒性將攻入他內腑和大腦，消滅他一切記憶，他將不再有憂

慮煩惱，渾渾噩噩地熬受那化骨之苦。

可是李瑤紅卻無法合眼入夢，她望著酣睡側身的情郎，心中湧現萬千種不同的滋味，多少可怕的後果，都在她腦際中盤旋，嬌稚無邪的沈霞琳，將為此事，記恨她一輩子，卓爾不群的朱若蘭，在知道這件事後，亦決不會放過她，還有那縱橫江湖的女魔頭玉簫仙子，也不會善罷甘休。

還有父親在江湖上的威名，亦將為她今宵之事，受到極大的損害，縱然自己是父親獨生愛女，只怕也難逃父親的責罰。

思前想後，似乎是條條絕路，好像這遼濶的世界上，沒有一寸土地容許她停身立足，二十年冰清玉潔的身子，一時間白璧沾污，這突然的變故，對一個少女來說，確實是慘酷無比的打擊，她愈想愈覺著未來茫茫，不知如何自處。

淚水凝望著懷中情郎，說不出是憐是愛，是恨是愧……她緩緩伸出滑膩的右手，輕輕的拂著楊夢寰散亂的頭髮，她已由堅強不屈的野性，轉變得十分溫順脆弱，緩慢的把櫻唇移在夢寰臉上，親了一下，夢囈似的自言自語說道：「睡吧！這些鑄成的大恨，不能怪你，醒來時也不必為你造成的錯誤感到愧疚，因為你被人陷害服用強烈的春藥，而我卻清醒如常，我知道，你一旦恢復清醒，必然會為此事痛不欲生，但你只管放心好了，我會在你將清醒時悄然離去，雖然這悲慘的一切，給了我無比的創痛，但也給了我無比的慰藉……我比你琳妹妹更早的獲得了你，雖然只是短暫的半宵，這是皇天的安排啊！沈姑娘知道了也不能怪我……」

她自言自語的說著，淚水一滴滴滾下粉頰，又滾落地上，但她嘴角間卻綻開著微笑。

忽喜忽憂的情緒，在她心中交織衝突，再加上她初度承受風雨的狂熱摧殘，使她的心靈和

身體都感到睏倦不堪，不知不覺間，也沉沉地睡熟。

待她醒來之時，已是滿室光亮，轉頭看夢寰，仍睡得十分香甜，再看自己時，不禁羞得她粉臉如火；原來她身上衣服，完全被夢寰撕得寸縷不餘，全身赤裸，瑩如白雪。

她想找一件衣物，掩遮住全裸的身體，但搜尋良久，卻看不到一件可以用做遮蔽身體之物，不禁心中慌了起來，忖道：我這般一絲不掛，如何能出得這山腹密洞……

這時，楊夢寰翻了個身，突見李瑤紅寸縷未掛，赤裸裸地倒臥自己旁邊，不禁大吃一驚，叫道：「這是怎麼回事？」挺身坐了起來。

看停身之處，是一座兩間房子大小的石室，四壁光滑如鏡，一角鋪著一片柔細的茅草，他和李瑤紅就並臥在那片茅草旁邊。

點點落紅，散在潔白石板地上，使他觸目驚心，他回頭望了側臥身旁的李瑤紅一眼，只見她圓睜著一雙星目，神情異常奇特，似哭似笑，又混合幽怨羞怯，萬千種複雜的情緒，交織成她那一種無法形容的表情，眼光中滿溢愛憐、恐懼，像一隻受過人宰割而幸還未死的羔羊，是那樣柔順、可憐……

楊夢寰用右手拍拍自己的腦袋，目光忽然觸到散堆他旁邊的碎裂衣物，他低頭看看自己大半裸光的身子，不禁肝膽俱裂。

一陣強烈的痛苦，助他較快地恢復了清醒，他覺得這停身的石室十分熟悉，忽然想起這正是和陶玉一起來過的那座山腹密洞。

他回憶起昨宵那一場驚險的拚搏，想到了陶玉強迫他服下那「化骨消元散」的諸般經過，

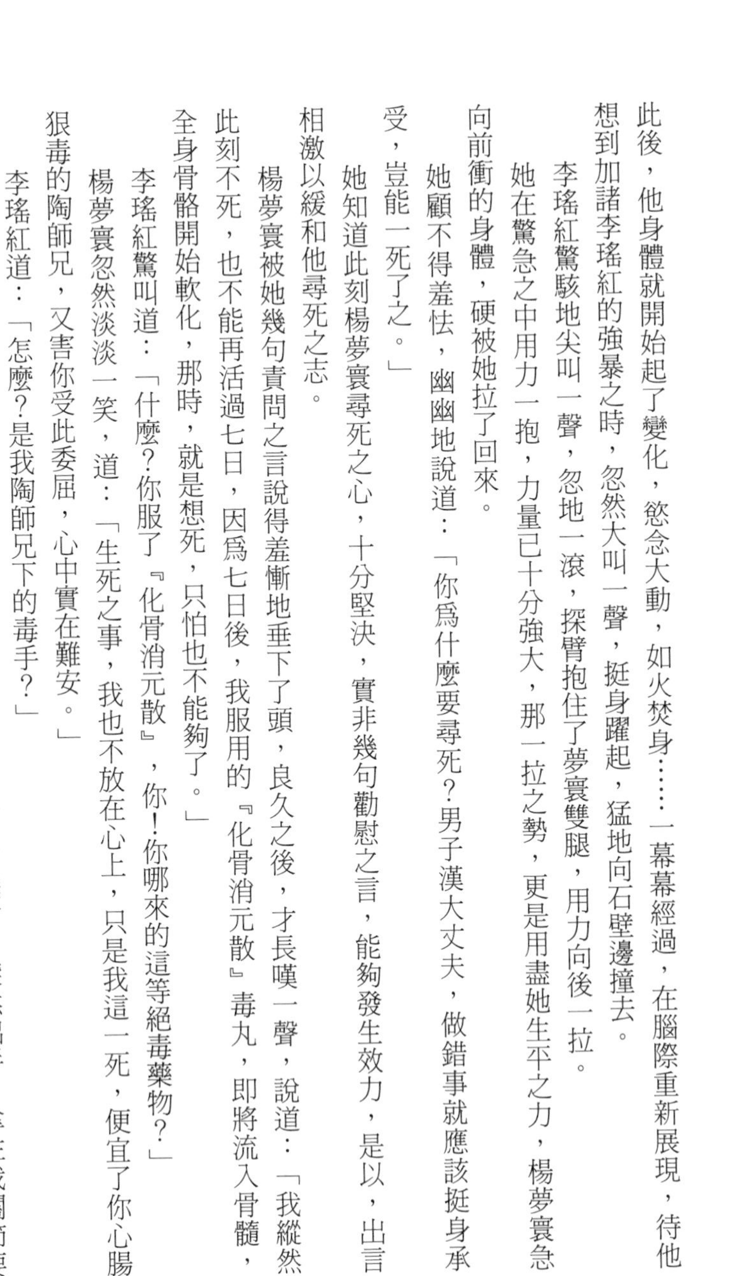

此後，他身體就開始起了變化，慾念大動，如火焚身……一幕幕經過，在腦際重新展現，待他想到加諸李瑤紅的強暴之時，忽然大叫一聲，挺身躍起，猛地向石壁邊撞去。

李瑤紅驚駭地尖叫一聲，忽地一滾，探臂抱住了夢寰雙腿，用力向後一拉。

她在驚急之中用力一抱，力量已十分強大，那一拉之勢，更是用盡她生平之力，楊夢寰急向前衝的身體，硬被她拉了回來。

她顧不得羞怯，幽幽地說道：「你爲什麼要尋死？男子漢大丈夫，做錯事就應該挺身承受，豈能一死了之。」

她知道此刻楊夢寰尋死之心，十分堅決，實非幾句勸慰之言，能夠發生效力，是以，出言相激以緩和他尋死之志。

楊夢寰被她幾句責問之言說得羞慚地垂下了頭，良久之後，才長嘆一聲，說道：「我縱然此刻不死，也不能再活過七日，因爲七日後，我服用的『化骨消元散』毒丸，即將流入骨髓，全身骨骼開始軟化，那時，就是想死，只怕也不能夠了。」

李瑤紅驚叫道：「什麼？你服了『化骨消元散』，你！你哪來的這等絕毒藥物？」

楊夢寰忽然淡淡一笑，道：「生死之事，我也不放在心上，只是我這一死，便宜了你心腸狠毒的陶師兄，又害你受此委屈，心中實在難安。」

李瑤紅道：「怎麼？是我陶師兄下的毒手？」

楊夢寰黯然一嘆，道：「他藉著交還我《歸元秘笈》的機會，突然出手，拿住我關節要穴，強我服下『化骨消元散』，讓我熬受那慢性的化骨之苦，我自信沒有什麼對不起他的地方，縱然爲《歸元秘笈》，也不該下此毒手，唉！令師兄心地狠毒，只怕舉世難再找得出第二

個人了。」

李瑤紅淒涼一笑，道：「他作法自斃，也害了他自己的師妹……」

楊夢寰道：「唉！縱然傾盡三江之水，也難雪此大恨，只望姑娘原諒我爲藥力所亂，我當留書自白罪狀，上呈恩師，昭告天下武林。然後剖心一死，替姑娘洗刷冤枉。」

李瑤紅垂淚說道：「事情絲毫怪不得你，你被藥力所亂，本性迷失，但我卻神智清醒，要是真的把這羞於見人的事，公諸天下，我就是化鬼泉下，也羞見列祖列宗了。」

楊夢寰嘆道：「事已至此，我只有愧疚終生，姑娘但有所命，楊夢寰無不遵從。」

李瑤紅眼睛一亮，問道：「你這話可是當真嗎？」

楊夢寰堅決地答道：「字字出於肺腑，只要力之所及，無不全力以赴。」

李瑤紅咧嘴一笑，忽然感覺到一陣羞意，迅快地滾到石室一角，抓些柔細的茅草，遮住自己的全裸身體，說道：「第一件事，我先要你答應不許尋死。」

楊夢寰心頭一凜，暗道：是啦，她是想要我忍受那漫長的化骨之苦，當下鐵青著臉答道：「別說要我忍受那區區化骨之苦，就是零剮碎割，我也答應就是。」

李瑤紅知他誤解了自己心意，不禁又是一笑，故意重複地問道：「那你是答應我了？」

楊夢寰道：「大丈夫豈能反覆無常，我既許下諾言，自然是要答應。」

李瑤紅指著那一堆碎裂的衣服，說道：「你把我那破碎的衣服拿過來。」

楊夢寰不知她搗什麼鬼，但卻依言把她碎裂的衣服移送到她身側。

忽見她笑容一斂，神情變得十分緊張，在那堆碎裂的衣服中，很仔細地找尋起來，楊夢寰呆呆地望著她，雖然不知她找尋的什麼東西，但從她緊張的神態上推測，定然是找尋十分重要

之物。

但聞她長長吐一口氣，說道：「皇天見憐，這東西還沒有被你扯丟。」

只見她從一片扯破衣袋之中，取出一個白綾布包，很細心地打開，取出一粒紅色的丹丸，交給楊夢寰，道：「第二件事，是立刻把這粒藥丸吞入腹中！」說話神情鄭重，絲毫不帶笑意。

楊夢寰接過丹丸，忖道：這又不知是什麼絕毒的藥物，反正是死定了，多服一點毒藥，又有何不可？當下一舉手，把藥物放入口中吞下。

李瑤紅看他吞下藥丸，神情爲之一鬆，笑道：「你現在要閉上眼睛，靜靜地坐息一陣。」

楊夢寰道：「我已來日無多，眼下時刻，寶貴無比，趁我神智還在清醒之時，不如讓我出去，替你找件衣服來，你好早些離開此地。」

李瑤紅道：「你已占有我清白之身，我哪裡還能見人？」

楊夢寰道：「那你要怎麼樣呢？」

李瑤紅道：「我要永遠和你守在一起；今生今世，不離開你一步。」

楊夢寰道：「我已服下奇毒藥物，縱然還有幾年好活，也很難熬受那慢性的化骨之苦，而且半月之後，即將變成瘋癲之人，你和我守在一起，有什麼好處。」

李瑤紅咧嘴一笑道：「你說過，不管我說什麼話，你都要照著去做，是嗎？」

楊夢寰黯然一嘆，不再多說，閉上雙目，靜坐調息。

只覺丹田之間，緩緩上沖起一股熱流，逐漸地延展全身，初時尚不覺有什麼難過之處，頓飯過後，只覺全身如投在爐火之中一般，汗流如雨注，全身有如水淋一般。

李瑤紅圓睜著一雙星目，神情十分緊張地望著夢寰，直待大汗漸消，痛苦神情全失，才放下心中一塊石頭。

不知過去了多長時間，楊夢寰忽覺百穴氣暢，精神隨之一振。

睜眼看去，只見李瑤紅身覆一片柔細茅草，沉沉甜睡未醒，海棠春睡，玉體瑩光，雖鋪石覆草，但睡態卻很嬌甜，嘴角間笑意盈盈，鼻息微微可聞。想到昨宵被藥力迷亂本性，橫加諸眼前少女的殘暴，不禁頓生愛憐愧疚，長長嘆息一聲，理理她散亂的長髮，暗道：她一身衣服，都被我撕得片片碎裂，這等寸縷未掛，如何能夠出此密洞，難道我們真要守在山腹密洞之內，活活餓斃不成，就是自己亦是衣難遮體，不如趁她甜睡未醒，回到天機石府，坦然地告訴朱若蘭諸般經過，順便取些衣物回來，然後自己再找一處隱密所在，坐待藥力發作。

想到傷心之處，不自覺熱淚奪眶而出，正滴在李瑤紅玉頰上。

只聽李瑤紅長長地嗯了一聲，突然睜開眼睛，一躍而起，伸出兩條玉臂，抱住夢寰，問道：「你現在可覺著好些嗎？」

楊夢寰看她臉上情愛橫溢，倒不忍推開她的身子，答道：「剛才我運氣調息，想不到竟已能氣暢百穴……」

李瑤紅急急接道：「還有什麼異樣之處沒有？像腹痛、欲嘔等感覺。」

楊夢寰道：「沒有，精神很好……」他忽然嘆口氣，道：「也許藥力已侵入骨骼關節之中，尚未到發作的時候。」

李瑤紅只聽得笑綻櫻唇，道：「那很好……」三個字剛剛出口，忽然臉色一變，偎入楊夢寰懷中嗚嗚咽咽地哭了起來！這突然的變化，大大的出了楊夢寰意外，不知如何來勸慰她。

只聽李瑤紅一面哭一面說道：「我真後悔給你那粒丸藥吃……」

楊夢寰拂著她秀髮笑道：「反正我已經服下了無藥可救的『化骨消元散』，再多服一點毒藥，豈嫌多了，你大可不必爲此抱愧！我絲毫沒有恨你之意。」

李瑤紅愈發傷悲地說道：「我如不讓你服用那粒丹藥，我們還有幾天廝守，可是我……」

楊夢寰道：「七日時間，彈指即過，早死數日，也可減少幾日痛苦。」談話間，一轉眼見石室門口放著一堆整齊的衣服，不禁大吃一驚，推開李瑤紅，縱身躍到石室門口。

李瑤紅也爲那一堆突然出現的衣服，驚駭得收住了眼淚。

楊夢寰撿起衣服一看，只覺心頭如受劍穿，原來那堆衣服正好兩套，一套是自己的衣服，另外一套玄色女裝，正是朱若蘭穿用之物。

他拿著兩套衣服，呆了一陣，緩步走到李瑤紅身側，道：「這是朱姑娘的衣服，你穿上看看是否合身？」他雖然心痛如絞，但外形卻仍能保持鎮靜。

李瑤紅略一沉忖，隨手抹去臉上淚痕，變得一臉堅毅之色，迅速地穿好衣服，佩上寶劍，道：「你見著朱姑娘時，請代我謝謝她送衣服之恩。」說完，轉身向石室外面奔去。

走了幾步，忽然一皺眉頭，緊咬櫻唇，輕輕地啊呀一聲，雙手捧腹，蹲下身子。

楊夢寰正待趕去相扶，忽見李瑤紅一咬牙，忽然站起，回過頭說道：「第三件事，你要好好的待琳師妹，不要以我爲念，更不必爲昨之事，感覺痛苦不安，因爲是被藥力所亂……」

楊夢寰淡淡一笑，接道：「反正我只有幾天好活，縱然有什麼對不起琳師妹的地方，也是無可奈何之事。」

李瑤紅似想對他說什麼，但卻欲言又止，幽幽一嘆，緩步走近夢寰，道：「我心裡想離開

你，而且以後永遠不再見你……」

楊夢寰笑道：「就是咱們寸步不離的守在一起，也不過只有數日時間……」

李瑤紅道：「要是你真的要死，那我就不會離開你了，可是你……」

楊夢寰淡淡一笑，道：「你如果願和我守在一起，就守在一起吧！那也沒有什麼關係。」

要知他自己認定了自己只有數日可活，同時也準備把昨宵經過之事，很坦然地告訴朱若蘭，良心上沉重的負擔，使他不敢絲毫拗違李瑤紅的意見。

李瑤紅黯然一笑道：「我知你此刻因心中的愧疚，不便再傷我的心，其實你並非真的喜歡我，假如你不會死了，只怕就不會再理我了！」

楊夢寰嘆息一聲，道：「今生今世，我對你永抱愧疚……」

李瑤紅道：「愧疚不是憐愛，你可以不必為此抱憾。」

楊夢寰心知再說下去，只怕要引起一場口舌爭論，當下一拉李瑤紅右腕，道：「走！咱們先出了這山腹密洞再說。」說完，當先向前奔去。

兩人剛剛出了洞口，耳際已響起沈霞琳嬌甜的聲音道：「寰哥哥，黛姊姊要我們守在這洞口等你，果然等到你了。」

只見白衣在山風中飄動，沈霞琳仗劍急奔而來。

待她看到楊夢寰身後的李瑤紅時，不禁微微一怔，停住腳步，道：「啊！紅姊姊，你也在這裡嗎？」

李瑤紅微微一笑，牽著霞琳左手，道：「嗯！你怎麼會想到來這裡找他呢？」

沈霞琳嘆口氣，道：「我哪裡會知道呢？這都是黛姊姊帶我來的。」

楊夢寰一直靜靜地站在旁邊聽著，極度的痛苦，使他暫時麻木起來，呆若木雞，一語不發。

沈霞琳忽然發覺了寰哥哥的異常神情，不覺芳心一震，掙脫李瑤紅牽的左腕，丟了右手寶劍撲向夢寰，叫道：「寰哥哥，你……你怎麼不講話呢？」雙臂一展，向夢寰懷中撲去。

日光照耀之下，只見她艷紅的嫩臉上，滿是關懷之色，星目中情愛橫溢，嘴角間似笑非笑，只見她一身白衣白裙，愈覺純潔崇高，不可逼視。楊夢寰忽然心頭一凜，不自主地往後退了兩步，右手一攔，橫向沈霞琳伸張的雙臂推去。

他被一種因羞愧而產生的自卑占據，忽感自己已不配再和這天使一般的純潔少女耳鬢廝磨，這一個強烈的潛在意念，支配了他，那伸手一推之勢，力道竟然很大，沈霞琳在驟不及防之下，被夢寰揮臂一推，連打了兩個轉身，摔在地上。

他驚恐地全身顫抖了一下，本能地搶前兩步，伸手去扶霞琳，但當他伸出的右手將要觸到霞琳的手臂時，忽然又縮了回來，疾退三步，仰臉望著天上一片浮動的白雲。

沈霞琳對夢寰這突然的伸手一推，大感意外，過度的震驚，使她在事情發生的瞬間，忘去了傷悲，她緩緩地翻個身坐了起來，兩行熱淚，奪眶而出，垂掛在嫩紅的玉頰上。

她圓睜著一雙又大又圓的眼睛，呆呆地望著夢寰，她希望他再突然改變心意，扶她起來，哪怕是象徵性地伸出一隻手來，讓她輕輕地抓著也好……但她失望了，楊夢寰不但沒有伸出手來扶她，即使連轉頭望她一眼也沒有。

淚水像急湧的山泉般，從她嫩紅的雙頰滾落在她的白衣上，一縷淒涼哀怨的聲音，迸出

她顫抖的櫻唇，道：「寰……哥……哥……我……我做錯了……什麼事……嗎？……你爲什麼……不……理我了？」每個字的音韻，都拖得十分悠長，像寂靜的深夜裡，哀弦彈出的音符，字字血淚，句句動人肺腑，是那樣淒苦、幽絕。

但聞霞琳大叫一聲：「寰哥哥！」忽的噴出一口鮮血，暈了過去。

原來她見楊夢寰轉頭望了自己一眼後，相應不理，反而緩步而走，不禁心頭一急，只覺胸中血往上沖，挺身躍起，用盡全身氣力，叫出一聲：「寰哥哥……」那上沖熱血已到咽喉，血湧氣塞，當場暈倒。

只聽那尖銳震耳的呼喊之聲，響徹群山，震得人耳際間嗡嗡作響，空谷傳音，蕩漾不絕，盡都是呼叫寰哥哥的聲音。

如果楊夢寰回頭望望，必不忍看到沈霞琳暈倒不救，但他只管想著死亡在即，不願以有限的數日生命，留給沈霞琳漫長無盡的相思之苦，是以，連頭也未回一下。

驀然間衣袂飄風，三手羅剎彭秀葦，身若疾風般由他身側掠過，翻身攔住去路，冷冷地喝道：「站著，再往前走動一步，就要你試試我七步追魂沙的味道。」

楊夢寰停住腳步，望望她套著鹿皮手套的右手，果然揑著一把毒沙，而且蓄勢待發，淡淡一笑，面不改色地繼續向前走去，神態鎮靜，毫無驚恐之色。

他那視死如歸的鎮靜，反而使彭秀葦怔了怔，飄身疾退數尺，又揚了揚手中毒沙，喝道：「我這七步追魂沙絕毒無比，中人後七步毒發……」

楊夢寰冷漠一笑，忽的加快腳步，直對三手羅剎衝去。

彭秀葦似是想不到楊夢寰竟把這世間絕毒無倫的暗器，視若無物，不覺又疾退了數尺。

她本是久走江湖之人，目睹楊夢寰存心尋死的舉動，心中大起疑竇，暗道：看他這般欲求速死行動，其間定然有著什麼隱情。轉臉望去，只見瑤紅已把沈霞琳抱入懷中，正在替她推拿穴道，這時，楊夢寰已由她身側經過，飛一般向前跑去。

彭秀葦望著他急奔的背影，心中十分爲難，她從楊夢寰不畏毒沙的舉動之中，已看出他不肯理會霞琳並非出於本心，其間定有隱情，他這一走，說不定會一去不返，茫茫天涯，再想找到他，談何容易，如果追趕夢寰，又擔心李瑤紅暗害霞琳，一時左右爲難，不知如何才好。

正感爲難當兒，忽聽幾聲嬌叱傳入耳際，定神望去，只見趙小蝶帶著四個白衣婢女，攔住了夢寰去路，忽然靈機一動，假傳主人之命，高聲喊道：「趙姑娘，不要放他過去，婢子奉了主人之命，要把他生擒回天機石府。」

但聞趙小蝶嬌脆的應聲，遙遙傳來，道：「他決跑不掉了，但請放心就是。」

且說楊夢寰一見趙小蝶率四婢現身攔住去路，心頭忽然大怒，暗道：如不是你們逼我要《歸元秘笈》，我哪裡會造成千古大恨，當下冷笑一聲，翻腕拔出背上寶劍，正待搶先出手，忽然胸際又閃過一個念頭，忖道：我已是垂死之人，何必再和人作恩怨之爭，當下疾退五步，還劍入鞘。

趙小蝶忽然由四婢之間穿越而出，問道：「我的《歸元秘笈》找到沒有？」

楊夢寰傲然一笑，仍是一語不發，繼續向前走著。

趙小蝶道：「你耳朵聾了麼？爲什麼不答覆我問你的話？」

楊夢寰忽然仰臉大笑起來，聲如龍吟，悲壯異常，直似未見面前攔路五人，直向中間撞去。

左面一婢怒叱一聲，劈臉一掌打去。

但聞啪的一聲，楊夢寰臉上登時現出五個紅腫的指痕，這一掌打得十分結實，鮮血順著他左面嘴角直流下來。

可是楊夢寰卻似渾如不覺，連望也未望那打他的婢女一眼，仍然向前直闖。

那出掌小婢知夢寰武功不弱，又身懷五行迷蹤步絕學，數月之前，在泯江舟中，四人合力攻他一個，也未打中過他一下，這一掌定然打他不中，那知出人意外的，楊夢寰竟不躲避，打得又準又重。

她愕然望了夢寰一眼，不自主地向後退了一步，另外三婢，也同時看得一呆，暗道：這人今天怎麼啦！寧願被打得滿嘴流血，竟不肯閃身讓避。

趙小蝶看夢寰硬向自己身上撞來，不覺大怒，右手一揚，橫拍一掌。

這一掌打得輕飄飄的，看上去毫無一點勁力，可是楊夢寰卻忽然覺著右腿一軟，再也提不起來，好像一條右腿突然被人用刀砍去一般，和身子分了家。

原來趙小蝶用的手法，乃《歸元秘笈》中的隔空震穴手法，爲點穴術中，最高一門制穴功夫。

楊夢寰右腿難移，全身也隨著不便動彈，單餘一條左腿，可以掙動，但他仍然奮力向前一躍，呼的從趙小蝶身側掠過，左手順勢一招「推石塡海」，猛的向趙小蝶劈去。

趙小蝶看他半身僵直的飛躍姿勢，十分難看，忍不住盈盈一笑，對那劈來一掌，卻渾似不覺一般。

楊夢寰已知對方武功，精博無比，投足舉手之間，就可把自己置於死地，但他早已存心尋

死，是以，那劈出的一掌，用盡了全身氣力，心想激怒對方，好下毒手。

哪知趙小蝶望也不望他那劈來一掌，直待楊夢寰掌勢帶起的勁風，快掃中趙小蝶嬌軀之時，忽見她玲瓏身子隨著擊來掌風，飄飛而起，像一縷隨風飄舞的輕絮一般。

楊夢寰一掌擊空，不自覺地身子隨著向前栽去，他一條右腿經脈，又遭趙小蝶震穴手法封閉，失去作用，更無法維持身子平衡，一時收勢不住，直向趙小蝶身側一塊大岩石上撞去。

那塊岩石棱角峻削，如果楊夢寰一頭撞實，勢非要碰個腦漿迸裂不可，但他右腿的麻木，影響到全身轉動不靈，要他自己及時收住去勢，已不可能。

眼看楊夢寰就要撞在那大岩石上，忽見趙小蝶疾揚右腕一招，立時有一股軟柔、極強大的吸力，迎接楊夢寰急撞之勢，向旁側一引，楊夢寰身子被吸引之力一帶，不由自主地衝勢一偏，擦著岩石一側飛過。

趙小蝶嬌軀一晃，迎向夢寰飛去，左掌一推，消了那吸引之力，右手卻趁勢拍活了楊夢寰被她震穴手法封閉的經脈。

楊夢寰但覺香風拂臉，一股綿柔之力，迎面撞來，右腿麻木頓失，雙腳落著實地。

這不過一剎那之間，他根本就未看清楚是怎麼回事，定神看去，只見趙小蝶身站三尺以外，臉色十分莊嚴，披肩藍紗隨風飄動，嬌甜清脆的聲音，由她啓綻的櫻唇中婉轉而出，道：「你想一死百了，是也不是?哼!今天不交還我《歸元秘笈》，你就是想死也死不成。」

楊夢寰一心想著那「化骨消元散」發作後的諸般痛苦，哪裡還會把生死之事放在心上，但他心中又記著答允李瑤紅的諾言，決不自己尋死，是以，他想借別人之手，把他殺死，既不違背承諾之言，也可免去漫長的化骨之苦。

他心中有了這層想法，哪裡還有什麼顧忌，當下冷笑一聲，說道：「《歸元秘笈》現在天龍幫下一位名叫陶玉的手中，你有本領只管自己去取，大丈夫豈屑與你們婦人女子多言。」說完，轉身急奔而去。

趙小蝶聽他言詞之間輕侮了天下女子，只氣得星目中熱淚盈眶，道：「婦人女子有什麼不好，你若再要血口噴人，我要打掉你滿口牙齒，縱然蘭姊姊怪我，我也顧不得了！」

楊夢寰聽她提起蘭姊姊，心間一凜，忖道：朱若蘭是何等高貴之人，我豈能在言詞間輕侮到她，當下冷笑一聲，道：「朱姑娘身分尊崇，氣度高華，英雄肝膽，慈悲心腸，縱然鬚眉亦難及得，那自當別論。」

趙小蝶道：「我又哪裡下賤了，今天不說出個所以然來……」話至此處，忽聞一陣衣袂飄風之聲，朱若蘭身著玄色勁裝，飛落夢寰身側，接道：「蝶妹妹，不要再逼他了，他被人強迫服下絕毒藥物『化骨消元散』，神智早已昏亂不清，你千萬不要和他一般見識。」

楊夢寰轉臉望去，只見朱若蘭艷紅的臉上，隱隱透現著倦容，秋水含怒，眉梢聚愁，言來幽幽如訴，不禁心中一酸，長長嘆息一聲，正待說幾句感謝之言，忽然心中一凜，暗道：我既對琳師妹那般決絕，豈能對朱姑娘言笑如常，讓別人看在眼中，豈不要罵我楊夢寰是負心移情之人。急忙轉臉他顧，不再向朱若蘭瞧看一眼。

朱若蘭看他一副欲言又止神情，知他心中隱藏了無比的痛苦，萬語千言，不知從何說起，想起昨宵所見之事，直似萬箭鑽心一般，恨不得立時把李瑤紅抓過來萬劍碎屍，然後掉頭而去，今生今世永遠不再和楊夢寰見面。

但一想到他是被人強迫服下「化骨消元散」絕毒藥物，情非得已之時，又覺得應該原諒於他，李瑤紅當時如不肯犧牲自己，獻身相救，楊夢寰勢非要被那藥物催起的慾火焚身而死不可。

如此一想，覺得兩人都沒有錯，錯在上天爲什麼安排了這樣一個巧合，如果把李瑤紅換成霞琳，事情該不會這般複雜，如果把李瑤紅換成自己，又是個如何局面？想到自己之時，不禁由心底冒上來一股寒意，冷冷地打了個寒顫，不敢再想下去！山風吹飄著趙小蝶披肩的藍紗，吹飄四個白衣美婢的衣袂，十隻圓亮的眼睛，一齊投注在朱若蘭的身上。

她抬頭望了趙小蝶和四婢一眼，舉手理理鬢邊散髮，緩步繞到夢寰前面，按下心中紛亂的思潮，微微一笑，道：「我知道你心中很痛苦，不過，你不能那樣對待琳妹妹，要知她心地純潔，不解人間險惡之事，她對你一片情意，也是誠摯無比。在她的心目中，覺著和你在一起，是天經地義，極爲自然之事，她對你的情愛，早已超過了男女間相愛的私情，所以她沒有犯忌，沒有妒恨，她希望天下女孩子都像她一樣待你才好。我這話並非恁空猜想，只看她屢次三番要我和你們生活在一起之事，就是很好的證明。剛才我聽到彭秀葦告訴我，你對琳妹妹的冷漠情形，你認爲你這樣作法，會使她斷絕心中之念是嗎？其實你完全想錯了……」

楊夢寰黯然嘆道：「我已經沒有幾日好活了，我要在我還未瘋狂之前，要她心中恨我。」

# 三八　對決峨嵋

朱若蘭道：「唉！你如果沒有服下絕毒藥物，我也沒有勇氣和你說這些話……」她微一沉吟，接道：「不過天下事也不能一概而論，我也聽人說過，那『化骨消元散』乃當今之世，最毒的一種藥物，服下後六日，全部藥毒即將侵入骨髓中，幾處關節骨骼，即將開始軟化，半個月後，藥毒上升，侵及大腦，受害人即將變成瘋子，但致命時間，要延伸三年之久，也許在三年之內，我能替你尋得療治的藥物。」

楊夢寰搖搖頭，苦笑一下，道：「姊姊好意，我只能心領了，別說我不願忍受那漫長歲月的化骨之苦，縱然是我能夠忍受，也不願再活下去。」

他仰臉望天，大笑一陣，接道：「我楊夢寰自信二十年來，未做過一件傷天害理之事，可是爲什麼皇天卻降給我此多恨事，失足成恨。回首百年，我還有什麼顏面去見父母？有何顏面去見恩師？天啊！天啊！我楊夢寰承蒙你加惠獨厚，使我一介凡俗之人，得受絕世丰儀的蘭姊憐惜，天使般的琳妹妹厚愛，可是爲什麼加諸我這等裂心碎膽的痛苦……」他說到真情激動之處，兩眼淚水，泉湧而出，一陣熱血，由胸中直向上翻，全身抖顫不停而無法再接下去。

朱若蘭淒涼一笑，道：「事情不能怪你，你不必內疚太深，更不能一錯再錯，再創碎琳妹妹一寸芳心，她天性善良，純潔無邪，受不了你那等冷漠的打擊，現在去追陶玉才對……」

夢寰聽了朱若蘭的話後，卻突然想到了趙小蝶的《歸元秘笈》尚在陶玉身上，沒有取回，當下接道：「姊姊，我還有心願，還望姊姊能代我完成。」

朱若蘭道：「有什麼事，儘管說吧！只要我力之所及，一定給你辦到。」

楊夢寰轉臉望了趙小蝶一眼，道：「這位趙姑娘的《歸元秘笈》還在陶玉身上，望姊姊能代我追回，交還原主。」

朱若蘭道：「你只管放心養病，這些事我都當替你辦好，縱然追蹤他天涯海角，我也要完成你的心願。」

忽聽趙小蝶幽幽一嘆，道：「既然找出竊盜我《歸元秘笈》的真犯，我自然不能再向你討取，你只管安心休息，我自己去找那個姓陶的算賬就是。」

朱若蘭黯然一笑，也道：「這件事怪不得你，陶玉的陰毒，和陰錯陽差的巧合，似都是天意的安排，如果我不逞強好勝，和人動手，早些跟在他和陶玉後面，那也不會讓陶玉的毒計得逞……」她幽怨地望了楊夢寰一眼，又道：「或是他能聽信我忠告之言，小心一點，也不會被人暗算。」

楊夢寰道：「他藉著交給我《歸元秘笈》的機會，突然下手拿住了我的右肘關節，而且出手迅奇，使人無法封架。」

朱若蘭輕顰黛眉，道：「蝶妹妹，西域三音神尼一派的武功中，可有一種『拂穴錯骨法』嗎？」

趙小蝶略一沉忖，道：「不錯！而且那『拂穴錯骨法』中，還有五招擒拿手法，均是精奇無比之學，如果不知破解之法，很難閃避得開。」

朱若蘭道：「這麼說來，陶玉武功確實是三音神尼一派了，但這位老前輩早已在三百年前和天機真人比武時互傷身體，武功又未傳人，不知陶玉在哪裡學得西域武功？」

趙小蝶道：「我想姊姊必已知那破解『拂穴錯骨法』中五招擒拿手法，雖然它只有五招，但學來甚是不易，如無數日之功，難以應用克敵。但在《歸元秘笈》之上，卻另有一種奇奧的武功，名叫『回龍三式』，名雖三式，實在每一式中，都暗藏著攻、守各三招的精博變化，攻則三招連環出手，守在三招合一防敵，三式中暗含一十八種變化，九招攻敵九招防守，這『回龍三式』，學時雖然難，但卻是拳掌之大成，如果楊相公會這『回龍三式』，也不致被陶玉擒拿住右肘關節了……」她轉臉望了夢寰一眼又道：「如果你願學，我就把這『回龍三式』傳給你，也好減少我心中一點愧疚。」

楊夢寰淡然一笑，道：「趙姑娘好意我心領，只可惜在下福緣不夠，難領高誼。」

趙小蝶聽得微微一怔，才想到他已身服「化骨消元散」的奇毒，七日之後巨毒即將侵入骨髓，幾處關節的骨胳亦即開始軟化，生命即將不保，自然沒法子再學武功。

她歎然地嘆息一聲，閉目不語，《歸元秘笈》療傷篇記載的各種療毒解毒之法，閃電般在她腦際閃過。

要知趙小蝶已把那《歸元秘笈》所有記載，字字深嵌心中，只不過片刻工夫，已把療傷篇一字不漏地想了一遍。

朱若蘭目光何等銳利，看她神態，已知她思索療解「化骨消元散」的辦法，暗道：想那《歸元秘笈》，乃兩位當代奇人手錄，包羅萬有，三音神尼又久居西域邊陲，「化骨消元散」出產於藏僧密製，想那位近在阿爾泰山的三音神尼，定然知道調治和解決之法……想到了快樂

之處，不自覺臉露笑容，多情地望了夢寰一眼。

但聽趙小蝶一聲長嘆，霍然睜開眼睛，說道：「蘭姊姊，我已想遍了《歸元秘笈》上療傷篇中所有記載，在全篇最末一段，提到了那『化骨消元散』乃是西藏密宗一派中，配製的一種獨門藥物……」

朱若蘭道：「那上面既有記載，想必有療救之法，眼下時間無多，妹妹快請說出需要藥物，咱們好分頭去找。」

趙小蝶搖搖頭，道：「療傷篇中，細載有械、毒、掌等各種傷勢的療救之法，唯獨對這『化骨消元散』只錄了一個大概，想那合錄《歸元秘笈》的兩位老前輩，對藏僧密宗一派，所知亦不甚多……」

朱若蘭道：「難道真的就沒有療救之法嗎？」

趙小蝶道：「療救之法倒有，只是至寶難得，欲尋無處。」

朱若蘭道：「究竟是什麼珍貴之物，你且說來聽聽。」

趙小蝶道：「需要萬年火龜，可是在這茫茫世界上，往哪裡去找第二隻萬年火龜呢？」

朱若蘭心頭一冷，道：「難道除了萬年火龜之外，就沒有別的藥物可以代替嗎？不知祁連山白雲岩大覺寺中雪參果，是否可以療得？」

趙小蝶搖搖頭，道：「全篇之中，只提到一次『化骨消元散』，而且只指出萬年火龜可治此毒，卻未再提到其他的藥物。」

楊夢寰微微一笑，道：「姊姊，不必再費心了，陶玉在迫我服藥之時，已經說過，除了他們天龍幫黔北總壇中，放有三粒解藥之外，遍天下再沒有藥物能夠解得『化骨消元散』的奇

毒。」

朱若蘭黯然一嘆，道：「我望能等上七日時間，我要在這七日之內，趕往天龍幫黔北總壇，看看能替你取回解藥不能，也許皇天見憐，能使我僥倖得手，但不管如何，你要耐心的等待七日，解藥能否到手，七日內我一定回來……」

趙小蝶忽然接道：「姊姊，我和你一起去，只要天龍幫中真的存有解藥，一定要想辦法取到手中。」

朱若蘭展顏一笑，道：「有妹妹和我同去，那自是萬無一失。」

趙小蝶歎息一聲，道：「姊姊千萬不要把我估計得太高，我雖已爛熟『歸元秘笈』上各種口訣，但卻未曾學過，我能予運用克敵的本領，究竟有多少，連我自己也不知道，黔北之行，還全憑仗姊姊大力，妹子只不過是隨行助威而已。」

朱若蘭道：「你已修具『歸元秘笈』上最上乘的武功，雖未習練過拳、掌手法，但那僅是枝節問題，不足為慮，何況你又熟記全書原文，字字深印腦際，只要心念一動，立時勢隨念發，以我看法，你實已博通了『歸元秘笈』上所載的全部武學，當今之世，也只你一人，可以傲視武林，獨步宇內……」

趙小蝶笑道：「姊姊別這樣誇獎，其實我心裡害怕得很……」

忽聽趙夢寰大聲叫道：「兩位盛意，我只能心領了，我……我……」但見他口吐白沫，額部流汗，說到「我」字之時，人已不支，仰面向地上摔去。

朱若蘭吃了一驚，柳腰微擺，人已到夢寰身側，正待伸手相扶，忽見楊夢寰向後仰摔的身子，突然一頓，藍紗飄風，趙小蝶已搶先一步，扶住了夢寰。

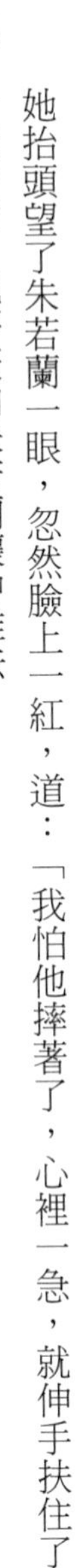
她抬頭望了朱若蘭一眼，忽然臉上一紅，道：「我怕他摔著了，心裡一急，就伸手扶住了他。」說著話，把夢寰向朱若蘭懷中推去。

這個時候，朱若蘭也無暇推辭，輕伸玉臂，把夢寰接在懷中，右手伸縮之間，連續拍了夢寰「天靈」、「玄機」兩處要穴。

只聽楊夢寰長長吁了一口氣，睜開了眼睛，接道：「我已服下了李瑤紅給我的一粒毒藥，只怕難再撐得過一天時間，姊姊一片好心，只怕我已難身受了。」他叫姊姊之後，忽然想起，趙小蝶剛才說過的話，緊接著又道：「趙姑娘一番盛情，我這裡一並謝過，只恐我今生今世，無法酬報大恩了。」

趙小蝶歎道：「我害你成了這個樣子，心中已十分不安，唉！你心裡不恨我，我就很滿意了，那裡還想要你報答什麼。」言詞委婉動人，神態間無限溫柔。

楊夢寰只聽得怔了一怔，轉臉望去，只見她亮如寒星的大眼睛中，濡濡淚光欲滴。

看到趙小蝶淒楚模樣，頓時想到了剛才對人的冷漠神情，不禁心生愧歉，長歎一聲，道：「姑娘已對我有過一番救命之恩，楊夢寰已深感無以爲報，昨宵之事，都怪我交友不慎，學藝不精，如何能怪得姑娘……」說到此處，忽感腹中一陣陣絞痛刺心，再也接不下去，全身冷汗如雨，泉湧而出，但他卻咬牙苦忍，不出一句呻吟之聲。

朱若蘭聞到他全身湧出的冷汗，有著強烈腥臭之氣，觸鼻欲嘔，不禁輕輕一顰黛眉，但她又怕刺激夢寰，一顰之後，立時強把眉頭展開。

只聽沈霞琳如泣如訴的哭喊之聲，道：「寰哥哥……寰哥哥……」聲音愈來愈近，轉眼之間已到幾人停身之處。

楊夢寰轉臉望去，只見沈霞琳白衣白裙之上，滿是草屑灰土，長髮散亂，嘴角間仍舊溢著鮮血，心中一陣惻然，大喝一聲，挺身而起，張開雙臂，迎接著沈霞琳飛燕投懷般的來勢。

他全身早已痠軟無力，全憑一股猛勁挺身掙脫了朱若蘭的懷抱，身子尚未站穩，忽覺頭一暈，又向後面栽去。

沈霞琳奔來之勢，勁快無比，楊夢寰往後倒栽之時，她已衝到身側。

朱若蘭驚急地叫道：「琳妹妹，快些停住……」喊聲未落，霞琳已攔腰抱住了楊夢寰向後仰栽的身子。

她這前衝之勢，用盡了全身氣力，迅如雷奔一般，一時間哪裡能收勢得住，慌急之間，雙足用力一頓地面，連她和夢寰一齊騰空而起，向後飛去。

只聽趙小蝶啊了一聲，嬌軀晃動，斜刺裡迎向兩人飛去，玉臂揮揚之風把霞琳和夢寰凌空急飛的身子擋住，輕飄飄地放在地上。

沈霞琳呆望趙小蝶一陣，道：「唉！不是你攔住我們，我和寰哥哥一定要撞在那大岩石上了。」

原來趙小蝶身後兩尺所在，是一座高可及人的峭立山岩，如果不是她及時挺身攔住兩人，霞琳勢必非和夢寰一齊撞在那山岩上不可，而她卻在這緊要瞬息的一剎那，攔住了兩人。

忽聽朱若蘭冷笑之聲，劃破了令人驚駭後的沉寂，說道：「琳妹妹，你想不想替你寰哥哥報仇？」

沈霞琳已聞得楊夢寰身上強烈的腥臭之氣，心中大感凜駭，回過頭幽幽答道：「怎麼？寰哥哥真的不能活了嗎？」

朱若蘭道：「他被陶玉迫服下絕毒無比的『化骨消元散』，所以，才那樣對待你，使你心裡恨他……」

沈霞琳忽然展顏一笑，滿臉茫然淒苦之色，一掃而空，接道：「我知道啦！寰哥哥是為我好，他怕在死了之後，我也不要再活下去，所以故意那樣對我，使我心裡恨他，就不再想念他了，唉！其實他死了，我……」

忽聽李瑤紅接道：「你們儘管放心，他決死不了。」

朱若蘭聽得一怔，道：「你說什麼？」

李瑤紅緩緩走到萼寰身側，嗅了嗅，道：「我說他死不了。」她微微一頓，望望沈霞琳，又道：「兩個時辰之後，替他做一碗薑湯服下，讓他好好地睡上半天，三日內他就可完全復元！」說完，轉身緩步而去。

朱若蘭微一錯步，攔住李瑤紅去路，道：「三天時間，彈指即過，你等他好了再走不遲！」

李瑤紅淒涼一笑，望望朱若蘭身著玄色勁裝，道：「咱們身材差不多，謝謝你相贈衣服之恩。」

朱若蘭冷笑一聲，道：「我並未有心對你施恩，不謝也罷。」

李瑤紅幽幽說道：「我知道你看不起我，認為我是個自甘下賤的淫蕩之人，不過，當時情勢……」

朱若蘭陡然一揚黛眉，冷冷接道：「恕我無心聽你談這些事，既不需感謝我施恩，也不必對我解釋，眼下要緊之事，是如何救他性命？令尊是天龍幫的龍頭幫主，想你必知那『化骨消元散』的解藥存放之處，委屈芳駕，暫息我天機石府幾天，待我取回解藥，再放你下山。」

正感爲難之際，忽見李瑤紅斬釘截鐵地說道：「他已服過解藥，如果那解藥效能未失，三日內可除清他身上餘毒，不必再勞玉趾，長途跋涉了。」

朱若蘭轉過頭望了夢寰一眼，答道：「如果他三天不能好轉，怎樣辦呢？」

李瑤紅知她不相信自己之言，冷笑一聲，道：「我要存心害他，也用不著這等費事……」

朱若蘭想到昨宵目睹之事，不禁玉頰泛紅，輕咬一下櫻唇，揮手說道：「你走吧！但望從今以後，你別纏他就是。」

李瑤紅只聽得心生怒火，正待發作，瞥眼見霞琳揮動著手中白絹，替他擦拭汗水，山風吹飄她衣袂長髮，搖曳生姿。

想那天真無邪的沈霞琳，李瑤紅驟生愧疚之感，暗道：眼下楊夢寰尚不知他已服過解藥，待他知道之後，定然悔恨欲死，他乃心地忠厚之人，縱然對我無情，亦不會翻臉不認帳，我可以和他相偕遠走，找一處人跡罕到地方安身立命，長相廝守，不難用柔情化除他心中悔恨痛苦，可是我如何能這般做呢？我可以不管天下人如何罵我，可以不計個人的生死榮辱，但卻不能傷害天使般的沈霞琳，她那樣的純潔，那樣的愛他……

私情和良知在她腦際中交織成無比的痛苦，像千萬條毒蛇在啃嚙著她的心，她已忘記了身側的朱若蘭，突然仰臉叫道：「天啊！天啊！你可叫我怎麼辦哪……」淚水像急湧的山泉一般，簌簌地滾下粉頰。

朱若蘭看她呆呆想了一陣，忽然發瘋般地狂喊起來，先是一怔，繼而想到昨宵目睹之事，實非一個少女所承受得了，不禁生出同情之心，長長嘆一口氣，道：「我知道你心中暗藏了很

多痛苦，不過你也要替別人想想，如果你一定要橫刀愛……」

李瑤紅忽地一咬牙，擦去臉上淚痕，接道：「但請放心，我決不忍心傷害到你和那位善良的琳妹妹。」

朱若蘭心頭一跳，道：「我……」

李瑤紅淒涼一笑，道：「嗯！你對他百般愛護，他心中早已把你看成天人一般。」

朱若蘭黯然一嘆，垂首不語。

李瑤紅道：「只望姊姊不要把昨宵看到之事告訴沈家妹子，我就一輩子感激不盡了。」

朱若蘭聽她陡然間改稱姊姊，心中甚感爲難，既不便當面拒絕，又不願讓她這般親熱的稱呼自己，一時間沉吟難答。

只聽李瑤紅繼續說道：「我那位陶玉師兄不但生性陰毒，而且心機最多，他既然有了防備，必然要把那《歸元秘笈》密藏起來，姊姊縱然武功絕世，只怕也難迫他交出，這件事只宜智取。」

朱若蘭道：「嗯！他要不交出《歸元秘笈》，必讓他以命相償。」

李瑤紅道：「就算姊姊殺了他，也無法取回《歸元秘笈》。如果讓這部奇書落入這等人物手中，無異替江湖播下一顆殺機的種子，二十年後，武林間必起風波，造成浩劫。」

朱若蘭道：「以你之見，該當如何取回？」

李瑤紅道：「我和他從小就在一起長大，對他生性做事，知之甚深，如果姊姊能信得過我，三日內我把《歸元秘笈》送到天機石府。」

朱若蘭道：「我等你三天就是！」

李瑤紅轉身奔行幾步，忽然又回過頭，緩緩走到朱若蘭身旁，低聲說道：「在他餘毒未淨之前，最好是不要常常和他廝守一起，那將極易造成大錯。」說罷轉身而去。

朱若蘭粉頰一紅，道：「知道了，謝謝你諸多關心。」

直待李瑤紅窈窕的背影，消失在山腳轉彎之處，朱若蘭才轉身向夢寰和霞琳停身之處走去。

朱若蘭剛剛走近兩人，楊夢寰忽地睜開眼睛道：「姊姊，她走了嗎？」

他雖在極端痛苦之中，仍然留心著李瑤紅一舉一動，只是他藥性正在發作之時，全身痛苦難當，無力開口喊叫。

朱若蘭微微一笑，道：「她只是暫時離去，三日內將再來看你，你已經服過解藥，只要靜養數日，就可復元了。」

楊夢寰聽得心頭一凜，道：「怎麼，我死不了啦？」

沈霞琳道：「嗯！你自然是死不了，因爲你是個很好很好的人，要是死了，有很多人會傷心的大哭一場。」

楊夢寰忽然挺身躍起，向前奔去。

朱若蘭左手一探，抓住他右腕，問道：「你要哪裡去？」

楊夢寰道：「我要去追她回來，有話問她。」

朱若蘭道：「她已經走遠了，你傷勢還未復元，如何能追得上她？」

楊夢寰急道：「縱然踏遍天涯海角，我也要追上她。」

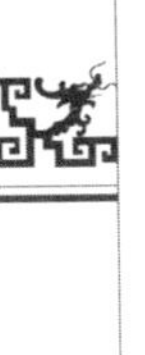

朱若蘭輕輕嘆道：「她臨行之際，告訴我三日之內，把《歸元秘笈》送到天機石府，屆時她如不來，你再去找她不遲。」

沈霞琳道：「等你傷好之後，我陪你一起去找她回來。」

楊夢寰聽了兩人勸解之言，激動的心情逐漸平復下來，長嘆一聲，不再爭辯，緩緩盤膝坐下。

朱若蘭側目望了霞琳一眼，道：「他雖已服下解藥，但也非一、兩天能夠復元，咱們把他扶回天機石府去養息好嗎？」

楊夢寰聽得心中一動，側頭望了朱若蘭，慢慢半閉上眼睛，他已經看出朱若蘭那言語之間，生疏不少，似乎在這驟然之間，使兩人的距離拉長了很多。

沈霞琳扶起楊夢寰說道：「寰哥哥，我背著你走好嗎？黛姊姊要我們回家去。」

楊夢寰掙脫霞琳攙扶的雙手，笑道：「我自己能走！」說罷，當先帶路，向前走去。

沈霞琳緊隨身後，朱若蘭走在中間，趙小蝶和四婢走在最後，三手羅剎彭秀葦卻和幾人保持一段距離，遠遠地跟在後面。

楊夢寰正值兩種藥性衝突發作，全身高熱，燒到頭暈腦脹，兩腿痠軟，走得很慢，他又不讓人扶他趕路，一個人搖搖晃晃地向前奔跑。是故，六、七里的山路行程，足足走了一個時辰左右，才到了聳雲岩下。

這時，聳雲岩下正打得激烈異常，日光照耀之下，但見刀光如雪，劍影縱橫，難以分辨敵我。

朱若蘭目光銳利，雖在劍光刀影之中，仍能看出那些搏鬥之人，當下冷笑一聲，對霞琳道：「你師伯、師父和師叔都來了。」

沈霞琳啊一聲，定神看去，但見寒光一片，哪裡能看清楚場中之人，正待問話，忽聽朱若蘭低聲說道：「對方武功很高，我去替換他們下去休息。」話出口，人已凌空而起，直向那刀光劍影之中衝去。

三手羅剎一見朱若蘭親身臨敵，立時拔步飛躍，一連兩個縱身，已超到夢寰和霞琳前面，瞬間，手已套上鹿皮手套，探囊手裡扣一把毒紗。

這位昔年縱橫江湖的女魔頭，自追隨朱若蘭後，對主人忠實異常，她不但武功高強，暗器絕毒無倫，而且閱歷豐富，見聞廣博，處事決斷，機智過人，的確是朱若蘭的一個大好幫手。

就在三手羅剎二次縱躍落地之時，忽聽那寒山怒濤般的劍光刀影之中，傳出來朱若蘭一聲清叱：「住手」，刀光忽斂，劍影頓消，雙方各自躍退。

楊夢寰定定神，舉手拭去臉上汗水望去，只見崑崙三子，並肩而立，各自手執長劍，一陽子除了手中長劍之外，背上還斜插著一柄綠把古劍。

在崑崙三子對面八尺之外，也站著三人，正是峨嵋四老中的超元、超塵、超慧，手中各握兵刃，超元用的是一柄銀光燦燦的戒刀，超塵雙手捧著銅缽，超慧手橫長劍，這三僧三道，兩女四男，正好可分成三對相拚。

朱若蘭卻站雙方之間，原來她運集玄門一元正氣，飛入幾人搏鬥場中，雙手在一剎那間，連續拍出六掌，分襲六人，喝令六人住手。她擊出的六掌，力道輕重如一，六人同時覺到一陣潛力直逼而來，再聽到一聲住手的呼喝之聲，果然都依言收了兵刃，向後躍退。

峨嵋的二僧一尼，雖不認識朱若蘭，但看她一個二十左右的少女，能同時把六個相搏高手迫得罷手躍退，心頭甚是驚駭，一時間怔在當地，望著朱若蘭發呆。

朱若蘭先回身對崑崙三子一禮，笑道：「三位老前輩遠來之客，暫請稍息風塵，由晚輩來對付他們。」說罷，臉上笑容突斂，轉頭望著超元等三人，問道：「三位在哪座名刹當家，來我這聳雲岩意欲何為？」

超元聽她出言毫不客氣，不禁也動了怒意，冷笑一聲，道：「這僻山荒野之區，什麼人都可以來，女施主這句話，不覺問得太過份嗎？」

朱若蘭微微一笑，道：「不錯，括蒼山聳雲岩因藏真圖一事馳名武林，江湖中無人不知，天下人都可以來。不過，三位不早不晚的在這時趕來，時間上未免太趕巧了！」

超塵冷笑一聲，道：「是呀，荒山僻野，人人都可以來，哪有這等重重限制，女施主不責怪崑崙三子，單單責備貧僧等三人，不知是否有心和貧僧等為難？」

朱若蘭聽人說得理直氣壯，不禁有些拿不定主意起來，心中暗自忖道：聽他們口氣，似是非為《歸元秘笈》而來，不知何故竟在我這天機石府外面，和崑崙三子動上了手，心念一轉，回頭望了崑崙三子一眼。

一陽子微微一笑道：「朱姑娘想必不認識對面三位高人，貧道先替幾位引見引見吧。」說完緩步而出，臉上毫無半點不愉之色。

超元大師低宣了一聲佛號，暗暗讚道：玄都觀主果然不凡，雖在敵對之間，仍不失磊落胸懷，這玄衣少女分明和他們極為熟識，武功又是那樣難測高深，他不借機挑撥，引為己用，反而挺身替我們引見，看他那涵養功夫，比我老和尚還要高上一等了。

只聽一陽子哈哈一陣大笑，指著超元說道：「這位老禪師乃峨嵋派掌門人師兄，峨嵋四老之首的超元大師。」

超元急把手中戒刀還入鞘中，合掌笑道：「道兄這等高稱，貧僧承受不起。」

一陽子微微一笑，又指手托銅鉢的和尚笑道：「這位乃貧道方外好友，超塵大師，乃峨嵋四老之三。」

超塵長笑一聲，道：「剛才你們崑崙三子不問青紅皂白，攔住了我們去路，拔劍就刺，糊裡糊塗地打了起來，那時你就想不起咱們是老朋友了？」

一陽子也不辯駁，又指著超慧笑道：「這位是峨嵋四老中的超慧師太。」

超慧冷笑一聲，道：「幾位莫名其妙地攔住了我們動手，誤了我等大事，既然已成敵對，又攀的什麼交情……」

慧真子聽他言詞刺耳，不禁大怒，厲聲接道：「事出誤會，彼此都有不對之處，你這等盛氣凌人，難道我們還怕你們不成？」

超慧冷冷笑道：「不管是否誤會，既已動手，就該分個勝敗出來才好。」

慧真子一擺手中長劍，道：「當然奉陪。」

超元大師只看得一皺眉頭，正想出言喝止，超慧已仗劍躍出，她心中忿慨崑崙三子攔阻去路之事，按不下心中怒火。

只聽朱若蘭嬌叱一聲：「回去！」呼的一掌，劈空打去。

但覺一股淒厲絕倫的勁道，直撞過去，超慧右手仗劍，左掌疾翻，硬接了朱若蘭一記劈空掌力。

雙方內力一撞，超慧臉上微微變色，身軀搖顫，僧袍波動，但她仍然把這掌接下了。

朱若蘭冷嗤一聲，左掌忽的在劈出右腕一按，那擊向超慧的潛力，忽地加強，重重疊疊，直逼過去。

超慧只覺那重疊撞來的勁道，一次比一次強大，一道比一道凌厲，而且綿綿不絕，有如黃河決口一般，不禁心頭大駭，片刻之間，已然汗如雨落，既難移動一步，又不能收掌後退。

這時，超元、超塵都已看出超慧的尷尬危機，如不再伸手相助，只怕她難再撐得過一盞熱茶時間。

正待出手相助，忽見朱若蘭按在右腕的左掌一收一拍，超慧突覺逼身潛力，一減一加，當即被震得向後疾退了七、八步，剛剛好退到她原來站的位置。

超元、超塵目睹超慧身軀直向後退，雙雙大吃一驚，再也顧不得在武林的身分，一齊出手相救，超元右手一揚，打出一股強猛掌風，斜刺裡直擊過來，超塵卻搶動手中銅缽，猛向朱若蘭撲擊過去。

朱若蘭並無傷人之心，震退超慧之後，立時收了攻襲的內家勁道，正想詢問崑崙三子，何以會造成這場誤會，超元強勁的拳風，已自逼身側。同時，超塵的巨大銅缽，也挾著雷霆萬鈞之勢，當頭劈下。朱若蘭嬌軀一側，右手一引超元擊來掌風，向當頭而下的銅缽上反擊過去。

他見機雖然夠快，但仍然晚了一步，擊出力道，已為朱若蘭借用，但見朱若蘭皓腕翻轉之間，一股強勁的潛力，正擊在當頭而下的銅缽之上。

只見超塵那巨大的銅缽，忽然倒翻過去，似欲脫手而飛，高大身軀也被那銅缽之力，帶得懸空打了兩個觔斗，才落著實地。

幸得超元及時收回一部分擊出力道，朱若蘭又未有傷人之心，本身真力未隨勢發出，超塵才算未被震傷。

她在片刻之間，連挫了峨嵋四老之二，不但使超元等驚心動魄，就是崑崙三子也看得一個個目瞪口呆。

忽聽趙小蝶嬌甜的聲音起自一側，說道：「蘭姊姊，你已經很累了，快些運功調息一下，讓我來對付這三個和尚。」聲音如黃鶯婉轉，聽來嬌柔動人，餘音未絕，人已緩步而出，肩披藍紗飄飄，艷光耀眼生花。

朱若蘭微微一笑，道：「不要啦，這三人並不是咱們仇人，彼此動手，只因事出誤會……」說著一頓，轉臉又望著超元等三人接道：「幾位既非為搶奪《歸元秘笈》而來，不知何以會和崑崙派三位道長動手？」

超元衡量眼下敵我情勢，心知決難占得便宜，當下合掌一笑，答道：「貧僧等緊追一個仇人到此，崑崙三子突然現身拔劍，攔住去路，這中間的原因貧僧到現在還是難以了然，看來還得請三位道兄解說了……」突然，他目光落在夢寰身上，不禁心頭微微一震。

這時，超塵、超慧都已看到了楊夢寰，登時臉上變色。

兩月之前，楊夢寰為救助李瑤紅夜闖萬佛寺，和峨嵋派結下了樑子，李瑤紅雖被救了出來，但他卻陷入重圍，被人生擒，囚押在萬佛寺石牢中半月之久，後來藉萬佛寺僧人送飯機會逃了出來，仗「五行迷蹤步」的奇奧身法，脫出群僧圍擊，闖出了萬佛寺，三日後又重上萬佛寺頂探聽師父下落，和峨嵋派中幾個高僧動手，那一戰打得慘烈無比，楊夢寰得玉簫仙子之

助，連傷了峨嵋門下幾個傑出的弟子，但楊夢寰也被峨嵋派的心雷和尙擊中一杖，當場重傷，玉簫仙子爲援救楊夢寰被超凡打中一拳，傷得也十分厲害，幸得李瑤紅帶天龍幫紅、黃、白三旗壇主及時趕到，救了兩人！

當時楊夢寰受傷之重，只餘下奄奄一息，但峨嵋派也在那一場搏擊之中，損傷慘重無比，門下四個成就最高的弟子，一個死在夢寰劍下，一個死在玉簫仙子手中，掌門人超凡大師，又被天龍幫生擄去，開創了峨嵋派前所未有的先例，是故，在三人看到楊夢寰仍然好好地活在人間之時，心中情緒異常複雜，既驚且怒。

楊夢寰神情卻十分鎭靜，毫無激動模樣，望了三人幾眼，奔向師父身側，拜倒地上，說道：「弟子叩見師父。」

一陽子微微一聳兩眉，道：「你福祿不淺，竟然還沒有死？很好很好，我還有很多事需要問你個明白。」

這當兒，沈霞琳也急奔而來，撲身拜在慧真子的身前道：「師父……」她在這數日之中，連受很多委屈，心中積存了無限憂苦，口中喊得一聲，已然珠淚滾滾，紛墜玉頰。

一陽子望著楊夢寰微微一笑，道：「快去見過你兩位師叔。」

楊夢寰依言起身跪拜下去，玉靈子揮手讓他起來、慧真子卻冷哼了一聲，望也沒望他一眼。

朱若蘭故意背身而立，擋住峨嵋三僧，暗裡卻凝神，聽幾人對答之言。趙小蝶站在朱若蘭身後，側臉望著崑崙三子，楊夢寰受師長冷漠情形，盡看眼中，不由心波微蕩，暗生惜憐，忖道：他本是一個很好之人，怎麼常受人冷淡，如是初和他相認識之人，也還罷了，何以他自己

的師父、師叔，也是這般對他……想到數日來對他的諸般誤會，惜憐之外，又加上一層愧疚之心，不禁黯然一嘆。

但見楊夢寰淡淡一笑，站起身子，對師長冷漠之情，似是全未放在心上，神色如常，一語未發。

只聽一陽子低沉嚴肅地說道：「未得我吩咐之前，不准你擅自離我一步。」

楊夢寰躬身答道：「弟子敬領師諭。」說完垂手靜站一側。

朱若蘭雖未轉身相望，但已把一陽子和夢寰對答之言，聽得字字入耳，她乃聰慧絕倫之人，略一沉思，已猜知崑崙三子心中懷疑到楊夢寰，有什麼不規矩行爲，眼下眾目睽睽，不便追問……這其間最使人擔心的事，是他已心有死念，崑崙三子如有什麼責問之處，他若不肯坦白陳訴，只怕要造成可悲的後果……人家是師徒，自己又不便出面干涉，一時之間，竟然想不出適宜的解決之法。

轉頭望去，只見一陽子緩步走到來，合掌對超元大師一禮，笑道：「咱們峨嵋、崑崙兩派，素無嫌怨，我們拔劍攔路，原想請問劣徒被貴派囚禁打傷之事，不想引起誤會，以致動手，現下劣徒既然僥倖保得性命，貧道也不願重提過去這段小嫌怨，傷我們兩派和氣。」

超慧冷笑一聲，接道：「你的弟子僥倖保得性命，可是我們峨嵋門下傷亡的弟子，又該找誰索命呢？」

一陽子愕然答道：「貴派門下弟子，難道是傷在我們崑崙門下手中嗎？」他素知楊夢寰爲人慎重，決不會隨便傷人。

超慧舉劍一指楊夢寰道：「你可以問問你教的徒弟，是否殺死了我們峨嵋派門下一個弟

子？」

一陽子目視夢寰問道：「你可殺過峨嵋派門下的人嗎？」

楊夢寰道：「弟子被四個僧人圍攻，一時無法脫身，背上挨了一杖負創甚重，暈迷之間，舉劍刺去，傷了一人。」

超慧冷笑一聲，道：「一劍由前胸直透後背，當場死去，另一人被玉簫仙子擊中『天靈要穴』而亡，這兩筆債都應該算到你們崑崙派的頭上。」

玉靈子臉色微變，道：「這麼說來，貴派是存心和我們崑崙派過不去了？」

超元冷笑道：「道兄乃一派掌門身分，怎麼也這等不講情理，貴派中弟子，爲一個幫匪首領之女，跑到我們萬佛寺去，鬧得天翻地覆。但我們仍然留他一步餘地，未傷害他的性命，只把他生擒囚禁，這些無非看在武林同道份上，準備派人把他送到崑崙山金頂峰三清宮去，交給貴派自行處理，不想他竟藉我們給他送食用之物的機會，逃了出來。既然逃走也就罷了，本派也沒有派人追蹤，不想他竟去而復返，而且還勾引了玉簫仙子，重到萬佛寺去尋仇，連傷本門兩個弟子，這等上門欺人之事，是可忍孰不可忍？最爲可恨的還是勾結天龍幫中幾個壇主，擄走本派……」他本想說擄走本派掌門人，但又忽然想到這乃異常丟臉之事，豈能當著崑崙三子之面說出，只覺臉上一熱，倏然住口。

要知峨嵋派超凡大師被天龍幫擄走之事，除了峨嵋三老之外，只有很少幾個人知道，因爲此事關係太大，天龍幫不敢張揚出去，只怕引起武林公憤，峨嵋派又羞於和人談論此事，暗中卻在邀請和峨嵋派交往極深的高人，準備到天龍幫黔北總壇，把超凡劫奪回來，然後再圖復仇之法。

只見玉靈子雙眉一聳，臉上變成鐵青顏色，回過頭問夢寰道：「這位超元禪師之言，是否句句真實？」

楊夢寰道：「弟子不敢欺師，事情確然是有，只不過那位老禪師歪曲講來，聽起來就有些不對了。」

玉靈子冷笑一聲，道：「那你且把真實經過說出，本派門規森嚴，決不容有一句欺瞞尊長之言。」

楊夢寰道：「弟子決不敢有一句謊言，蒙騙師長，事情起因，確是為弟子救助天龍幫龍頭幫主的女兒李瑤紅惹起。」

玉靈子道：「只此一條已有觸犯本派門規之嫌，如果動機再錯，那就難獲饒恕。」

朱若蘭看玉靈子滿臉殺氣，心中甚是不安，她久聞武林中九大門派戒規森嚴，門下弟子觸犯條律，決不饒恕，只怕楊夢寰一言錯出，造成難翻鐵案，當下一顰黛眉，道：「我這白雲峽乃清靜之地，最好不要在我這白雲峽中談你江湖上恩怨之事。」

楊夢寰淡淡一笑說道：「弟子由括蒼山西返途中，遇上了峨嵋派四個僧人，圍戰一個少女……」三手羅剎彭秀葦乃久走江湖之人，已從朱若蘭剛才幾句話中，聽出她心中思慮之事，當下接道：「以眾凌寡倚多求勝，可是大背江湖上規矩的事，楊相公既然看到眼中，就該拔刀相助那少女一臂，才是俠義行徑。」

超元冷冷望了三手羅剎一眼，卻忍耐著未出一言。

只聽楊夢寰繼續說道：「弟子並不認得那四位僧人，是峨嵋門下弟子，但卻和李瑤紅有過數面之緣，因此上前勸說，希望雙方罷手息戰，哪知四個師父不但不聽弟子勸解之言，反責弟

子多管閒事，並質問弟子是何人門下，膽敢管峨嵋派中事情……」

超慧冷冷接道：「李瑤紅用歹毒無比的暗器連傷了我們峨嵋門下兩個弟子，我們派人追蹤捉她，該是不該？」

楊夢寰待超慧說完，又接著說道：「弟子當時雖受羞辱，但仍忍氣吞聲，未和四位師父爭論，只求他們放過李瑤紅，哪知四位師父執意不允，並逼著弟子一起到峨嵋山萬佛寺去見掌門方丈。弟子想那萬佛寺超凡大師，乃武林一派掌門身分，定是寬宏大量之人，當下就答應下來。不想到了萬佛寺後，只見到超慧師太，先把弟子訓斥一頓後，又下令把弟子和李瑤紅一起囚入石牢，弟子看情形不對，迫得拔劍動手。弟子雖知技不如人，但因激於一時義憤，放走了李瑤紅，獨拒追兵，被超慧師太生擒囚入石牢半月之久。後來，借得一位小師父送飯機會，逃出了石牢，哪知途中又遇上李瑤紅，經她相告，說弟子恩師已尋上萬佛寺找我去了。因此，弟子又重返萬佛寺去尋恩師。哪知事情會有那麼趕巧，玉簫仙子也到了萬佛寺。弟子是否和玉簫仙子勾結，那位超塵大師親眼所見，親耳所聞，掌門師叔一問便知。至於李瑤紅請到天龍幫中壇主趕到之時，弟子和玉簫仙子都已受了重傷，就不大清楚了。」

玉靈子臉色稍見緩和，但仍冷漠異常地問道：「你這話可是句句真實嗎？」

楊夢寰道：「弟子如說了一句謊言，願受派規制裁。」

玉靈子轉臉望著超元大師，說道：「本門弟子供詞，若有不實之處，還望大師指正出來。」

超慧搶先接道：「如他供詞屬真，哪能這般湊巧，分明他早已和天龍幫及玉簫仙子勾結，預謀向本派尋仇。」

一陽子微微一笑，道：「師太之言，未免太過武斷，劣徒是否勾結了天龍幫中人物，向貴派尋仇，眼下尚未查明，貧道不便妄斷。至於玉簫仙子，確是由崑崙山和貧道一齊動身趕奔貴寺，不敢相瞞三位，玉簫仙子和幾位動手之時，貧道已到了峨嵋山中。」

超塵道：「阿彌陀佛！你既然到峨嵋山，爲什麼不到我們萬佛寺去，你去了也許不致使咱們峨嵋、崑崙兩派之間，結下這段樑子。」

一陽子道：「如你這般說法，咱們這段因誤會結下的嫌怨，是無法可解了嗎？」

超慧冷冷地答道：「要想消除這段嫌怨，除非是拿你們崑崙門下兩個弟子的性命償還……」

一陽子仰臉望天，哈哈大笑，道：「師太之言，未免太過，你們峨嵋門下的弟子性命是命，我們崑崙派門下弟子的命就不是命嗎？動手過招，優勝劣敗，這等強詞奪理之言，聽來實令人難以入耳，不怪貴派弟子命短，卻來怪我們崑崙門下弟子命長了。」

超慧正待反脣相譏，朱若蘭已滿臉嗔怒之色，冷笑道：「原來你們三位是來我白雲峽中尋仇，別說崑崙三位道長是我客人，就是素不相識之人，我也不願看著在我這白雲峽中動槍動刀，三位如果沒有別的事，那就請便吧。」

三手羅刹彭秀葦突然向前疾進兩步，一揚手中毒沙，道：「三位快請趕路，我們主人素來說一不二。」

超元氣得冷哼一聲，回頭望著超塵、超慧，道：「咱們走！」

他究竟是閱歷豐富之人，雖然在憤怒之中，仍能衡量敵我之勢，強忍下胸中怒火不發；而且制止住超塵、超慧，不讓兩人發作。

崑崙三子心知此仇已經結下，已不是言詞能解說得了的，也就不再多費唇舌。

這當兒，忽聽一聲悠長的嬌呼聲後，夾著厲喝之聲遙遙飄傳而來。朱若蘭耳目敏銳，聞得那嬌喊聲後，立時辨出是李瑤紅所發，心中忽然一動，忖道：她這等大聲呼叫，自非無因而發，抬頭望去，只見正南方山峰之上，有幾條人影，追逐而來，但因那人影相距過遠，難以分辨清楚像貌。

趙小蝶內功精深，又服過萬年火龜內丹，目光大異常人，只聽她啊了一聲，說道：「奇怪！那些人邊走邊打，不知在搞什麼鬼？」但見那幾條人影相繼下了山峰，消失不見。

朱若蘭一顰黛眉，問道：「妹妹，那最前面一人，是不是一個女子？」

趙小蝶點點頭，道：「不錯，她手拿著兵刃，當先奔走，後面跟了很多人，似乎手中都握著兵器，像是追她，又像是保護她，邊走邊打。」

朱若蘭：「那定是李瑤紅啦！咱們得接迎她去！」說完，當先向南奔去。

峨嵋三老相互望了一眼，隨後跟去，崑崙三子怕朱若蘭難抵對方人多，低聲商議幾句，隨在峨嵋三老身後跟去，趙小蝶沉吟一陣，帶四婢走在最後。

朱若蘭身法何等迅快，幾人轉過山腳之時，早已不見了她的蹤影。

這等深山之中，到處是攔路絕峰，很少有路可循，幾人未見她走的方向，一時不知何去何從，全部停了腳步。

忽聽趙小蝶嬌喝一聲：「站住。」左手一揮，身後四婢齊出，白衣飄飄，快如流矢般超到峨嵋三老前面，回頭攔住去路。

超元看四婢年紀雖然不大，但身法卻是快捷絕倫，他剛和朱若蘭動過手，心中餘悸猶存，不敢莽撞出手，回頭望了趙小蝶一眼，冷冷問道：「女施主，攔住老衲，是何用心。」

趙小蝶道：「剛才我蘭姊姊讓你們走，你們不走，現在就得等我蘭姊姊回來才能走了。」

趙小蝶轉頭望了望崑崙三子，見他們靜靜站在一側，似是沒有走的打算，遂緩步走到慧真子身旁，只見她左手輕攬霞琳，沈霞琳伏在她肩頭之上，滿臉睏倦之色，似已熟睡過去。

她忽然覺著這位嬌稚的少女，象徵著什麼？她沒有心機，沒有妒恨，但卻有人間最真實的情愛，最純潔的靈魂。

再看楊夢寰時，只見他垂著雙手，站在師父身後，臉色十分莊嚴。

一陽子似是聞到了他身上的腥臭之氣，回頭望了夢寰一陣，輕輕地嘆息一聲。

在場諸人，除了趙小蝶和四婢之外，似是都有著很沉重的心事，一個個臉色凝重。

忽聽趙小蝶輕舒一口氣，道：「好啦！蘭姊姊回來了，你們有什麼事，都問她吧。」她似已被那莊肅得近乎冷漠的空氣，壓得喘不過氣，不知如何處理眼前這紛亂錯綜的局面。

反過頭看去，只見朱若蘭和另一個玄裝少女，並肩聯袂而來。

兩人身後數丈左右，緊追著六、七個人，一陽子翻腕拔出背上寶劍道：「咱們崑崙派連番受過別人施恩，今日正好借機一報。」

慧真子輕輕推開霞琳，拔出劍來，低聲答道：「好！我受過她療毒救命之恩，今日當借機酬報，免得耿耿於心，日夜難安……」

她因偏愛霞琳，不自覺對朱若蘭產生出一種敵意。在她想，要想促成霞琳和楊夢寰一對美滿良緣，只有使兩人早些和朱若蘭離開。她這等用心雖然未明言，但經常無意之間表達出來。

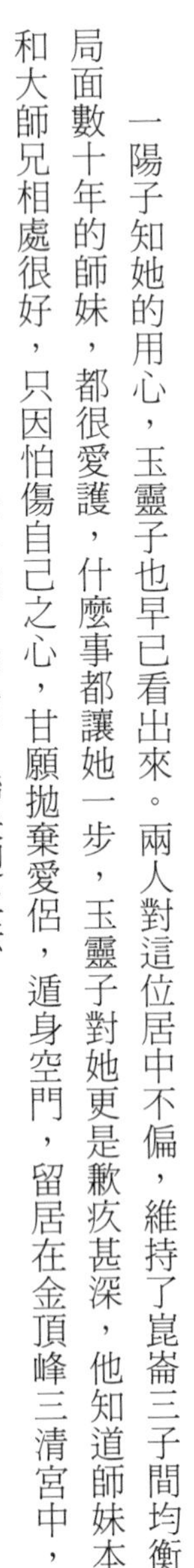

一陽子知她的用心，玉靈子也早已看出來。兩人對這位居中不偏，維持了崑崙三子間均衡局面數十年的師妹，都很愛護，什麼事都讓她一步，玉靈子對她更是歉疚甚深，他知道師妹本和大師兄相處很好，只因怕傷自己之心，甘願拋棄愛侶，遁身空門，留居在金頂峰三清宮中，陪守了自己數十年……當下也拔出背上寶劍，聯袂迎上去。

朱若蘭輕功雖好，但因她手中拉著李瑤紅，奔走速度減低很多，身後追來幾人又都是當代江湖中一流高手，崑崙三子距兩人還有丈許距離，忽見李瑤紅雙腿一軟，摔倒地上。

但聞一聲破空銳嘯，一串金丸，疾如電射般，猛向朱若蘭後背打去。

朱若蘭嬌軀疾轉，左手一揚，幾粒牟尼珠劃空迎去，但聞幾聲金鐵相觸之聲，飛來金丸，盡被牟尼珠擊落。

但這一緩之勢，疾追幾人，已由四面八方合圍而到。

朱若蘭突然嬌叱一聲，雙掌連環拍出，剎那之間擊出五掌，把逼近身側強敵，一齊迫退。

一陽子大喝道：「幾位大都是武林中一派掌門之尊，久負盛譽之人，怎麼這等不守江湖規矩，以眾凌寡。」一喝聲之中，左手已拔出肩上綠把古劍，疾躍而上，寶刃揮舞之間，寒光森森耀目，擋在朱若蘭前面。

只聽幾聲嬌喝，三手羅剎彭秀葦，和趙小蝶身側的四個白衣小婢，一齊飛躍而到。彭秀葦雙足還未落地，右手毒沙，已自出手，日光照耀之下，突然湧起一陣濃煙，千百粒藍汪汪的鐵沙，捲襲過去。

朱若蘭探手抱起李瑤紅，急聲喝道：「決些退下……」當先轉身一掠，人已到一丈開外。

只聽對方冷笑聲中響起一聲斷喝道：「好歹毒的暗器。」餘音未絕，突聞強風呼嘯，那

迷目捲襲而來的毒沙，忽地倒轉方向，反擊過來，彭秀葦驚叫一聲：「道長和各位妹妹快退……」氣運雙掌，平胸推出，一股掌風潛力，直向反擊而來的毒沙上撞過去。

一陽子不退反進，左右雙劍揮起一片光幕，疾向瀰空毒沙中衝去。

忽聽趙小蝶嬌叱劃空，披肩藍紗飄飛，人如雲雀穿空而下，雙掌一先一後，相連拍出。

她已深具「大般若玄功」根基，內力深強無比，兩掌拍擊出手，尚未見什麼特異之處，只待她擊出內力和那被人逼轉毒沙力道相觸，忽生強勁反彈之能，千百粒毒沙，倏然又反射回去，勢道迅疾，粒粒響起破空微嘯。

這等威勢，不禁使崑崙三子和峨嵋三老看得神色大變，就是朱若蘭也看得呆了一呆。

**請續看《飛燕驚龍》（四）**

臥龍生武俠經典珍藏版 3

# 飛燕驚龍（三）

作者：臥龍生
發行人：陳曉林
出版所：風雲時代出版股份有限公司
地址：10576台北市民生東路五段178號7樓之3
電話：(02) 2756-0949　　傳真：(02) 2765-3799
執行主編：劉宇青
美術設計：許惠芳
行銷企劃：林安莉
業務總監：張瑋鳳
出版日期：臥龍生60週年珍藏版 2022年2月
ISBN ：978-986-5589-56-1
風雲書網：http://www.eastbooks.com.tw
官方部落格：http://eastbooks.pixnet.net/blog
Facebook：http://www.facebook.com/h7560949
E-mail：h7560949@ms15.hinet.net
劃撥帳號：12043291
戶名：風雲時代出版股份有限公司

風雲發行所：33373桃園市龜山區公西村2鄰復興街304巷96號
電話：(03) 318-1378　　傳真：(03) 318-1378
法律顧問：永然法律事務所 李永然律師
　　　　　北辰著作權事務所 蕭雄淋律師

行政院新聞局局版台業字第3595號 營利事業統一編號22759935


**定價：320元**　

國家圖書館出版品預行編目資料

飛燕驚龍／臥龍生 著. -- 臺北市：風雲時代出版股份有限公司，2021.06- 冊；公分（臥龍生武俠經典珍藏版）
ISBN：978-986-5589-54-7（第1冊：平裝）
ISBN：978-986-5589-55-4（第2冊：平裝）
ISBN：978-986-5589-56-1（第3冊：平裝）
ISBN：978-986-5589-57-8（第4冊：平裝）

863.57　　110007323